Larousse
de la
grammaire

LIBRAIRIE LAROUSSE
17, rue du Montparnasse 75298 PARIS CEDEX 06

Avant-propos

Que penser de tournures ou de phrases telles que *Si nous aurions préféré... Il s'est produit un incident dont la cause en est inconnue. C'est un exercice soi-disant facile. Cette décision ne laissa pas que de surprendre ?* Est-ce qu'il vaut mieux terminer une lettre par *En attendant une confirmation, veuillez agréer...* ou par *En attendant une confirmation, je vous prie d'agréer... ?* Comment interpréter les locutions *rien moins que, rien de moins que ?*

La plupart des questions de ce genre, qui portent principalement sur la syntaxe, reçoivent ici des réponses simples qui constatent des faits de langue et les situent dans la diversité des usages. Le bon usage, dans cette perspective, c'est celui qui est approprié à la circonstance où l'on s'exprime, et suffisamment maîtrisé pour ne pas être mêlé, sauf intention particulière, de traits appartenant à d'autres usages.

Ainsi, quand une même idée peut être exprimée sous plusieurs formes grammaticales, ces formes sont signalées et caractérisées par référence à une situation : usage *courant*, ou *familier*, ou *soutenu*, ou *littéraire*. L'usage *surveillé* se définit par opposition à un usage *relâché* qui, comme l'usage ordinairement appelé *populaire*, ou même l'usage familier, serait jugé défavorablement dans un texte écrit de caractère public ou officiel. Les écarts les plus nets par rapport aux façons de s'exprimer généralement reconnues comme normales sont marqués d'un astérisque, ex. **Je ne veux pas voir personne.*

Quelques articles ou paragraphes rappellent des notions de base et présentent un vocabulaire grammatical indispensable.

La recherche est facilitée par la disposition alphabétique, par des renvois d'un article à un autre, et par un index qui signale les articles dans lesquels le mot indiqué est concerné.

Pour certains renseignements détaillés concernant plus spécialement l'orthographe ou la conjugaison, on consultera avec profit le *Larousse de l'orthographe* ou le *Larousse de la conjugaison.*

René LAGANE

ABRÉVIATIONS

adj.	adjectif	n.	nom
adv.	adverbe	nég.	négation ou négatif
compl.	complément	n. f.	nom féminin
condit.	conditionnel	n. m.	nom masculin
conj.	conjonction	part.	participe
fam.	usage familier	pop.	usage populaire
indic.	indicatif	prép.	préposition
infin.	infinitif	qqn	quelqu'un
interr.	interrogation	qqch	quelque chose
	ou interrogatif	subj.	subjonctif
littér.	usage littéraire	v.	voir

I. Dictionnaire des difficultés

à

1. Les emplois de la préposition *à* sont extrêmement divers. On trouvera des remarques la concernant dans de nombreux articles, notamment à

AFFAIRE, 1 *(avoir affaire à)*; AGENT *(faire, laisser + infin. à)*; AIDER, 1; AIMER, 1 et 2; ALLER, 3 *(aller au dentiste)*; ATTEINDRE; ATTENTION, 4; AVEC, 1 *(associer, comparer, etc., à)*; BÉNÉFICIER; CAUSER; C'EST, 2 *(c'est à lui à qui)*; COMMENCER, 1 et 3; CONSISTER, 1; CONTINUER; CONVENIR, 1; CROIRE, 2; EN *(à Avignon)*; ESSAYER, 1 et 3; ÉVITER, 2; FAUTE *(c'est la faute à)*; FOIS, 1 *(à chaque fois)*; FOURNIR, 1 et 2; GARDE *(prendre garde à)*, GOÛTER; HÉSITER; ICI *(d'ici à)*; JAMAIS, 5; JUSQUE, 2 *(jusqu'à aujourd'hui)*; MANQUER, 3 et 5; MATIN, 1 *(hier au matin, au soir)*; METTRE *(mettre à + infin.)*; NOUVEAU; NUMÉRAUX, 6 et 8 *(cinq à six, être à cinq)*; OBLIGER; OCCUPER, 1; PALLIER; PARAÎTRE, 2 *(à ce qu'il paraît)*; PARTICIPER; PARTIR *(partir à Paris)*; PEINE; PRENDRE, 5 et 7 *(se prendre à + infin., s'en prendre à)*; PRÉTENDRE, 3; RAISON; SAVOIR, 7; SERVIR; TÂCHER; TENIR, 3 *(tenir à honneur)*; TERRE; TOUCHER, 1; TOUR; TRAVERS; UN, 6 *(l'un à l'autre)*.

2. À / de (possession, appartenance). La construction *le fils à la concierge* est de l'usage très familier ou populaire; dans l'usage surveillé, on dit *le fils de la concierge*. Avec un pronom personnel, on dit couramment *C'est un cousin à moi* (= c'est un de mes cousins).

Quand on dit *C'est une idée de lui*, on souligne le fait que la personne en question est l'auteur de l'idée, alors que *C'est une idée à lui* signifie seulement « c'est une de ses idées ».

3. À / en (moyen de déplacement). On dit *aller à pied, à cheval*, mais *en voiture, en bateau.* L'emploi de *en* tend à se généraliser : on dit généralement *en vélo, à* (ou *en*) *bicyclette, en* (ou *à*) *moto, en* (ou *à*) *skis, en patins à roulettes, en planche à voile.*

4. C'est à vous à (ou de) + infin. Ces deux constructions s'emploient à peu près indifféremment, *de* étant cependant plus usuel :

> *C'est à vous à vous **occuper*** (ou *de vous **occuper***) *de cette affaire. Ce n'est pas à moi **de juger**. C'est à qui **de jouer** ?*

5. À + infin. /à ce que/que. De nombreux verbes peuvent être suivis de *à* et d'un infinitif ayant même sujet que leur sujet ou leur complément d'objet :

> *Je parviens **à comprendre**. Je l'aide **à comprendre**.* (V. INFINITIF, II, 2.)

● Quand il n'y a pas cette identité de sujet (ou entre sujet de l'infinitif et complément d'objet du verbe), ces verbes sont souvent suivis d'une subordonnée au subjonctif introduite par *à ce que* :

> *Il faut parvenir **à ce que** chacun **comprenne**. Ces explications aident **à ce que** tout **soit** clair.*

Cette construction s'applique notamment aux verbes suivants :

aboutir, s'accoutumer, aider, s'appliquer, arriver, s'attacher, chercher, concourir, condescendre, conduire, contribuer, se décider, s'employer, s'exposer, gagner, s'habituer, s'intéresser, mener, s'occuper, parvenir, pourvoir, se refuser, renoncer, se résigner, se résoudre, réussir, revenir, tendre, tenir, travailler, veiller, viser, voir.

● Les verbes ou locutions *aimer, s'attendre, consentir, demander, faire attention, prendre garde* peuvent être suivis soit de *à ce que* + subj., soit simplement de *que*. (V. ces mots à leur ordre.)

accord

A. Accord du verbe.

I. VERBE AYANT UN SUJET UNIQUE. En règle générale, le verbe s'accorde avec ce sujet en personne, en nombre et éventuellement (pour le participe) en genre.

1. Nom collectif sujet (ex. *une foule de*, etc.), v. COLLECTIF. V. aussi (LA) PLUPART.

2. *Assez de, beaucoup de, trop de,* etc. Quand ces expressions servent de déterminant à un nom pluriel sujet, le verbe s'accorde avec ce nom pluriel :

*Trop de questions **sont restées** sans réponse.* (V. BEAUCOUP, 2.)

3. Sujet *il* (impersonnel), *ce, qui,* v. IMPERSONNEL, 1 ; CE, II, 3 ; ÊTRE, 1 et 4 ; SI, I, 4 ; QUI, 2, 3, 4, 5.

II. VERBE AYANT PLUSIEURS SUJETS.

1. Plusieurs noms désignant un même être ou une même chose. Dans ce cas, le verbe est au singulier :

*L'inventeur et le promoteur de ce procédé **était** un artisan.*

2. Noms quasi-synonymes. Le verbe est souvent au singulier :

*Sa crédulité et sa naïveté **est** incroyable* (ou **sont** *incroyables*).

3. Mots constituant un ensemble. Le verbe est ordinairement au singulier :

*Écouter et se taire **est** parfois difficile. Une critique, une remarque, une simple allusion lui **est** insupportable* (ou *lui **sont** insupportables*).

4. Sujets résumés par un mot. C'est ce mot qui commande l'accord :

*Les cris, les pétards, les flonflons, **tout** ce vacarme **est** assourdissant.*

5. Sujets reliés par *ainsi que, avec, comme, de même que,* etc. L'accord se fait tantôt au singulier, tantôt au pluriel (en général au singulier si les sujets sont séparés par une pause) :

*Son frère, ainsi que sa sœur, **est passionné** de musique, ou son frère ainsi que sa sœur **sont passionnés** de musique.* (V. AVEC, 2.)

6. Sujets reliés par *ou, ni.* L'accord se fait tantôt au singulier, surtout si l'on considère ces sujets comme des termes distincts ou opposés, tantôt au pluriel :

*La réussite ou l'échec **dépend** du choix initial. Une erreur ou un défaut d'attention **peut** (ou **peuvent**) tout compromettre. Ni la douceur, ni la menace ne **peut** (ou ne **peuvent**) le faire changer d'avis.*

7. Pronoms personnels sujets. Si les sujets coordonnés par *et, ou, ni* ne sont pas de la même personne (donc comprennent des pronoms personnels), le verbe est au pluriel ; la 1re personne prévaut sur la 2e et/ou la 3e, et la 2e personne prévaut sur la 3e :

*Pierre, toi et moi **sommes** d'accord sur ce point. Lui ou toi **pouvez** régler l'affaire. Ni lui ni moi n'y **pouvons** rien.*

Le plus souvent, on reprend ces sujets par le pronom personnel de la personne qui prévaut :

*Pierre, toi et moi, **nous sommes** d'accord sur ce point. Lui ou toi, **vous pouvez** régler l'affaire.*

8. Sujet *l'un et l'autre, l'un ou l'autre,* v. UN, 5.

B. Accord de l'adjectif, v. ADJECTIF, 3.

V. *Larousse de l'orthographe.*

accourir

Ce verbe se conjugue soit avec l'auxiliaire *avoir*, soit avec l'auxiliaire *être* :

*Les voisins **ont** accouru* (ou **sont** *accourus*) *pour l'aider.*

accoutumer

1. Ce verbe est moins usuel que *habituer*, dont il est l'équivalent ; son complément (nom ou infinitif) est ordinairement introduit par *à* :

On ne nous avait pas accoutumés à tant de précautions. Je suis accoutumé à ses caprices. Il s'est accoutumé à vivre en solitaire.

2. La construction *avoir accoutumé de* + infin. est archaïque :

Il avait accoutumé de répéter ce proverbe (usage courant : *Il avait l'habitude* [ou, plus rarement : *Il avait coutume*] *de répéter ce proverbe*).

adjectif

1. Fonctions. L'adjectif peut être

- épithète : *Un conducteur **prudent** ralentit ;*

- attribut : *Le conducteur est* (ou *devient, reste, semble*) ***prudent ;***

- apposé, ou mis en apposition : *Le conducteur, **prudent**, ralentit.*

2. Degrés. On appelle « comparatif » d'un adjectif l'ensemble formé par cet adjectif et les adverbes *plus* (comparatif de supériorité), *moins* (comparatif d'infériorité), *aussi* ou *si* (comparatif d'égalité) :

*Son jardin est **plus long, moins large, aussi ombragé** que le mien.*

● On appelle « superlatif » d'un adjectif cet adjectif modifié par *le plus* (superlatif relatif) ou *très, fort, extrêmement,* etc. (superlatif absolu) :

*Son jardin est **le plus fertile, est très fertile.*** (V. MEILLEUR, PIRE, MOINDRE.)

3. Accords. L'adjectif s'accorde en genre et en nombre avec le nom (ou les noms) ou le pronom (ou les pronoms) auxquels il se rapporte :

*Un **grand** fauteuil. Une **grande** table. Ces triangles sont **égaux**.*

● Un adjectif se rapportant à plusieurs noms de genre différent se met au masculin pluriel :

*Une table et un fauteuil **neufs.** Une taille ou un poids **excessifs.** Les rues et le boulevard étaient **déserts.*** Mais : *Un bœuf et une vache **laitière.** Une revue ou un journal **quotidien*** (l'adjectif ne se rapporte qu'à un seul des noms).

● On évite de préférence de placer un adjectif ainsi employé au masculin pluriel immédiatement auprès d'un nom féminin, du moins quand la prononciation du féminin de l'adjectif est différente de celle du masculin ; on dit plutôt, dans l'usage surveillé, *une **robe** et un **chapeau violets*** que *un **chapeau** et une **robe violets.***

● On met parfois au singulier deux adjectifs coordonnés par *et, ou,* se rapportant à un nom exprimé une seule fois au pluriel au lieu d'être répété : *les codes **civil** et **pénal*** (= le code civil et le code pénal).

● Pour d'autres accords particuliers de l'adjectif, v. *Larousse de l'orthographe.*

4. Place de l'adjectif épithète.

A. ANTÉPOSITION. — Il existe une liste limitée d'adjectifs qui sont ordinairement placés avant le nom (antéposés) ; ces adjectifs n'ont le plus souvent qu'une ou deux syllabes : *beau, bon, grand, gros, vieux, joli, petit, mauvais,* etc. : *un beau château,* et non **un château beau.*

B. POSTPOSITION. — Certains adjectifs sont toujours placés après le nom (postposés), en particulier :

● ceux qui sont issus de participes passés ou (moins systématiquement) de participes présents : *fatigué, apprivoisé, ravi, connu, clos, ambulant, cassant,* etc. : *un voyageur fatigué,* et non **un fatigué voyageur ; les numéros gagnants* et non **les gagnants numéros.*

● ceux qui classent dans des ensembles en indiquant la nationalité, la religion, la catégorie administrative, technique, géographique,

9

sociale, etc. : *français, catholique, municipal, électrique : le gouvernement français,* et non **le français gouvernement.*

● ceux qui décrivent en indiquant une forme, une couleur : *triangulaire, sphérique, bleu, violet : une robe bleue,* et non **une bleue robe.*

C. ANTÉPOSITION / POSTPOSITION. — Un grand nombre d'adjectifs peuvent être soit antéposés, soit postposés selon des règles ou des tendances relevant de la grammaire proprement dite, du rythme, du sens ou de l'expressivité.

● Tout adjectif, même s'il est ordinairement antéposé, se place après le nom quand il est suivi d'un complément : *un bon repas* (et non *un repas bon), mais *un repas **bon pour des cochons.*** S'il est coordonné à un ou plusieurs adjectifs, il peut être aussi postposé : *un repas **bon** et **copieux,*** mais l'antéposition des deux adjectifs est souvent possible : *un **bon** et **copieux** repas.*

● On évite de placer un adjectif long devant un nom d'une seule syllabe constituant la fin d'un groupe rythmique. On dit normalement *des cris bouleversants,* et non *de bouleversants cris,* mais *de bouleversants cris de détresse* est une construction usuelle, surtout dans un texte écrit.

● L'antéposition de l'adjectif indique parfois une qualité conçue comme inhérente : l'ensemble adjectif + nom exprime alors une notion globale, alors que la postposition exprime une représentation de la qualité ayant valeur distinctive :

Les courageux soldats ont été félicités (tous les soldats, qui sont auréolés de courage) / *Les soldats courageux ont été félicités* (seulement ceux des soldats qui ont montré du courage).

On peut constater que, dans de tels exemples, la modification de sens correspondant au changement de place de l'adjectif est importante.

● L'adjectif antéposé exprime souvent une vision subjective, une appréciation ; il se charge d'une valeur affective, par opposition à la vision objective, à la valeur descriptive de ce même adjectif postposé : un *pauvre homme* est un homme sur lequel je m'apitoie (même s'il est riche) ; un *homme pauvre* peut être objectivement déclaré tel sur des critères financiers. De même pour *un brave garçon / un garçon brave ; mon cher ami / du tissu cher.* Ce type d'opposition rend compte du sens dit « figuré » pris par certains adjectifs antéposés, par rapport au sens « propre » qu'ils ont en postposition : *une étroite obligation / une rue étroite ; un noir chagrin / du tissu noir ; de vertes remontrances / un ruban vert.* On voit par de tels exemples qu'on peut avoir affaire à deux sens nettement différents de l'adjectif. Souvent, l'antéposition est un trait de l'usage littéraire qui ajoute une simple nuance affective : les *vertes campagnes* sont certes de couleur verte, comme la *campagne verte,* mais en outre, le vert y est évocateur de fraîcheur, de paix.

admettre

1. *Admettre que* + **indic. ou condit.** Le verbe de la subordonnée dépendant de *admettre* est à l'indicatif quand *admettre que* signifie « convenir du fait que, reconnaître que » :

*J'admets qu'on ne **pouvait** pas faire autrement. J'admets que ce **serait** surprenant.*

2. *Admettre que* + **subj.** Le verbe de la subordonnée est au subjonctif quand *admettre que* signifie « prendre comme hypothèse que » ; c'est le cas en particulier aux formes *admettons, admettez que,* en *admettant que* :

*Admettons qu'il **ait eu** un empêchement, il aurait tout de même pu prévenir. En admettant que nous **acceptions,** qu'est-ce que nous y gagnerons ?*

● Le verbe de la subordonnée est aussi au subjonctif quand *admettre que* signifie « accepter, tolérer que, consentir à ce que» ou «en venir à l'idée que» :

*J'admets qu'on lui **reconnaisse** des circonstances atténuantes.*

C'est souvent le cas quand *admettre* est à la forme négative ou interrogative ou dans un contexte restrictif :

*Je n'admets pas qu'on **mette** ma parole en doute. Comment pouvez-vous admettre qu'on **agisse** ainsi à votre égard? J'ai peine à admettre qu'on **soit** aussi négligent. Il est difficile d'admettre qu'on ne **tienne** pas compte de cet argument.*

adverbe

1. Les adverbes sont des mots en principe invariables (voir cependant n° 3 et TOUT, 7 et 13). On peut distinguer des adverbes circonstanciels (manière, lieu, temps, cause, etc.) : *ainsi, facilement, là, toujours, pourquoi,* etc. ; des adverbes de quantité et de négation : *très, beaucoup, ne... pas,* etc. ; des adverbes d'opinion et modalisateurs : *oui, non, peut-être, probablement,* etc. ; des adverbes de liaison : *puis, ensuite,* etc.

● Les adverbes, comme les adjectifs, peuvent avoir des formes de comparatif : *plus facilement,* etc., ou de superlatif : *le plus facilement; très facilement.*

2. Adverbes en -ment. Un grand nombre d'adjectifs ont un correspondant adverbial en -ment : *un travail facile → il travaille **facilement**; une légère différence → un résultat **légèrement** différent,* etc.

● Ces adverbes se forment en principe par addition du suffixe -ment au féminin de l'adjectif; cependant certaines formations sont particulières. (V. *Larousse de l'orthographe.*)

● Tout adjectif ne donne pas lieu à la formation d'un adverbe en -ment couramment employé. Des mots comme **geignardement, *clairvoyamment,* pourtant formés régulièrement sur *geignard, clairvoyant,* ne sont pas en usage. En cas de doute, il est prudent de s'assurer grâce à un diction-naire du caractère usuel d'un adverbe en -ment. On peut employer un complément de manière au lieu de l'adverbe, par ex. *d'un air geignard, avec clairvoyance.*

● Le sens d'un adverbe en -ment correspond souvent à un seul des divers sens de l'adjectif ; par ex., *vertement* correspond au sens de *vert* dans une expression comme *de vertes réprimandes.* Parfois même le sens de l'adverbe en -ment est différent de celui de l'adjectif : *incessamment* signifie seulement aujourd'hui « d'un instant à l'autre, très bientôt », alors que *incessant* signifie «continuel, qui ne cesse pas».

● L'abus des adverbes en -ment risque d'alourdir les phrases. C'est pourquoi, par exemple, au lieu de *incroyablement rapidement,* on dira plutôt *avec une incroyable rapidité.*

3. Adjectifs employés adverbialement. Un certain nombre d'adjectifs, en général courts, peuvent s'employer comme adverbes :

*Ces fleurs sentent **bon**. Nous avions vu **juste**. Ces paquets pèsent **lourd**.*

Quand pour un même adjectif il y a possibilité d'emploi adverbial et formation d'un adverbe en -ment, en principe les deux adverbes ne sont pas interchangeables : on dit *s'élever **haut**, parler **haut**,* mais *revendiquer **hautement** un droit; voir **clair**, mais voir **clairement** la situation; boire **sec**,* mais *répondre **sèchement**,* etc.

● Quelques adjectifs employés adverbialement sont variables en genre et en nombre :

*Une fenêtre **grande** ouverte (= ouverte en grand). Des fleurs **fraîches** écloses (= récemment écloses). Elle est **bonne** dernière (= tout à fait dernière).*

4. Place. Un adverbe modifiant un verbe se place ordinairement après ce verbe ou, aux formes composées, après l'auxiliaire :

*Je vous approuve **complètement**. J'avais **totalement** oublié ce détail.*

*Il travaille **beaucoup**. Il a **beaucoup** travaillé. Il ne vient **jamais**. Il n'est **jamais** venu.*

● Cependant un adverbe peut souvent se placer après le participe :

*Elle avait oublié **totalement** ce détail.*

C'est même la seule place possible pour certains adverbes, notamment de lieu ou de temps :

*Il est allé **ailleurs**. Je me suis couché **tard**.*

● Un adverbe modifiant un adjectif ou un autre adverbe se place ordinairement avant lui :

*Un résultat **complètement** faux. Un arbre **toujours** vert.*

● Un adverbe modifiant un participe se place tantôt avant lui, tantôt après lui :

*Un terrain **récemment** acquis ou acquis **récemment**.*

affaire

1. Avoir affaire à/avec. La construction avec *à* est la plus usuelle.

● *Avoir affaire à qqn*, c'est se trouver en rapport avec lui, avoir à lui parler :

*J'ai eu affaire **à un employé** très serviable.*

● *Avoir affaire à qqch*, c'est avoir à s'en occuper, être en présence de cela :

*Nous avons affaire **à un problème** très délicat.*

● *Avoir affaire avec qqn* s'emploie parfois avec le même sens, mais on prend plutôt cette construction au sens plus particulier de «avoir à traiter, à débattre une affaire avec quelqu'un» :

*J'ai rendez-vous avec le notaire : j'ai affaire **avec lui** au sujet de cette vente.*

On écrit aussi *avoir à faire à* ou *avec*.

2. Qu'ai-je affaire de + n. ou infin. ? Cette expression, qu'on écrit aussi *Qu'ai-je à faire de... ?*, est de l'usage soutenu et marque l'indifférence ou le refus :

*Qu'ai-je affaire **de ses conseils ?***
(usage très familier : *Ses conseils, j'en ai rien à faire*). *Qu'avons-nous à faire **de perdre** notre temps en palabres ?*

(complément d') agent

1. Le complément d'agent d'un verbe passif (qui serait sujet de la phrase active correspondante) est introduit ordinairement par la préposition *par* :

*La séance était présidée **par le ministre*** (actif : *Le ministre présidait la séance*).

2. Parfois ce complément peut aussi être introduit par la préposition *de*, par exemple :

● quand le verbe passif exprime plutôt l'état que l'action en cours :

*Le sol était couvert **d'une couche de neige** ;*

● en particulier avec des verbes exprimant

- un sentiment (*aimer, haïr, préférer, craindre, redouter,* etc.) :

*Il était détesté **de tous** (ou **par tous**),*

- une opération de l'esprit (*comprendre, ignorer, oublier,* etc.) :

*Un texte de loi ignoré **de** (ou **par**) la plupart des gens.*

● quand le verbe indique une situation dans l'espace (*entourer* = être autour de, *précéder* = être devant, *accompagner* = être auprès de, etc.) :

La voiture présidentielle était précédée (entourée, suivie, etc.) **de motards** (mais : était protégée **par des motards**). Le clocher est surmonté **d'une girouette** (= une girouette est au-dessus).*

● Les mêmes principes s'appliquent au complément d'agent dans des constructions à l'infinitif avec *se laisser* et *se faire* :

*Il s'est fait détester **de** (ou **par**) tout le monde. Il s'est fait accom-*

pagner de (ou *par*) *son secrétaire.*

3. *Faire, laisser* + *infin. par/à.*
En principe :

● Si l'infinitif introduit par *faire* ou *laisser* a un complément d'objet direct, le complément d'agent peut être introduit par *par* :

Il faut faire établir un devis par un architecte. Ne laissons pas prendre nos places par des resquilleurs.

Il est souvent aussi introduit par *à*. ou, si c'est un pronom personnel, il prend les formes *me, te, nous, vous, lui, leur* :

On a fait écouter ce disque aux enfants. On leur a fait écouter ce disque. Il a laissé deviner ses projets à son interlocuteur. Il lui a laissé deviner ses projets.

Enfin, avec *laisser* (mais non avec *faire*), l'agent peut aussi être construit sans préposition :

Ne les (ou leur) laissons pas prendre nos places. Ne laissons pas des resquilleurs prendre nos places. Je le (ou lui) laisse diriger les opérations. Je laisse Pierre diriger les opérations.

● Si l'infinitif n'a pas de complément d'objet direct, l'agent est construit sans préposition :

L'architecte fait travailler les maçons. Faites-le venir. Laissez passer les gens pressés. Laissez-le parler.

4. Le pronominal passif (v. PRONOMINAL) ne reçoit pas de complément d'agent. On ne dit pas **Ces poteries se fabriquent en Provence par des artisans ;* on peut alors employer le passif proprement dit *(sont fabriquées par).*

agir

1. *En agir,* au sens de « se conduire (de telle ou telle façon)» est une locution littéraire analogique de la locution archaïque *en user* :

Est-ce ainsi qu'il en agit avec ceux qui l'ont aidé?

2. *S'agir* se conjugue avec l'auxiliaire *être*, comme tous les verbes pronominaux :

Quand il s'est agi de payer (et non **quand il s'a agi* ou **quand il a s'agi).*

● *Il s'agit que* + subj. s'emploie parfois, au sens de «il faut que», au lieu de la construction infinitive, quand on veut exprimer le sujet :

Il s'agit que vous ne commettiez pas d'erreur (ou *Il ne s'agit pas que vous commettiez d'erreur). Il s'agit que tout le monde soit bien d'accord.*

● *Il s'agit que* + indic. est de l'usage très familier, au sens de «il s'agit du fait que» :

Tu crois toujours qu'on t'en veut : il ne s'agit pas de ça. Il s'agit que tu es toujours en retard (= la vérité c'est que).

3. *S'agissant de* + n. ou infin. est de l'usage soutenu ou administratif, au sens de «puisqu'il s'agit de, quand il s'agit de» :

S'agissant d'un accident du travail, vous avez droit à une indemnité. Je demande à réfléchir, s'agissant d'engager une telle dépense.

aider

1. *Aider (à) qqn (à* + infin.)/ *aider (à) qqch, à* + infin. On dit normalement *aider quelqu'un,* mais l'ancienne construction *aider à quelqu'un* se rencontre parfois encore, surtout avec *lui* ou *leur* comme complément :

Je les ai aidés à finir ce travail ou, plus rarement : *Je leur ai aidé à finir ce travail. On l'a un peu aidé,* ou *On lui a un peu aidé.*

● On dit ordinairement *aider à quelque chose* (= le faciliter, le favoriser) :

Ces notes aident à la compréhension du texte (ou *à comprendre le texte).*

Toutefois, l'usage courant admet parfois l'omission de la préposition *à* devant un nom de chose :

*Des comprimés qui aident la diges-
tion. La chaleur risquait d'aider
l'épidémie.*

2. Aider (qqn) à ce que + subj. Si
la construction infinitive est impossible après *aider*, on peut avoir une
subordonnée au subjonctif avec *à ce
que :*

*Cette précaution aidera à ce que
tout aille bien.*

ailleurs

Par ailleurs est aujourd'hui tout à
fait courant pour indiquer un changement de point de vue :

*Ce produit est excellent ; il a par
ailleurs l'avantage d'être écono-
mique* (= en outre, d'autre part).

D'ailleurs indique une considération
qui vient à l'appui de l'idée précé-
demment exprimée :

*C'est là un résultat normal, d'ail-
leurs tout le monde s'y attendait*
(= au reste, du reste).

aimer

**1. Aimer que + subj. / aimer (à,
de) + infin.**

● Si le sujet du verbe de la proposition dépendant de *aimer* est différent
du sujet de *aimer*, cette proposition
est une complétive par *que* au subjonctif :

J'aime qu'on soit franc.

● Si le sujet est le même, la proposition dépendant de *aimer* prend la
forme d'un infinitif :

*J'aime être franc. Il aimait se pro-
mener le soir.*

● **Aimer à + infin.** est une construction plus rare, de caractère un peu
plus soutenu :

*Il aimait à se promener dans ces
sous-bois. On dit j'aime à croire,
j'aime à penser que...* (= j'espère
que...).

● **Aimer de + infin.** est archaïsant :
Il eût aimé d'être célèbre (usage

courant : *Il aurait aimé être
célèbre*).

2. Aimer à ce que + subj. est une
variante, parfois critiquée, de *aimer
que :*

*J'aime à ce qu'on soit franc. Il
aime à ce qu'on s'occupe de lui.*

**3. Aimer mieux, autant + infin.
... que (de), plutôt que (de) + infin.**
L'infinitif employé comme deuxième
terme d'une comparaison exprimée par
aimer mieux, aimer autant peut être
introduit par *que de, plutôt que de,* ou,
un peu moins couramment, par *que,
plutôt que :*

*J'aimerais mieux tout abandonner
que de recommencer* (ou *plutôt
que de recommencer*). *J'aime mieux
lire que jouer aux cartes* (ou *plutôt
que jouer aux cartes*).

Il semble que la construction avec *de*
soit plus ordinairement employée pour
exprimer un choix exclusif, c'est-à-
dire éliminant un des deux termes, et
la construction sans *de* pour exprimer
un goût préférentiel.

4. Aimer mieux que... que (si) ...,
v. QUE, 7, et SI, 5.

5. Aimer (bien) quand + indic.
est une construction familière à peu
près équivalente à *aimer (bien) que*
+ subj., mais insistant un peu plus sur
la satisfaction produite éventuellement
par une constatation :

J'aime quand tout est en ordre.

air

1. Avoir l'air + adj. Cette locution
est un équivalent de *sembler* ou de
paraître ; elle est d'un usage un peu
plus courant que ces deux verbes.
L'adjectif s'accorde en général avec le
sujet :

Elle a l'air inquiète.

Une phrase comme *Elle a l'air inquiet*
n'est sans doute pas exclue, mais un
tel accord avec le mot *air* n'est vraiment usuel que quand *air* est suivi
d'un complément ou d'une proposition
relative :

*Elle a l'air inquiet **d'une personne égarée**. Elle a l'air inquiet **que vous lui connaissez.***

● On dit toujours *elle a un air inquiet, insouciant*, etc. (Il n'y a plus locution verbale.)

alentour

1. Alentour est un équivalent un peu soutenu de « autour, aux environs » :

On découvre le château et le parc qui s'étend alentour. Se promener dans les bois d'alentour (usage courant : *des environs*).

2. Alentour de (ou *à l'entour de*) est archaïsant :

Mettre une clôture alentour de la maison (usage courant : *autour de la maison*).

3. Les alentours (de qqch) est un peu moins courant que *les environs (de qqch)* :

Les alentours de la ville sont pittoresques. Visiter les alentours. Il est arrivé aux alentours de dix heures.

aller

1. Je vais / je vas. La forme *je vas* est populaire ou régionale ; c'est un des traits du langage parfois prêté conventionnellement aux paysans.

2. Je suis allé / J'ai été. Les formes composées de *être* remplacent très souvent celles de *aller* dans l'usage courant, sans différence de sens :

J'ai été (ou *je suis allé*) *en vacances en Italie. Il avait été* (ou *il était allé*) *se promener.*

● L'emploi du passé simple de *être* au lieu de celui de *aller* a une valeur littéraire très accusée :

Chacun fut se coucher (usage courant écrit : *Chacun alla se coucher*, et oral : *Chacun est allé se coucher*).

● Quand *aller* signifie « se porter, être dans tel ou tel état », les seules formes possibles aux temps composés sont celles du verbe *être* :

Ça commence à aller mieux, mais ça a été plutôt mal (et non **c'est allé plutôt mal*).

3. Aller au dentiste. Cette construction est de l'usage familier. On dit, dans un usage plus surveillé :

Aller chez le dentiste, chez le coiffeur, chez le boucher, etc.

On dit couramment : *Aller au juge de paix* ou *devant le juge de paix*.

4. Aller + infin. *Aller* peut s'employer au présent ou à l'imparfait de l'indicatif comme auxiliaire de futur devant un infinitif. En principe, il exprime le futur proche par rapport au présent ou au passé :

La séance va commencer (= la séance commencera bientôt, d'un instant à l'autre). *Je vais avoir terminé* (= j'aurai bientôt terminé). *J'allais vous le demander.*

On peut parfois employer à peu près indifféremment le futur simple ou *aller + infin.*, surtout avec une indication de temps :

Je reviendrai bientôt ou *Je vais revenir bientôt.*

● *Aller* auxiliaire peut s'employer devant *aller* verbe de mouvement :

Je vais aller chez lui.

Une phrase comme *Il allait aller à la gare* n'a rien d'anormal ; on peut cependant juger préférable de dire, par exemple :

Il était prêt (ou *il se disposait*) *à aller à la gare*, etc.

5. Aller pour + infin., v. POUR, 5.

6. Ne va pas, n'allez pas + infin. est un renforcement de la défense ou de la recommandation négative :

Ne va pas t'imaginer que ça me fait plaisir ! (= ne te l'imagine surtout pas). *N'allez pas ébruiter cette affaire !* (= gardez-vous-en bien).

7. Si (pourvu que) + aller + infin. insiste sur ce qu'une hypothèse aurait de fâcheux si elle était avérée :

> *S'il allait s'en apercevoir, ce serait une catastrophe. Pourvu qu'il n'aille pas tout raconter !*

8. Aller sur suivi d'une indication d'âge signifie qu'on approche de cet âge :

> *Elle allait sur ses dix-huit ans. Il va sur la soixantaine.*

9. Aller (en) augmentant, v. GÉRONDIF, 2.

10. S'en aller. Les formes *Je me suis en allé, Ils s'étaient en allés,* etc. se sont largement répandues dans l'usage courant et même dans les textes littéraires, au lieu des formes traditionnellement recommandées *Je m'en suis allé, Ils s'en étaient allés,* qui ont un caractère plus soutenu.

● Le participe *en allé,* employé comme adjectif épithète, se rencontre surtout dans l'usage littéraire : *des enfants en allés.*

● *S'en aller* + infin. s'emploie parfois comme *aller* + infin. pour exprimer le futur proche, mais avec une valeur plus familière et à peu près uniquement à la 1re personne du singulier du présent :

> *Je m'en vais vous prouver que j'ai raison.*

11. On distinguera les deux expressions (de l'usage soutenu) *il en va de même* (ou *autrement*) *de* (ou *pour*), qui signifie « C'est la même chose (ou "autre chose") pour », et *il y va de,* qui signifie que quelque chose est en jeu, est mis en cause :

> *Cette question était simple ; il en va tout autrement de la suivante. Réfléchissez bien : il y va de votre avenir.*

12. J' (y) irai. On n'exprime généralement pas *y* devant le futur ou le conditionnel de *aller* :

> *Allez-y si vous voulez, moi je n'irai*

pas. *Quand bien même il irait de ma situation, je refuserais.*

alors

1. Alors/maintenant. Quand *alors* indique un moment du temps, ce moment est situé dans le passé ou dans le futur et non dans le présent ; il équivaut à « à ce moment-là » (et non « en ce moment-ci »). On dit donc :

> *J'ai reçu hier une lettre de lui : jusqu'alors je ne savais pas où il se trouvait ;* ou : *Je vous passerai un coup de fil : jusqu'alors, ne bougez pas.* Mais : *J'espère qu'il n'y aura aucun incident : jusqu'à maintenant* (ou *jusqu'à présent* ou *jusqu'ici*), *tout se passe bien,* et non **jusqu'alors, tout se passe bien.*

2. Alors mot de liaison. *Alors* (ou *et* [*puis*] *alors*) sert souvent de mot de liaison vague entre des phrases, surtout dans les énoncés oraux :

> *Il passait dans la rue, alors je me suis avancé vers lui, et alors il m'a reconnu,* etc.

Dans l'usage surveillé, on évite l'emploi trop fréquent de ce mot par le recours à la subordination, à la coordination et à la juxtaposition.

3. Alors que. L'emploi purement temporel de cette locution conjonctive est assez restreint et appartient à un usage assez soutenu ; le verbe est en principe à l'indicatif imparfait :

> *Je l'ai connu alors que j'étais encore étudiant* (= quand, pendant que, tandis que).

● *Alors que* exprime le plus souvent une opposition, avec éventuellement une valeur temporelle (« pendant que ») :

> *Tu t'amuses alors qu'il y a encore tout ce travail à faire ? Il prétend cela aujourd'hui alors qu'hier il affirmait le contraire* (= tandis que).

4. Alors même que avec un verbe au conditionnel exprime une opposition dans un système hypothétique (usage soutenu) :

Alors même qu'on m'offrirait le double, je refuserais (= quand bien même, même si + indic. imparfait).

apparaître

1. Ce verbe se conjugue soit avec l'auxiliaire *avoir*, soit (plutôt) avec l'auxiliaire *être* :

*Des difficultés imprévues **ont** apparu, ou **sont** apparues. La vérité **est** enfin apparue.*

2. Après *apparaître*, on peut avoir un attribut introduit par *comme* ou construit directement :

*Cette solution apparaît **comme** la meilleure, ou apparaît la meilleure.*

apposition

1. Il y a apposition dans des phrases comme

*Son chien, **un épagneul**, l'accompagnait. Lui, **surpris**, hésitait. L'échelle, **qui était mal calée**, a glissé.*

Le nom *un épagneul*, le participe-adjectif *surpris*, la relative *qui était mal calée* sont apposés (ou mis en apposition) à un nom ou à un pronom pour indiquer une précision, une explication.

● La mise en apposition d'un nom ou d'un adjectif est un moyen de donner plus de concision à une phrase : ces mots ont en effet une valeur proche de celle d'un attribut, mais le verbe *être* n'est pas exprimé :

Son chien, [qui était] un épagneul, l'accompagnait. Lui, [qui était] surpris, hésitait.

● Pour la relative apposée (ou appositive), v. RELATIVE, 2.

2. Un terme mis en apposition après ou avant le nom, et détaché par une pause (une virgule), exprime souvent une idée de temps, de cause, de concession, de condition :

Jeune, il avait beaucoup voyagé (= quand il était jeune). *Militaire*

de carrière, il avait le sens de la discipline (= du fait qu'il était militaire de carrière). *Pierre, **ce garçon timide**, a fait prévaloir son point de vue* (= bien que ce soit un garçon timide). ***Prévenu à temps**, j'aurais pu éviter cela* (= si j'avais été prévenu à temps).

après

1. *Courir après qqn, qqch.* Cette construction est très normale ; on emploie plus rarement *s'élancer, sauter, bondir après qqn* :

Le chien s'élance après le facteur.

● La construction *Il lui a couru après* est familière ; dans l'usage soigné, on dit plutôt : *Il a couru après lui.*

2. *Attendre après qqn, qqch* est de l'usage courant pour exprimer le besoin de quelqu'un ou de quelque chose, l'impatience de l'attente :

Dépêche-toi, on attend après nous. Il n'attend pas après cet argent pour vivre.

● *Demander, réclamer après qqn, chercher après qqn, qqch* sont des constructions plus familières que *demander, réclamer, chercher qqn, qqch* :

Personne n'a demandé après moi en mon absence ? — Personne ne vous a demandé. Je cherche après Titine. Il cherche après ses lunettes. Il cherche ses lunettes.

3. *Après* indiquant l'hostilité. *Crier après qqn, qqch* est plus familier que *crier contre*, ou *sur qqn, qqch* :

Il crie après (contre, sur) ses gosses toute la journée. Il passe son temps à rouspéter après l'Administration.

On dit *être furieux, en colère après* (fam.) ou *contre qqn, s'acharner après* (ou *contre, sur*) *qqn, qqch*. On dit *être, se mettre après* (ou *contre*) :

Ils se sont tous mis après lui en lui reprochant son insouciance.

4. *Après* indiquant le contact, la fixation. *Après*, dans ces emplois, est en général d'un usage plus familier que *à* ou *sur* :

Il a grimpé après (à, sur) un arbre. La clef est après (sur) la porte. Accrocher son imperméable après (à) un portemanteau. Avoir de la boue après (à, sur) ses chaussures.

5. Être après qqch = y travailler, s'en occuper. Cette construction est courante, sans marque particulière de familiarité :

Il est après son moteur depuis ce matin.

6. Après employé adverbialement. Il est courant, en fin de phrase, d'employer *après* sans le pronom qui représenterait un nom de chose déjà exprimé; *après* joue alors un rôle adverbial :

Certains événements ont eu lieu avant cette date, d'autres après.

7. Après + infin., v. APRÈS QUE.

après que

1. Après que + indic. Dans l'usage le plus traditionnel, *après que* introduit un verbe à un temps composé de l'indicatif ou du conditionnel.

● Pour l'indicatif, c'est le plus souvent le passé antérieur ou le futur antérieur :

*Après qu'ils **eurent fait** cette déclaration, ils se retirèrent. Je m'occuperai de cette affaire après qu'on **aura réglé** l'autre problème.*

● Le passé surcomposé peut se substituer au passé antérieur :

*Après qu'ils **ont eu fait** cette déclaration, ils se sont retirés.*

● Le passé composé ou le plus-que-parfait s'emploient surtout pour exprimer la répétition, le fait habituel, général :

*Après qu'on **a mis** la plante en terre, il faut l'arroser. (V. nᵒ 3.) Après que le gardien **avait fait** sa ronde, le prisonnier se remettait à creuser.*

● Le conditionnel passé s'emploie dans les phrases exprimant une hypothèse :

*Après que vous **auriez donné** votre démission, il serait trop tard pour changer d'avis.*

2. Après que + subj. Le subjonctif passé ou plus-que-parfait avec *après que* s'est largement répandu dans l'usage courant :

*Après qu'on **ait** tout **essayé,** il a fallu en venir à cette solution. Je ne repartirai qu'après que vous m'**ayez donné** votre réponse.*

● La présence ou l'absence d'un accent circonflexe distingue seule, dans l'écriture, le subjonctif plus-que-parfait de l'indicatif passé antérieur à la 3ᵉ personne du singulier : *après qu'il **eut compris,** qu'ils **eurent compris** (usage traditionnel); après qu'il **eût compris,** qu'ils **eussent compris** (usage récent).*

3. Après + infin. Quand les sujets de la principale et de la proposition introduite par *après que* désignent le même être ou la même chose, il est en général plus commode d'employer *après* et l'infinitif composé :

*Après **avoir fait** cette déclaration, ils se retirèrent. Après **avoir mis** la plante en terre, il faut l'arroser (on a mis, on arrose).*

● L'infinitif présent, avec *après*, s'emploie seulement dans les expressions *après déjeuner, après dîner,* ou *après boire* qui sont archaïsant :

Je passerai chez vous après déjeuner.

arrêter

1. Arrêter de + infin./s'arrêter de + infin. On peut le plus souvent employer à peu près indifféremment l'une ou l'autre de ces formes, en particulier dans des phrases négatives :

La pluie n'arrête pas de tomber ou *ne s'arrête pas de tomber.*

● La forme *arrêter de* est plus fréquente dans l'usage familier :

Cet enfant n'arrête pas de gigoter. Arrête de dire des bêtises (on ne dit guère : *Cet enfant ne s'arrête pas de* gigoter, Arrête-toi de dire des bêtises).

● Dans un usage plus soutenu, on emploie *cesser de* :

La pluie ne cesse pas de tomber. Cet enfant ne cesse pas de s'agiter. Cesse de dire des sottises.

2. *Ne pas s'arrêter de* insiste parfois sur la persistance continue d'un état, d'une action (aspect duratif), et *ne pas arrêter de* sur la répétition continuelle d'une action (aspect fréquentatif). *Il ne s'est pas arrêté de fumer* signifie « il n'a pas renoncé à son habitude de fumer, il continue à fumer » ; *il n'a pas arrêté de fumer* peut s'employer dans le même sens, mais signifie plutôt « il a fumé sans arrêt, il a beaucoup fumé ». De même, on dit *La terre ne s'arrête pas de tourner pour si peu* (= elle continue à tourner), mais *Les vents n'arrêtent pas de tourner* (= ils tournent, ils changent sans arrêt).

article

1. **Article défini, indéfini, partitif, contracté,** v. DÉTERMINANT.

2. **L'article défini au lieu du possessif.** Devant les noms désignant des parties du corps ou des facultés, on emploie souvent l'article défini au lieu du possessif :

*J'ai froid **aux** pieds* (et non *à mes pieds*). *Il ferme **les** yeux. Il perd **la** mémoire.*

La personne intéressée (« possesseur ») est parfois indiquée par un pronom personnel complément :

*Il **se** lave les mains* (et non *Il lave ses mains*). *Elle **s'**est foulé la cheville* (et non *Elle a foulé sa cheville*).

● Quand le nom est caractérisé par un adjectif, le possessif apparaît généralement :

*Il ferme **ses** yeux **fatigués**. Elle lève **sa** tête **blonde**. J'ai mal à **ma** jambe **gauche*** (ou *à la jambe gauche*).

3. **L'article devant les noms propres.** *L'Antoine, la Marie* sont des appellations familières ou régionales. Il y a un emploi méprisant de l'article défini devant un nom de personne :

C'est encore un racontar de la Martin !

● Quand un nom de ville comporte l'article *le* ou *les*, cet article se contracte éventuellement en *au, du* ou *aux, des* :

*Il habite **le** Mans, **les** Andelys. Il va **au** Mans, **aux** Andelys. Il revient **du** Mans, **des** Andelys.*

4. **L'article devant les titres d'œuvres.** Quand un titre d'ouvrage, de film, etc. commence par l'article défini, il y a généralement contraction de l'article après *à* ou *de* en *au(x), du, des* :

*Un article consacré **au** « Misanthrope », **aux** « Caractères ». La lecture **du** « Capital », **des** « Feuilles d'automne ».*

● Si le titre contient deux noms coordonnés, l'usage est variable :

*Le héros **du** « Rouge et le Noir », ou **du** « Rouge et **du** Noir », ou **de** « Le Rouge et le Noir ».*

● Si le titre est une phrase, tantôt on contracte l'article du sujet, tantôt on cite le titre sans contraction :

*Une représentation **du** « Roi s'amuse », ou **de** « Le Roi s'amuse ».*

On évite parfois ces difficultés en mettant le titre en apposition à un nom comme « livre, pièce, film », etc. :

*Le héros du **roman** « Le Rouge et le Noir ». Une représentation de la **pièce** « Le Roi s'amuse ».*

5. ***Du, des / de.*** L'article contracté *du, des* (partitif ou indéfini), contenant déjà étymologiquement la préposition *de*, ne peut pas être employé avec cette préposition. On dit :

*Il mange **du** pain et **des** légumes, mais Il se nourrit **de** pain et **de** légumes.*

● Dans l'usage écrit surveillé, on emploie *de* plutôt que *des* (article indéfini) quand le nom est précédé d'un adjectif :

*Ce sont **de vieilles** histoires.*

Dans l'usage courant, on emploie souvent *des*, principalement quand l'adjectif appartient au petit nombre de ceux qui se placent d'ordinaire avant le nom (v. ADJECTIF, 4, A) :

Ce sont (ou *c'est*) ***des** vieilles histoires.*

Le déterminant *des* est usuel, même dans l'usage soutenu, quand l'adjectif forme avec le nom un groupe plus ou moins complètement figé :

*Faire **des faux pas**. Dire **des bons mots**. S'adresser à **des grandes personnes**.*

● Quand l'adjectif peut se placer avant ou après le nom, on emploie rarement *des* devant l'adjectif antéposé ; on dit ordinairement *de **surprenantes** révélations, **d'innombrables** difficultés*, ou *des révélations surprenantes, **des difficultés** innombrables*, plutôt que *des surprenantes révélations, des innombrables difficultés*.

● Au singulier, l'emploi de *de* partitif au lieu de *du, de la* devant un nom précédé d'un adjectif est un archaïsme : *boire de bon vin, manger de bonne viande* (usage courant : *boire **du** bon vin, manger **de la** bonne viande*).

6. *Du pain / pas* (ou *plus*) *de pain*. Dans une phrase contenant la négation *ne ... pas* ou *ne ... plus*, ou *sans*, les articles *du, de la, des* (partitif ou indéfini) précédant un complément d'objet direct ou un sujet réel se réduisent ordinairement à la préposition *de* :

*J'achète du pain, de la viande, des œufs. → Je n'achète pas **de** pain, **de** viande, **d'œufs**. Il reste des fruits. → Il ne reste pas* (ou *plus*) ***de** fruits. Il vit en gaspillant de l'argent, en faisant des excès. → Il vit sans gaspiller **d'argent**, sans faire **d'excès**.*

● Toutefois, les articles *du, de la, des* sont parfois maintenus en phrase

négative, notamment quand le nom est en opposition à un autre terme :

*Je n'achète pas **du pain**, mais **des biscottes**,*

ou quand la négation porte en réalité sur un autre mot :

*On ne donne pas **de la** viande à une **vache**.*

● **Sans du, de la, des*, v. SANS, 1.

7. *Le plus, le moins*, v. PLUS, 1.

aspect

La manière dont est présenté l'accomplissement ou le déroulement de l'action s'appelle l'« aspect ». L'aspect se traduit par le choix du temps verbal ou par divers autres procédés : adverbes, locutions verbales, etc.

1. Accompli/non accompli. Le passé composé et l'imparfait situent tous deux l'action dans le passé, mais le passé composé la décrit comme accomplie :

Hier à cette heure-ci j'ai déjeuné,

et l'imparfait comme non accomplie (en cours de réalisation) :

*Hier à cette heure-ci je **déjeunais**.*

2. Habituel / actuel. *Pierre **écrit**, Paul **boit*** peut signifier : « Pierre est en train d'écrire, Paul est en train de boire » : c'est l'aspect actuel ; ou « Pierre est écrivain, Paul se livre à la boisson » : c'est l'aspect habituel. C'est au moyen de locutions ou d'adverbes qu'on peut préciser ces aspects : *être en train de, être occupé à* + infin., *être en cours de* + n., etc. pour l'aspect actuel ; *habituellement, souvent, d'ordinaire*, etc. pour l'aspect habituel.

3. Inchoatif/terminatif. *Commencer à, se mettre à, partir à* + infin. indiquent le début d'une action (aspect inchoatif) :

*Il **s'est mis à** rire en entendant cela.*

Cesser de, finir de + infin. expriment l'idée opposée (aspect terminatif).

4. Immédiat. Le futur proche peut se traduire par *aller* + infin. (au présent ou à l'imparfait) :

> *Je vais partir. J'allais partir.*

On peut aussi employer les locutions *être sur le point de, être en passe de, être prêt à* :

> *Il **était sur le point de** se décourager.*

Ou encore, on emploie le présent de l'indicatif :

> *Je **reviens** dans un instant.*

● Le passé récent se traduit par *venir de* + infin (au présent ou à l'imparfait) :

> *Je **viens de terminer**. Je **venais de terminer**.*

On peut aussi employer le présent de l'indicatif :

> *J'**arrive** à l'instant.*

atteindre

Atteindre qqch/atteindre à qqch. La construction directe (sans *à*) peut s'appliquer à un complément de sens concret ou abstrait :

> *Toutes les flèches ont atteint **le but**. J'ai atteint **le but** que je m'étais fixé. Il a atteint **l'âge** de quatre-vingt douze ans.*

● La construction avec *à* s'applique en règle générale à des compléments de sens abstrait ; elle évoque ordinairement une idée d'effort :

> *J'ai réussi à atteindre **au but** que je m'étais fixé. Un écrivain qui a atteint **à la célébrité.***

attendre

1. Attendre après qqn, qqch, v. APRÈS, 2.

2. S'attendre à + infin./s'attendre (à ce) que. Si le verbe d'une subordonnée dépendant de *s'attendre* a le même sujet que *s'attendre*, on emploie normalement la construction infinitive avec *à* :

> *Je m'attends **à être contredit** sur ce point.*

● En cas de sujets différents dans les deux propositions, on dit ordinairement *s'attendre à ce que* + subj. :

> *Je m'attends **à ce qu'on me contredise** sur ce point.*

La construction *s'attendre que* + subj. a un caractère plus littéraire :

> *Il s'attendait **qu'on lui fît** des objections.*

● L'indicatif futur après *s'attendre que* est d'un usage très soutenu :

> *On s'attend que le projet **sera adopté** par l'assemblée.*

attention

1. Faire attention à qqch, c'est soit s'en méfier, soit y veiller attentivement ou le remarquer :

> *Faites attention **au** verglas, **à la** marche. Fais attention **à** tes vêtements. Nous n'avions pas fait attention **à** ce détail.*

On dit *faire bien attention, faire très attention* (fam.), *faire plus, moins attention*, etc. (V. TRÈS, 2.)

2. Faire attention (à ce) que + subj, exprime une intention, un but recherché attentivement :

> *Faites attention **à ce que** le récipient **soit** bien hermétique, **à ce que** le récipient ne **fuie** pas. Faites bien attention **que** cette affaire ne se **sache** pas. (V. À, 5.)*

3. Faire attention que + indic. ou condit. signifie «remarquer que, tenir compte du fait que» :

> *Je n'avais pas fait attention **que** ma montre **était arrêtée**. Faites attention **que** ce détail **pourrait** tout changer.*

4. Faire attention à (ou de) + infin. On emploie indifféremment les prépositions *à* ou *de* devant l'infinitif ; il semble que *à* soit plus usuel si l'infinitif est affirmatif :

> *Faites bien attention **à suivre** toutes les indications. Fais attention **à ne rien oublier**, ou **de ne rien oublier**.*

aucun

1. Aucun + ne. Aucun, déterminant ou pronom, s'emploie avec *ne* ou *ne plus, ne jamais* (mais non *ne pas*) :

> On **n'**a aucune preuve de sa culpabilité. De tous ces projets, aucun **n'**est satisfaisant. Vous **n'**aurez **plus jamais** aucun souci de ce côté (mais non *Vous n'aurez pas aucun souci*).

2. Aucun sans ne. Aucun peut aussi être utilisé sans *ne*, dans des phrases exprimant la négation par d'autres moyens grammaticaux ou par le vocabulaire :

> Nous avons trouvé **sans** aucune difficulté (= sans la moindre difficulté). Il est **incapable** de faire aucun progrès. C'est un travail **trop** délicat **pour** être confié à aucun autre que lui.

● Dans une phrase comme *Je ne pense pas qu'il y ait aucun moyen d'éviter cela*, le mot *aucun* est employé sans *ne* dans sa proposition : c'est la principale qui contient *ne ... pas*.

● *Aucun* s'emploie aussi dans des phrases interrogatives ou exprimant un doute :

> **Y a-t-il** aucun moyen d'éviter cela ? (= un moyen quelconque). Je **doute** qu'il y ait aucun moyen d'éviter cela. Il est **peu probable** qu'aucune solution soit trouvée rapidement (= qu'une solution quelconque).

● *Aucun* s'emploie sans *ne* dans le deuxième terme d'un système comparatif :

> Il est plus qualifié qu'aucun autre.

3. Sans + nom + aucun. Cette construction de l'usage soutenu est une variante de *sans aucun* + nom (complément de manière) :

> Nous avons trouvé sans difficulté aucune. La loi s'applique sans exception aucune (ou sans aucune exception).

4. Aucuns. L'emploi de *aucun* au pluriel est limité au cas où il détermine un nom sans singulier :

> Je ne veux plus faire **aucuns frais** dans cette maison.

5. D'aucuns. Ce pronom signifiant « certaines personnes » est d'un usage nettement littéraire :

> D'aucuns ont prétendu que cette histoire était légendaire.

auprès, près

1. Auprès de/près de. Ces deux locutions prépositives s'emploient à peu près indifféremment pour exprimer la proximité dans l'espace :

> Il habite auprès de la mairie ou près de la mairie.

Seule la locution *près de* peut être modifiée par un adverbe d'intensité : **plus** près de, **aussi** près de, **tout** près de, etc., mais non *plus auprès de*, etc.

2. On dit *intervenir auprès de qqn*, *être admis auprès de qqn* et non *près de qqn* :

> Nous avons fait une démarche auprès du directeur.

3. On dit parfois *partir, s'éloigner*, etc. *d'auprès d'un lieu, d'auprès de qqn*, et non *de près d'un lieu, de près de qqn*.

4. Près employé adverbialement peut signifier « à peu de distance d'ici » (surtout précédé d'un adverbe) :

> Je rentre à pied, j'habite tout près. Viens plus près.

● *Auprès* s'emploie familièrement comme adverbe par omission du complément :

> Son fils est malade, elle est restée auprès toute la journée. Il s'est heurté à d'énormes difficultés ; les nôtres ne sont rien auprès (= en comparaison).

5. Auprès de/au prix de, v. PRIX.

6. Près + n. Près s'emploie comme préposition dans quelques formules administratives :

> Il est expert près le tribunal de commerce.

7. Près/prêt, v. PRÊT.

aussi, si

1. Aussi exprime ou renforce une idée d'association, d'addition :

Vous habitez Paris ? Moi aussi. Il ne suffit pas de l'affirmer, il faut aussi le prouver (= en outre, encore). Il n'était pas seulement peintre, mais aussi musicien. Il possède un appartement, et aussi une résidence secondaire (= ainsi que). Il dit que la chose est impossible : c'est aussi mon avis (= également) [ou c'est mon avis aussi]. (V. n° 11.)

2. Aussi / non plus. On emploie en principe *non plus* au lieu de *aussi* pour relier des phrases négatives, ou un mot à une phrase négative :

Si tu n'y vas pas, je n'irai pas non plus (phrase affirmative : *Si tu y vas, j'irai aussi*). *Si vous n'êtes pas pressé, moi non plus. Je ne peux pas l'affirmer, ni non plus le nier (ou ni le nier non plus). Je présente cela comme une hypothèse, sans l'affirmer, ni non plus le nier (ou ni le nier non plus).*

● Il peut arriver qu'on emploie *aussi* au lieu de *non plus*, surtout quand cet adverbe précède le verbe négatif :

Moi aussi, je n'y comprends rien (usage plus courant : *Moi non plus, je n'y comprends rien*).

● Dans le cas de la négation restrictive *ne ... que*, on emploie soit *aussi*, soit *non plus* :

Je ne demande, moi aussi, qu'à vous aider. Je ne peux, moi aussi (ou, plus rarement, *moi non plus*) *que constater les faits.*

3. Aussi, adverbe de liaison. *Aussi* introduit une proposition qui exprime une conséquence de ce qui vient d'être dit (= c'est pourquoi) :

J'avais promis le secret, aussi je n'ai pu rien dire.

L'inversion du pronom sujet est une marque de l'usage soutenu :

Aussi n'ai-je pu rien dire.

4. *Aussi bien* en début de proposition souligne, dans l'usage soutenu, l'enchaînement logique avec ce qui précède (= en effet, d'ailleurs, au reste) ; l'inversion du pronom sujet n'a pas toujours lieu :

Il décida de tout risquer : aussi bien n'avait-il plus rien à perdre (ou, plus rarement : aussi bien il n'avait plus...).

5. Aussi (si) / autant (tant) ... que. *Aussi* et *autant* expriment la comparaison. *Aussi* se place devant un adjectif, un adverbe ou un participe ; *autant* accompagne un verbe ou un participe :

C'est aussi simple que cela. Je suis aussi (ou autant) embarrassé que vous. Je le sais aussi bien que vous. Je m'intéresse autant que vous à cette question.

● *Aussi* peut être réduit à *si* dans une phrase négative ou interrogative :

Il n'est pas aussi (ou si) grand que son frère. Est-ce aussi (ou si) difficile qu'on le prétend ?

● *Autant* peut être réduit à *tant* dans une phrase négative :

L'usine n'a pas produit autant (ou n'a pas autant produit), ou n'a pas tant produit que l'année dernière.

6. Aussi + adj. que + adj. On dit : *Le remède est aussi simple qu'efficace* (= très simple et très efficace), ou *Le remède est simple autant qu'efficace.* La forme négative n'est guère usitée pour ce tour.

7. Si ... que / aussi ... que + subj. On emploie à volonté l'une ou l'autre de ces formules pour exprimer une relation de concession :

Si (ou aussi) surprenant que cela paraisse, je n'ai rien remarqué. Si (ou aussi) loin que soit le lieu de rendez-vous, il faut y aller.

● Pour *si ... que ...*, v. POUR, 4.

● Quand le sujet est un pronom personnel, on a parfois, dans l'usage soutenu, une construction avec sujet inversé sans *que* :

Si (ou *aussi*) *rusé* **soit-il,** *il s'est laissé prendre.*

8. Si ... que + **indic.** Pour exprimer la conséquence, avec le même sens que « tellement », on emploie seulement *si ... que* et non *aussi ... que* : *C'est* **si** *compliqué* **qu'on** *n'y* **comprend** *rien.*

9. Si ... que de + **infin.** Cette construction, dans une phrase négative ou interrogative, est de l'usage littéraire : *Il n'était pas si sot* **que de** *se* **laisser** *prendre à ces belles promesses* (usage courant : *Il n'était pas assez sot* [ou *assez bête*] *pour se laisser prendre...*).

10. Avoir aussi (ou **autant**) **peur.** Quoique les locutions *avoir peur, faim, soif, envie, hâte,* etc. ne contiennent ni adjectif ni adverbe, on y emploie souvent *aussi* (ou *si*) ; l'usage surveillé préfère souvent *autant (de)* : *J'ai aussi envie que toi de le voir,* ou *J'ai autant (d') envie que toi de le voir. Je n'ai jamais eu si peur* (ou *autant* [*de*] *peur*) *de ma vie.* (V. TRÈS, 2 et 3.)

11. Place de aussi. Quand *aussi* indique l'association, l'addition (voir n° 1), il est parfois possible de le placer sans différence notable de valeur à plusieurs endroits de la phrase ou de l'expression qu'il relie à ce qui précède. Si quelqu'un se propose pour exécuter un travail à la place de quelqu'un d'autre, il dira, par exemple : *Je peux* **aussi** *le faire,* ou *Je peux le faire* **aussi.**

Mais il peut souvent y avoir ambiguïté sur le terme que *aussi* associe à tel ou tel autre. Dans la phrase *Je peux faire aussi ce travail,* l'adverbe *aussi* peut porter sur *je* ou sur *ce travail ;* l'ambiguïté cesse si l'on dit soit *Moi aussi, je peux faire ce travail,* soit *Ce travail aussi, je peux le faire.* La phrase *Son frère est aussi musicien* peut s'interpréter de trois façons :

a) « Son frère aussi est musicien » (ou « Son frère est lui aussi musicien », ou « est musicien lui aussi », donc les deux frères sont musiciens);

b) « Son frère est en outre musicien » (jusque-là, on parlait de lui comme peintre, par exemple) ;

c) « Son frère est aussi musicien [que lui] ». Dans cette dernière interprétation, *aussi* indique la comparaison et non l'association, comme dans les deux précédentes ; le cas risque toujours de se présenter quand *aussi* est placé devant un adjectif ou un adverbe, ou un mot pouvant être employé comme tel, c'est pourquoi il est prudent de ne pas dire *Cela me paraît aussi important* si l'on veut faire entendre « Cela aussi me paraît important ».

12. Aussi (autant) ... comme, v. COMME, 4.

aussitôt, sitôt

1. Aussitôt / aussi tôt. *Aussitôt* signifie « immédiatement, très rapidement » : *On appela les pompiers, qui arrivèrent* **aussitôt.**

Aussi tôt est le comparatif d'égalité de *tôt* : *Je ne me suis pas levé* **aussi tôt** *qu'hier.*

2. Aussitôt que, sitôt que. Ces deux locutions sont équivalentes, mais *sitôt que* est d'un usage un peu plus soutenu que *aussitôt que* : **Sitôt** *qu'il fut arrivé, il prit ses dispositions.* **Aussitôt que** *j'aurai terminé, je vous préviendrai.*

3. (Aus)sitôt (que) + **participe passé.** On dit souvent, avec ellipse de *que* et du verbe *être* : **Aussitôt** (ou **sitôt**) **arrivé,** *il prit ses dispositions.*

● La construction *(aus)sitôt que* + *participe* est de l'usage littéraire : *La partie fut interrompue* **aussitôt que commencée.**

4. *Ne ... pas (aus)sitôt que ...* On dit :

Il n'était pas aussitôt (ou *sitôt*) *couché qu'il s'endormit* (= il s'endormit aussitôt qu'il fut couché.)

On dit dans le même sens :

Il n'était pas plus tôt couché qu'il s'endormit. (V. SUBORDINATION, 2.)

5. *(Aus)sitôt préposition. Aussitôt* et *sitôt* s'emploient parfois devant un nom au sens de « dès » :

Aussitôt son départ, il est tombé en panne. Il s'est levé aussitôt l'aube. Sitôt l'été, cette région devient aride.

autant

1. *Autant ... autant ...* Dans un usage plus ou moins soutenu, on exprime ainsi un parallélisme qui souligne ordinairement une opposition. Le premier terme est le point de comparaison et le deuxième contient l'assertion principale :

Autant son père est désagréable, autant elle est serviable (= elle est aussi serviable que son père est désagréable).

2. *Pour autant,* au sens de « cependant, malgré cela », ou « compte tenu de cela », s'emploie en général après un verbe à la forme négative ou interrogative :

Il y a quelques erreurs, mais on ne peut pas pour autant rejeter en bloc ce témoignage. Il faut aller à l'essentiel sans pour autant négliger totalement les détails. Cette question est réglée ; faut-il pour autant oublier tout le reste ?

Pour autant est plus rarement mis en tête de proposition affirmative, de la même manière que *pourtant.*

3. *Pour autant que,* au sens restrictif de « dans la mesure où », est suivi du subjonctif dans la locution *pour autant que je sache,* et, dans les autres cas, soit du subjonctif, soit de l'indicatif ou du conditionnel :

Je vous tiendrai au courant, pour autant que je serai moi-même informé.

Avec le subjonctif, il est souvent l'équivalent de *autant que,* au moins quand il n'exprime pas la condition :

(Pour) autant que je sache, qu'il m'en souvienne, c'était un jeudi. Il réussira sûrement, pour autant qu'il veuille bien (ou *qu'il voudra bien*) *faire un effort* (= pourvu qu'il veuille bien, ou s'il veut bien).

4. *Autant que* + subj., *autant* + infin.*,* indiquant un choix préférable, sont d'un usage plus courant, mais plus familier, que *autant vaut que, autant vaut* + infin. :

S'il ne reste plus que cette question, autant qu'on en finisse tout de suite, autant en finir tout de suite. Dans ces conditions, autant (vaut) ne pas insister.

5. *D'autant plus que* s'emploie souvent même après une proposition négative :

Ce n'était pas difficile, d'autant plus qu'on l'a aidé. (On peut dans ce cas préférer le tour plus logique *d'autant moins que.*)

• *D'autant que,* après une pause, introduit une remarque accessoire explicative équivalant en général à « d'autant plus (moins) que », surtout que » :

Vous avez tort de ne pas saisir l'occasion, d'autant qu'elle est inespérée.

6. *Tous (au)tant que* + être. Ce tour insiste sur la totalité :

Vous êtes des lâches, tous autant que vous êtes. Nous refusons ce projet, tous autant que nous sommes.

7. *Ce sont autant de ...* signifie « tous ces ... sont des ... » :

Évitons ces sujets délicats, qui sont autant d'occasions de querelles.

8. V. AUSSI, 5 et 10.

autre

1. *Autre* adjectif qualificatif.

Autre peut s'employer, dans un usage soutenu, comme adjectif qualificatif, au sens de « différent »; il est alors épithète et postposé, ou attribut :

> *On peut proposer une interprétation autre, tout autre* (sens peu différent de la construction plus usuelle *une [tout] autre interprétation*). *C'était sans doute vrai alors, mais aujourd'hui les circonstances sont autres* (usage courant : *sont différentes, sont changées*).

2. *Autre ... autre ...* La répétition

de *autre* employé comme attribut en tête de proposition est une construction littéraire visant à souligner une opposition :

> *Autres étaient les espoirs, autres sont les résultats* (= les résultats sont bien différents des espoirs).

● On répète parfois ainsi *autre chose* pour insister sur la diversité (usage soutenu) :

> *Autre chose est d'exprimer son désaccord, autre chose d'injurier son adversaire* (= c'est une chose de ..., c'en est une bien différente de ...).

3. *Autre que (ne),* v. NE, II, 4.

4. *L'autre lundi. Autre* s'op-

pose parfois à *prochain* ou *dernier* pour désigner non pas le jour, la semaine, etc. les plus proches dans l'avenir ou dans le passé, mais ceux qui suivent ou précèdent immédiatement ce jour, cette semaine, etc. :

> *Je viendrai non pas lundi prochain, mais l'autre lundi* (= lundi en huit). *Il m'a téléphoné l'autre semaine.*

● *L'autre jour* a le sens vague de « un jour plus ou moins récent »; cette valeur vague peut aussi s'appliquer à *l'autre semaine, l'autre année.*

5. *Nous autres, vous autres.* Les

formes insistantes *nous autres, vous autres* sont d'un usage courant. *Eux autres* n'est guère usité que régionalement ou très familièrement ; **elles autres* est inusité.

6. *Et autres* (+ n.). On complète

parfois une énumération par l'expression *et autres* suivie d'un nom pluriel de sens plus général que chacun des mots de l'énumération (terme générique) :

> *Le train, le bateau, l'avion et autres moyens de transport.*

● Sur le modèle de cette construction, on emploie parfois après *et autres*, en vue d'un effet plus ou moins ironique, un nom (commun ou propre) qui n'a pas un sens plus général que chacun des noms énumérés, mais qui désigne un être ou une chose présentant un trait commun avec ceux de l'énumération :

> *Les cervidés, bovidés, équidés et autres canidés* (familles zoologiques). *Les Christophe Colomb, Gutenberg et autres Denis Papin* (découvreurs ou inventeurs célèbres).

● *Et autres* s'emploie souvent absolument pour clore une énumération par généralisation, à peu près comme *et cætera :*

> *Des touristes anglais, allemands, belges, hollandais et autres. Toute sorte d'outils : marteaux, rabots, scies, pinces et autres.*

7. *Entre autres.* Cette expression

peut s'employer

- comme *et autres*, devant un nom pluriel : *Entre autres arguments, il a fait valoir le moindre coût de ce projet;*

- absolument, avec ellipse du nom pluriel : *Je vous conseille de lire, entre autres, ces deux ouvrages* [= entre autres ouvrages].

● *Entre autres* est souvent utilisé comme une simple locution adverbiale équivalant à « notamment, en particulier », ou « par exemple » (mots employés de préférence dans l'usage surveillé), sans qu'il soit possible d'interpréter cet emploi comme le résultat de l'ellipse d'un nom pluriel exprimé ailleurs dans la phrase :

> *Cet appareil est très pratique, entre autres pour préparer des jus de fruits.*

8. *De manière ou d'autre, de façon ou d'autre.* Ces expressions sont plus rarement utilisées que *d'une manière ou d'une autre, d'une façon ou d'une autre.*

9. *Autre chose* est une locution pronominale analogue à *quelque chose;* les adjectifs qui s'y rapportent sont au masculin; s'ils sont épithètes, ils sont introduits par la préposition *de :*

Autre chose est survenu entre-temps. J'ai appris autre chose de curieux.

10. *Personne autre,* v. PERSONNE, 3. ***Rien autre chose,*** v. RIEN, 4. ***L'un et (ou) l'autre,*** v. UN, 5.

autrui

Ce mot ne se rencontre que dans quelques expressions *(le bien d'autrui, ne faites pas à autrui ce que vous ne voudriez pas qu'on vous fasse),* ou dans l'usage littéraire, en principe comme complément après une préposition, parfois aussi comme sujet ou complément d'objet direct :

L'égoïste ne s'intéresse pas à autrui. Il est toujours prêt à aider autrui, mais autrui ne le lui rend guère.

Dans l'usage courant, on dit *les autres.*

auxiliaire

Les auxiliaires sont des verbes employés soit devant un participe passé, soit devant un infinitif pour former les temps composés d'un verbe ou pour exprimer diverses valeurs de temps, de mode ou d'aspect.
Les deux auxiliaires employés devant un participe sont *avoir* et *être.*

1. Auxiliaire *avoir.* *Avoir* est l'auxiliaire de tous les verbes transitifs ou employés transitivement, à la voix active :

J'ai rencontré *un ami.* ***Avez-vous descendu*** *les valises ?* (mais dans l'emploi intransitif : ***Êtes-vous descendu ?***).

● *Avoir* est aussi l'auxiliaire de la plupart des verbes intransitifs et des impersonnels, de *avoir* et de *être* :

La voiture ***a dérapé.*** *Il* ***a neigé.*** *Il* ***a fallu*** *partir. J'ai* ***eu*** *la réponse. Il* ***a été*** *malade.*

2. Auxiliaire *être.* C'est celui de la conjugaison passive :

Je ***suis invité*** *par des amis.*

● C'est aussi l'auxiliaire de la conjugaison pronominale :

Les oiseaux ***se sont envolés.*** *Je* ***me suis*** (et non **Je m'ai*) *procuré du matériel* (verbe *se procurer,* conjugaison pronominale), mais *Je lui ai procuré du matériel* (verbe *procurer,* conjugaison active).

● *Se faire, se laisser, se sentir, se voir, s'entendre* employés devant un infinitif dont le pronom est complément forment avec cet infinitif une locution pronominale se conjuguant avec *être,* et dont le sens est proche de celui d'un passif :

Ils se sont fait remarquer. Elle s'est vu interdire l'accès de la salle.

● Quelques verbes intransitifs se conjuguent avec l'auxiliaire *être.* Ce sont *aller, arriver, décéder, devenir, échoir, éclore, entrer, intervenir, mourir, naître, partir, parvenir, rentrer, repartir, rester, retourner* (= aller de nouveau), *revenir, survenir, tomber, retomber, venir.*

3. *Avoir / être.* Certains verbes intransitifs, ou dans un emploi intransitif, se conjuguent soit avec l'auxiliaire *avoir,* soit avec l'auxiliaire *être.* Ainsi, par exemple, on dit à peu près indifféremment de quelqu'un dont la mine est bien différente de ce qu'elle était :

Il ***a*** *bien changé,* ou *Il* ***est*** *bien changé.*

Une assez nette différence de valeur est parfois sensible entre ces deux auxiliaires : *avoir* exprime alors plutôt l'action elle-même, située dans le passé (souvent au moyen d'un complément ou d'un adverbe de temps), et *être* plutôt l'état résultant de l'accomplissement de l'action; dans ce dernier cas, le participe est souvent assimilable à un adjectif attribut :

*Ce livre **a** paru l'année dernière* (indication d'un fait passé). *Ce livre **est** paru* (= il est en vente, il est disponible).

Sont notamment susceptibles de recevoir l'auxiliaire *avoir* ou l'auxiliaire *être* les verbes suivants :

accoucher, accourir, apparaître, atterrir, augmenter, changer, chavirer, convenir (v. ce mot), *crever, croupir, déborder, décamper, dégeler, dégénérer, déménager, demeurer* (v. ce mot), *descendre, diminuer, disparaître, divorcer, échapper, échouer, éclater, embellir, empirer, enchérir, enlaidir, expirer, grandir, grossir, maigrir, trépasser, vieillir.*

4. Auxiliaires devant un infinitif, v. ASPECT, 3 et 4 ; ALLER, 4, 5, 6, 7, 10 ; DEVOIR ; FAILLIR, 1 ; FAIRE, 2 et 4 ; MANQUER, 2, 3, 4 ; POUVOIR, 1.

V. *Larousse de la conjugaison.*

avance

D'avance, par avance, à l'avance. Ces trois expressions s'emploient couramment, sans différence marquée de sens ; toutefois *d'avance* est plus fréquent :

*Je m'en réjouis **d'avance**, ou **par** avance, ou **à l'**avance.* On dit : *Il s'y est pris longtemps (trois jours, etc.)* ***d'avance**, ou longtemps **à l'**avance* plutôt que *longtemps **par** avance.*

avant

1. *Avant que (ne)* + subj. / *Avant de* + infin. On emploie le subjonctif, et facultativement *ne* explétif (v. NE, II, 5) dans la proposition introduite par *avant que* :

*Prévenez-moi **avant qu'il (ne) soit** trop tard.*

● En cas d'identité de sujet entre le verbe de la proposition principale et celui de la subordonnée, la construction infinitive avec *de* est de règle :

*Prévenez-moi **avant de partir*** (et non **avant que vous [ne] partiez*).

● *Avant que de* + infin. est une construction archaïque qui se rencontre parfois dans l'usage littéraire :

Il faut tout tenter avant que d'en arriver là.

2. *Avant déjeuner, avant dîner.* Ces emplois sont beaucoup plus rares que ceux de *après déjeuner, après dîner* :

Je passerai vous voir avant dîner (usage plus courant : *avant de dîner,* ou *avant le dîner*).

3. *Avant* adverbial. *Avant* s'emploie couramment comme adverbe par omission d'un terme déjà exprimé (ou d'un pronom qui le représenterait) :

Je vais jusqu'au bout, ou je m'arrête avant ? (= avant le bout). *Je vais m'occuper de cette affaire, mais avant je dois passer un coup de téléphone* (= avant cela).

Dans un usage plus soutenu, on emploie *auparavant* au sens temporel.

● *Avant* précédé d'un adverbe comme *plus, bien, fort, assez, si* équivaut à *loin* ou à *tard* dans des phrases telles que :

Allons (entrons, pénétrons, etc.) plus avant dans le bois. La réunion a duré (s'est prolongée, etc.) fort (bien) avant dans la nuit.

avec

1. *Avec/à.* On peut souvent employer l'une ou l'autre de ces prépositions pour introduire le complément de certains verbes qui indiquent une association, une liaison, comme *associer, allier, unir, réunir, joindre, comparer, confronter.* Quand une différence de valeur peut être observée entre ces deux constructions, *à* indique plutôt un rapprochement, une addition (les deux termes peuvent généralement être reliés aussi par *et*), et *avec* insiste davantage sur la réciprocité ou la symétrie de situation des deux termes :

*Associer la prudence **à** (ou **avec***, ou ***et***) *la fermeté. S'associer, s'allier **à** (ou **avec***) *quelqu'un. Confronter* *son point de vue* **à** (ou **avec, et**) *celui des autres. Comparer une copie* **à** (ou **avec**) *l'original.*

Mais on dit *associer quelqu'un* **à** (et non *avec*) *une entreprise. Joindre un document* **à** (plutôt que *avec*) *un dossier.*

Quand *comparer* signifie « assimiler par analogie », son complément est toujours introduit par *à* :

Comparer des troubles sociaux à une tempête.

2. Avec/et. On dit souvent, dans l'usage familier :

Avec mon frère, nous en parlions, ou *Nous en parlions avec mon frère*

pour indiquer une conversation à deux personnes, mon frère + moi. Il risque d'y avoir confusion quand X (« mon frère ») peut être pris comme un complément d'accompagnement s'ajoutant à un sujet pluriel (« nous »), ce qui suppose au moins trois personnes. Dans l'usage surveillé, on dit soit *Mon frère et moi, nous en parlions,* soit *J'en parlais avec mon frère.*

● *Avec* joint parfois deux noms comme ferait la simple conjonction *et*.

Si ces noms sont sujets, le verbe se met au pluriel :

Pierre avec sa femme sont venus me voir.

3. D'avec/de. Après des verbes indiquant séparation, distinction, comme *séparer, distinguer, démêler, détacher, disjoindre, dissocier, divorcer, enlever, isoler, ôter, retirer,* le 2e complément peut être introduit par *d'avec,* qui est un peu plus expressif que *de* et qui rend parfois plus claire la relation grammaticale :

Il faut distinguer la fermeté d'avec la répression (on évite ainsi la fausse interprétation « la fermeté de la répression »).

4. Avec employé absolument. L'usage le plus courant est de ne pas employer de pronom personnel après *avec* pour représenter en fin de phrase un nom de chose déjà exprimé :

Il faut affûter ce couteau, on ne peut plus rien couper avec. Servir des radis et du beurre avec.

S'il s'agit d'un nom de personne, l'omission du pronom est rare :

J'ai rencontré Pierre et j'ai marché un moment avec **lui.**

b

beaucoup

1. Beaucoup/bien. *Beaucoup*, adverbe de quantité, sert à renforcer un verbe :

Il travaille beaucoup. (Dans *Il travaille bien*, l'adverbe *bien* exprimerait la manière et non la quantité.)

Devant *plus, moins, mieux*, on emploie à peu près indifféremment *beaucoup* ou *bien* :

*Cela s'est produit **beaucoup plus** tard*, ou ***bien plus** tard*.

On dit soit *beaucoup moindre*, soit plutôt *bien moindre*. *Beaucoup meilleur, beaucoup davantage* sont archaïsants ; l'usage courant est ***bien meilleur, bien davantage.***

De même, ***bien pire, bien supérieur, bien inférieur*** sont bien plus usuels que *beaucoup pire, beaucoup supérieur, beaucoup inférieur ;* on peut aussi souligner la différence par la locution *de beaucoup :*

*Celui-ci est **de beaucoup** supérieur à l'autre*, ou *Celui-ci est supérieur à l'autre **de beaucoup.***

*Il s'en faut **de beaucoup*** est plus courant que *Il s'en faut **beaucoup**,* et, avec un superlatif relatif : ***C'est de beaucoup*** (ou *de loin*) *le plus intéressant.*

2. Beaucoup de sert de déterminant à un nom singulier ou pluriel :

*Beaucoup de **prudence** est requise.*
*Beaucoup de **détails** sont inexacts.*

On voit que les accords se font en principe avec le nom qui suit *beaucoup*, comme s'il était déterminé par *un certain, plusieurs*, etc.

● Une phrase comme *Beaucoup de délicatesse serait étonnant de sa part* n'est pas exclue, mais ce n'est pas une construction très naturelle ; on dit plutôt, par exemple :

Il serait étonnant qu'il montre beaucoup de délicatesse, etc.

● Le même principe d'accord avec le complément de l'adverbe s'applique à d'autres expressions qui indiquent la quantité : *trop de, assez de, peu de, tant de, combien de :*

Trop de gens s'imaginent...
Assez de soucis nous assaillent.
Peu de personnes le savent.
Tant de questions sont à examiner ! **Combien de** romans **sont** ennuyeux !

3. *Beaucoup* employé seul peut signifier « beaucoup de gens » (emploi surtout usuel dans la fonction sujet) :

Beaucoup pensent que c'est une erreur.

bénéficier

Dans l'usage traditionnel, on dit *bénéficier **de** qqch :*

*L'accusé a bénéficié **des** circonstances atténuantes. Cette région bénéficie **d'**un climat très doux.*

La construction *bénéficier **à** qqn* est critiquée, mais assez courante :

*Le doute doit bénéficier **à** l'accusé.* (On peut dire : *être au bénéfice, à l'avantage de, profiter à.*)

bon

1. Bon/meilleur. Au comparatif et au superlatif, **plus bon*, **le plus bon* sont de l'usage relâché au lieu des formes courantes *meilleur, le meilleur*. Pourtant, *plus* n'est pas incompatible avec *bon* s'il ne le précède pas immédiatement :

C'est plus ou moins bon. Plus ce vin vieillit, plus il est bon (mais on dit bien aussi : *meilleur il est*). (V. MEIL-LEUR.)

2. *De bonne heure.* Au comparatif, on ne dit généralement pas **de plus bonne heure.* La construction *plus de bonne heure* est jugée relâchée ; la forme reconnue correcte est *de meilleure heure*, mais on préfère généralement dire *plus tôt. Trop de bonne heure, assez de bonne heure* sont usuels, mais dans l'usage surveillé on préfère *de trop bonne heure, d'assez bonne heure.*

3. Vu la rareté du cas, il est difficile d'alléguer un usage relativement à un éventuel emploi au comparatif de locutions figées comme *bon enfant, bon prince, bon apôtre, bon vivant,* susceptibles d'être employées adjectivement. Le recours à *meilleur* paraît exclu (**Il est meilleur vivant que son frère*). Si on éprouve de la gêne devant *plus bon vivant, plus bon enfant, etc.*, il reste la ressource de changer d'expression. À noter qu'on dit très couramment :

Je suis meilleur juge que vous.

4. Bon premier, bon dernier. Dans ces expressions, *bon,* qui a un rôle adverbial, s'accorde néanmoins comme l'adjectif qui suit :

Elles sont arrivées bonnes dernières. (V. ADVERBE, 3.)

but

L'expression du but peut se faire par diverses locutions conjonctives (avec le subjonctif) ou prépositives :

pour (que), afin que (afin de, à seule fin de + infin.), aux fins de + n., de manière (ou façon, ou sorte) [à ce] que, de manière (ou façon) à + infin., de peur que (de peur de + infin. ou n.), de (ou par) crainte que (de [ou par] crainte de + infin. ou n.), pour éviter que (pour éviter de + infin.), dans le but de + infin., dans le dessein (ou l'intention) de + infin. (soutenu), à dessein de + infin. (soutenu), en vue de + infin., histoire de + infin. (familier),

ou simplement par la conjonction *que* + subj. (familier) :

Ôte-toi de là, **que je puisse** *voir.*

C

ça, cela

1. Ça/cela. Dans l'usage oral familier ou simplement courant, le démonstratif qu'on écrit plus habituellement *cela* que *ça* se prononce [sa], à tel point que la prononciation [səla] serait ressentie, dans certains contextes, comme une marque d'affectation : *Cela suffit comme cela.* (V. CE, II.)

2. Ça (cela), qui désigne normalement des choses ou des animaux, est parfois employé pour des humains soit familièrement, soit avec une valeur méprisante :

> *Les enfants, ça vous occupe! Ça prétend donner son avis et ça ne connaît rien à la question!*

3. Ça impersonnel. *Ça* s'emploie devant un verbe ou un tour impersonnel, parfois comme variante plus ou moins familière de *il* :

> *Ça sent mauvais ici. Ça pleut, ça tonne* (usage courant : *Il pleut, il tonne*).

4. Comme ça. Cette locution est fréquente dans l'usage oral familier, au sens de l'adverbe *ainsi* (à valeur démonstrative ou conclusive) ou au sens de l'adjectif *pareil* :

> *Si tu t'y prends comme ça, tu vas tout rater. Ne t'inquiète donc pas comme ça! Alors, comme ça, tu nous quittes? Un spectacle comme ça, c'est rare.*

● *Il a dit comme ça que...* Ce tour, où *comme ça* est superflu, appartient à l'usage populaire ou enfantin :

> *Il a dit comme ça qu'il reviendrait.*

5. Sans ça au sens de *sinon* est de l'usage oral familier :

> *J'espère qu'il ne pleuvra pas, sans ça la fête serait ratée.*

6. Qui ça? où ça? quand ça? pourquoi ça? *Ça*, comme *donc*, sert souvent d'appui à un mot interrogatif dans l'usage oral familier :

> *On me l'a dit. — Qui ça, on? Il est parti. — Où ça?*

car

Cette conjonction, relativement rare dans l'usage oral, est très courante dans l'usage écrit.

1. Car/parce que. La coordination par *car* a une valeur causale proche de celle de la subordination par *parce que*, mais généralement moins insistante ; *car* ajoute une explication accessoire, non requise, alors que *parce que* indique souvent la raison d'être de quelque chose, le mobile de quelqu'un, et peut, à la différence de *car*, être mis en relief par *si ...*, *c'est* ou par *c'est ... que* :

> *J'arrête ici ma lettre, car il est tard. (Si) j'ai été absent (c'est) parce que j'étais malade,* ou *C'est parce que j'étais malade que j'ai été absent.*

2. Car/en effet. Ces deux éléments de liaison ont à peu près la même valeur. *Car* est toujours en tête d'une proposition ; *en effet* peut être en tête ou à l'intérieur d'une proposition qui est généralement séparée de l'énoncé précédent par une pause plus marquée que si le lien est *car* :

> *Il faut que je parte, car je suis pressé. La durée du trajet dépend de l'itinéraire choisi : en effet il y a (ou il y a en effet) trois routes possibles.*

3. Car en effet. Cette expression, fréquente dans l'usage oral, forme pléonasme dans la mesure où *en effet* n'est plus compris comme autrefois au sens de «effectivement, en réalité».

On l'évite donc dans l'usage surveillé, où l'on utilise soit car, soit *en effet* :

L'enquête va être reprise, car (ou *en effet*) *il y a un fait nouveau.*

4. *Car... et que...* Par analogie avec *parce que... et que...* (v. QUE, 1), on reprend parfois *car* par *que* :

Je m'arrête ici, car il est tard et que j'ai sommeil.

Dans l'usage surveillé, on préfère éviter d'employer *que* :

Je m'arrête ici, car il est tard et j'ai sommeil.

cas

1. *Au cas où.* Après cette locution conjonctive, on emploie ordinairement le conditionnel :

Au cas où un incident **se produirait,** *prévenez le gardien.*

● Dans l'usage littéraire, on emploie parfois le subjonctif, et principalement le subjonctif plus-que-parfait, qui est une variante du conditionnel passé (v. CONDITIONNEL, 4) :

Au cas où il en **soit** *encore temps, je vous prie d'intervenir. Au cas où il* **eût refusé,** *nous ne pouvions rien faire.*

2. *Au cas que, en cas que* sont des archaïsmes littéraires employés soit avec le subjonctif, soit avec le conditionnel :

Il avait pris ses précautions au cas (ou en cas) que l'affaire **tournât** *mal. On avait recueilli des témoignages, au cas que d'aucuns* **auraient émis** *un doute.*

cause

L'expression de la cause peut se faire par des moyens très divers.

1. Subordination par des conjonctions, suivies en règle générale de l'indicatif, et dont certaines correspondent à des prépositions :

● *parce que, puisque, comme, du moment que, dès l'instant que (où), dès lors que, c'est que, surtout que* (familier) :

Si je ne suis pas venu, c'est que j'avais un empêchement.

● *vu (que), attendu (que), étant donné (que)* :

vu *l'heure tardive ;* **vu qu'il** *était tard.*

● *du fait que/de, sous prétexte que/de, compte tenu que/de* :

du fait qu'il *est absent ;* **du fait de** *son absence.*

● *non que, ce n'est pas que* + subj. :

Je ne suis pas venu, **non que** *cela ne me* **plaise** *pas, mais j'avais un empêchement.*

● *de peur* (ou *crainte*) *que* + subj./*de* :

de peur qu'il soit *trop tard ; de peur* **d'être** *en retard.*

2. Emploi de prépositions :

● *par* (*agir* **par** *avarice*); *pour* (*être condamné* **pour** *vol,* **pour** *avoir fraudé le fisc*); *de* (*rougir* **de** *honte*); *avec* (**avec** *un tel passé, il n'y coupe pas de la prison*); *sous* (*céder* **sous** *le choc*); *devant* (*être révolté* **devant** *tant de cynisme*), etc.

● *à cause de, grâce à, faute de, en raison de, eu égard à, sous l'effet de, sous le coup de,* etc.

3. Coordination par une conjonction, un adverbe : *car, en effet, aussi bien.*

4. Juxtaposition de propositions : *Je rentre : il est tard.*

5. Mise en apposition d'un adjectif, d'un participe, d'une subordonnée relative ou participiale :

Le coupable, **confus,** *baissait la tête.* **Pressé par le temps,** *j'ai dû décider seul. La planche,* **qui était pourrie,** *s'effondra.* **Tout le monde étant d'accord,** *on peut commencer.*

causer, parler

1. On dit *parler à qqn* ou *avec qqn, causer avec qqn,* et aussi *causer à qqn.* Cette dernière construction, longtemps critiquée, est fréquente aujourd'hui mais ordinairement jugée familière ou populaire :

> *Toi, je te cause pas. Ah, celui-là, (ne) m'en causez pas !*

On peut aussi employer ces verbes sans complément :

> *Il parle bien. Il cause agréablement. Nous causions en vous attendant.*

2. On dit couramment *parler* ou *causer affaires, cinéma, gros sous.* Mais, avec un complément plus spécifié : *parler* ou *causer d'une affaire importante.*

3. On dit *parler une langue, parler (le) français. Causer une langue, causer (le) français* est de l'usage populaire.

ce

I. CE *(CETTE, CES),* DÉTERMINANT DÉMONSTRATIF

1. *Ce* exclamatif est familier : *Ce culot !* (usage soutenu : *Quelle audace !*).

2. *Un de ces* s'emploie familièrement en exclamation avec une valeur intensive :

> *Il a un de ces culots ! Il y a un de ces brouillards !* (= un épais brouillard).

On dit plus habituellement *J'ai un de ces mal de tête ! J'ai un de ces travail !* que *J'ai un de ces maux de tête, de ces travaux !* (= un violent mal de tête, beaucoup de travail.)

● *Un de ces jours* signifie, familièrement, «un jour plus ou moins prochain».

II. CE *(C', ÇA),* PRONOM DÉMONSTRATIF

1. *Ce (c'),* pronom démonstratif, s'emploie comme sujet du verbe *être* ou comme antécédent d'un relatif :

Ce sera difficile (familièrement : *Ça sera difficile*). *C'est ce que je pensais.*

● *Ce* s'emploie dans l'usage soutenu comme sujet de verbes tels que *devoir, pouvoir,* introduisant le verbe *être :*

Ce devait être au mois de juin. Ce pourra être bientôt (usage courant : *Cela [ça] devait être... Cela [ça] pourra être...*).

● La forme élidée *c',* de règle devant les formes du verbe *être* commençant par une voyelle, peut aussi se rencontrer devant *en* ou, avec une cédille *(ç'),* devant l'auxiliaire *avoir* aux formes composées du verbe *être* (usage soutenu) :

C'en est la raison principale. Ç'avait été difficile (usage courant : *Cela [ça] avait été ...*) ; mais ; *Cela [ça] avait coûté très cher* (et non **Ç'avait coûté*). (V. ÇA, CELA.)

2. *Ce* s'emploie aussi comme pronom dans les formules de l'usage soutenu *et ce, sur ce, ce faisant :*

Les choses vont changer, et ce dès aujourd'hui (= et cela). *Une semaine s'écoula ; sur ce un nouvel incident se produisit* (= là-dessus). *Vous pourriez certes refuser : ce faisant, vous prendriez un grand risque* (= en agissant ainsi).

3. *C'est / ce sont.* Quand le mot qui suit cette expression est un nom pluriel, le verbe *être* se met soit au pluriel, soit au singulier, l'accord au pluriel étant considéré comme une marque de l'usage soigné :

Ce sont là les points essentiels (fam. *C'est là les points essentiels*). *Ce furent ses derniers mots.*

● Si le nom ou le pronom qui suit cette expression est introduit par une préposition, on emploie la forme de singulier *c'est :*

Si je vous ai appelé, c'est pour des raisons graves (et non **ce sont pour des raisons graves*).

● *C'est eux (elles)* est plus courant que *ce sont eux (elles)* :

Je les aperçois : c'est eux. C'est eux (ou ce sont eux) qui m'ont averti.

● **Si ce n'est,** v. SI.

4. Ce que ...! v. COMBIEN, 1. **À ce que,** v. À, 5. **De ce que,** v. DE, 10. **C'est... qui (que),** v. C'EST.

ceci

Ceci / cela. Dans l'usage soigné, on peut opposer *ceci*, désignant ce qu'on va dire ou ce qui est proche, à *cela*, désignant ce qui a été dit ou qui est plus éloigné :

Après avoir rappelé cela, j'ajouterai seulement ceci : ...

On peut établir la même distinction entre *celui-ci* et *celui-là*, *voici* et *voilà*. Cependant, on dit aussi bien *ceci dit* que *cela dit* pour référer à ce qu'on vient de dire. Dans l'usage oral, on emploie surtout *cela* (ou *ça*), *celui-là*, *voilà*, sans tenir compte de la distinction indiquée.

celui

1. Dans l'usage le plus indiscuté, *celui* est repris par un pronom relatif (*celui qui, que, dont,* etc.) ou par un complément introduit par *de* (*celui de...*). L'emploi d'autres prépositions (*à, en, pour,* etc.), autrefois critiqué, est couramment admis aujourd'hui :

Les bateaux à voile et ceux à moteur. La vaisselle en faïence et celle en porcelaine.

2. Celui + participe est une construction qui a été longtemps critiquée, mais qui est largement répandue aujourd'hui quand le participe est suivi d'un complément :

La somme à payer est celle figurant au bas de la facture, celle indiquée au bas de la facture

Dans l'usage surveillé, on évite d'employer *celui* + participe sans complément ; au lieu de dire : *Le prix est supérieur à celui prévu,* on dit : *à celui qui était prévu* ou *au prix prévu.*

3. Celui + adjectif est un tour évité si l'adjectif n'a pas de complément.

Au lieu de : **Ne mélangez pas les boîtes vides et celles pleines,* on dit : *... et celles qui sont pleines,* ou *... et les pleines.* Quand l'adjectif a un complément, ce tour est très usuel, mais dans l'usage soutenu on préfère ordinairement dire *celui qui est* + adjectif, ou répéter le nom au lieu d'employer *celui* :

On a abordé les questions politiques et celles relatives à l'économie (ou *celles qui sont relatives...,* ou *les questions relatives...*).

● Un adjectif peut très normalement être placé après *celui* s'il lui est apposé, c'est-à-dire s'il en est séparé par une pause (une virgule) ; dans ce cas, *celui* est repris par un pronom relatif ou par un complément :

*Je m'adresse à **ceux, nombreux, qui** s'inquiètent.*

4. Je suis celui qui..., v. QUI, 4.

cependant que

Cette locution conjonctive est de l'usage littéraire. Elle peut avoir une valeur temporelle :

Ils poursuivaient leur route, cependant que le ciel s'assombrissait (— tandis que). *Cependant qu'il parlait, sa pensée se précisait* (= pendant que).

● Elle peut avoir une valeur d'opposition :

Il niait toujours, cependant que les preuves l'accablaient (= alors que).

certain

1. Un certain + n. laisse subsister une indétermination, en indiquant une quantité, une importance non négligeables :

*Je ne l'ai pas vu depuis **un certain temps**. On a **une certaine difficulté** à le suivre. C'est vrai jusqu'à **un certain point.***

ou la nature particulière de quelque chose :

*Il a **une certaine façon** à lui de présenter les choses.*

● Devant un nom de personne, *un certain* souligne le caractère peu connu de la personne, parfois avec une valeur plus ou moins méprisante :

> *J'ai reçu la visite d'un certain Durand* (on dit aussi, avec une valeur comparable, *un nommé, un dénommé Durand*).

● *Certain* + n. (au singulier, sans article indéfini) est archaïsant. Il indique un être, une chose notoires, mais qu'on s'abstient de préciser autrement :

> *Certain gentilhomme normand... Certain jour qu'il neigeait...*

2. *Certains* + **n.** indique plusieurs êtres ou choses qu'on distingue d'un ensemble :

> *Certains oiseaux imitent la parole humaine. Cela ne se produit que dans certaines conditions.*

● *De certains* + n. est archaïsant :

> *Je l'ai rencontré en de certaines occasions* (usage courant : *en certaines occasions*).

3. *Certains* employé pronominalement représente une partie des êtres ou des choses nommés antérieurement ou exprimés ensuite sous forme de complément :

> *Les spectateurs s'ennuyaient; certains même s'étaient endormis. Certaines de ces maisons datent du Moyen Âge.*

● *Certains* employé seul peut signifier « certains hommes », principalement, mais non exclusivement dans la fonction sujet :

> *Certains prétendent le contraire. Selon certains, c'est faux.*

4. *Certain* placé après le nom ou employé comme attribut est un adjectif qualificatif :

> *Une réussite certaine est moins douteuse qu'une certaine réussite.*

c'est... qui, c'est... que

1. On met un mot ou une expression en relief en les encadrant par *c'est... qui, c'est... que* :

> *C'est le facteur qui me l'a dit. C'est lui que je veux voir. C'est pour cela que je n'ai rien dit. C'est demain qu'il arrive. Ce sont eux qui me l'ont dit.* (Pour *c'est/ce sont*, v. CE, II, 3.)

● Au lieu de *c'est*, on peut employer *c'était, ce fut, ce sera, ce serait*, mais l'usage tend à généraliser l'invariabilité de *c'est* :

> *C'était* (ou *c'est*) *ce qui me tracassait. Ce fut* (ou *c'est*) *alors qu'on s'en aperçut. Ce sera* (ou *c'est*) *bientôt que nous le reverrons.*

2. *C'est de cela que, c'est à lui que.* Quand le complément mis en relief est indirect, c'est-à-dire précédé d'une préposition, on le place ordinairement avec sa préposition après *c'est* :

> *C'est de cela que je m'occupe. C'est à lui que je pense.*

La construction *C'est cela dont je m'occupe, C'est lui à qui je pense* est aujourd'hui plus rare, et la construction *C'est de cela dont je m'occupe, C'est à lui à qui je pense* est archaïque.

chacun, chaque

1. *Chacun notre (votre)/chacun son.* Quand le sujet est un pronom de la 1re ou de la 2e personne du pluriel, on emploie le plus souvent, dans ces expressions, le possessif de la personne correspondante, mais parfois aussi celui de la 3e personne, en particulier dans la locution *chacun de son côté* :

> *Nous avons chacun notre opinion sur la question. Nous partirons, toi et moi, chacun de notre côté* (ou *chacun de son côté*). *Chacun à votre manière* (ou *chacun à sa manière*), *vous avez fait un travail intéressant.*

2. *Chacun son (ses)/chacun leur(s).* Quand le sujet est pluriel et de la 3e personne, on peut dire :

> *Ils se sont installés chacun à sa place* ou *chacun à leur place. Joël et Étienne étaient accompagnés cha-*

cun de ses parents ou *chacun de leurs parents.*

3. *Entre chacun (de), entre chaque.* Ces expressions s'emploient couramment au sens de «entre chacun (de) … et le suivant», «dans l'intervalle entre deux…» :

Entre chacune de ses phrases, il marquait une pause. Boire une gorgée entre chaque bouchée (on peut dire : *après chacune de ses phrases, après chaque bouchée*).

4. *Chaque deux jours.* L'emploi de *chaque* devant un mot numéral pour marquer la périodicité est familier. La langue soignée emploie *tous les… :*

Il vient tous les deux jours, ou *un jour sur deux.*

5. *Un chacun, tout un chacun* est un équivalent littéraire ou plaisant de «tout le monde, n'importe qui» :

C'est un art qui n'est pas donné à un chacun. Vous pouvez, comme tout un chacun, vous procurer ce document.

6. *Chacun/chaque.* L'emploi de *chaque,* normalement adjectif, au lieu du pronom *chacun* appartient à la langue commerciale ou à la langue familière :

Des articles à cent francs chaque (= à cent francs [la] pièce, à cent francs chacun). *Il a pris de tous les plats, mais un peu de chaque seulement.*

7. *Chacun, chaque* + *ne … pas,* v. NÉGATION, 10.

collectif

1. De nombreux noms collectifs suivis de la préposition *de* peuvent fonctionner comme déterminants d'un nom :

On a examiné la totalité des réponses (= toutes les réponses).

On peut employer ainsi *une foule de, une bande de, un grand (petit, certain) nombre de, une multitude de, une partie de, une majorité de, une minorité de, la plupart de, le reste de,* etc.

Quand un groupe du nom pluriel ainsi déterminé a la fonction sujet, le verbe est en principe au pluriel :

*Une foule de visiteurs **sont venus**. La majorité des réponses **sont** fausses.*

● Quand le groupe sujet comprend les compléments *d'entre nous* ou *d'entre vous,* le verbe se met le plus souvent au pluriel et à la 3e personne :

*Le plus grand nombre d'entre nous **sont** de cet avis. La plupart d'entre vous le **savent**.*

Il arrive cependant que l'accord soit fait avec *nous* ou *vous,* à la 1re ou à la 2e personne du pluriel :

*La plupart d'entre vous le **savez**.*

Cet accord en personne peut avoir lieu aussi si *d'entre nous* (ou *vous*) est complément d'un adverbe, d'un numéral ou d'un indéfini :

*Beaucoup d'entre nous le **savent*** (ou le **savons**). *Trois, plusieurs d'entre vous le **savent*** (ou le **savez**).
(V. ENTRE, 1 et [LA] PLUPART.)

2. Cependant le nom collectif peut aussi remplir par lui-même la fonction sujet en gardant sa pleine valeur de nom suivi d'un complément; dans ce cas le verbe s'accorde au singulier avec le collectif :

*La **foule** des curieux **s'est dispersée**. Une **majorité** d'opposants **peut** bloquer le projet.*

● Dans de nombreux cas, on peut indifféremment choisir l'accord au singulier ou au pluriel :

*Une partie des objets volés **ont été** retrouvés* ou *a été retrouvée*.

combien

1. *Combien! Comme! Que!* Ces trois mots peuvent s'employer comme adverbes exclamatifs exprimant la quantité, l'intensité :

Combien c'est heureux! Comme c'est heureux! Que c'est heureux!

Ce que exclamatif est familier, *qu'est-ce que* exclamatif est très familier :

Ce qu'on est bien ici ! Qu'est-ce qu'on est bien ici !

● Seul *combien* peut porter directement sur un adjectif ou un adverbe placé immédiatement après lui :

Combien rares sont de telles occasions ! Comme (ou combien, ou que) de telles occasions sont rares ! (V. COMME, 2.)

2. *Combien de* s'emploie comme déterminant interrogatif ou exclamatif devant un nom, à la manière de *quel(s) :*

Combien de temps dure le spectacle ? Combien de voyages avez-vous faits ? Combien de peine nous a donnée cette affaire ! (pour les accords, v. BEAUCOUP, 2).

On voit que le sujet est normalement inversé (quand il n'est pas le mot déterminé par *combien de*). Dans l'usage familier cependant, le sujet reste parfois placé avant le verbe dans la phrase interrogative :

Combien de temps (que) ce spectacle dure ? Combien de voyages (que) vous avez faits ? (v. INTERROGATION, 3).

Si la phrase est exclamative, le sujet se place aussi bien avant le verbe qu'après lui, dans l'usage courant :

Combien de peine cette affaire nous a donnée !

● Si *combien de* se rapporte au nom sujet, le sujet n'est pas inversé :

Combien de personnes ont répondu ?

Toutefois, il arrive que dans ce cas on pratique une inversion « complexe » (reprise du sujet par un pronom personnel inversé) : *Combien de personnes ont-elles répondu ?* Cette construction est évitée dans l'usage surveillé.

3. *Combien* exclamatif ou interrogatif peut signifier « combien de personnes » :

Combien voudraient être à votre place ! Combien ont répondu ?

Combien interrogatif peut signifier « combien de temps » ou « quel prix » :

Combien dure la séance ? Combien as-tu payé cet article ?

4. *Le combien ? Le combientième ?* Pour interroger sur le jour du mois, on dit souvent familièrement :

On est le combien ? ou *Le combien sommes-nous ?*

Dans un usage plus surveillé, on dit *Quel jour sommes-nous ?* ou *Quel jour est-on aujourd'hui ?* ce qui est plus ambigu, la réponse pouvant être « lundi » ou « mardi », etc. On peut dire : *Quelle est la date aujourd'hui ?*

● On interroge familièrement sur la périodicité (en jours) par *tous les combien ? :*

Le marché a lieu tous les combien ?

● On ne pourrait guère éviter ce type d'interrogation que par des tournures telles que : *Quelle est la fréquence* ou *la périodicité des marchés ?*, etc., qui ont un caractère plus ou moins solennel pour une question aussi simple.

● On interroge souvent familièrement sur le rang par *le combien* ou, plus familièrement, par *le combientième :*

Il était le combien (ou *le combientième*) *à l'arrivée ?*

Si on veut éviter ces emplois, on dira, par exemple :

Il est arrivé à quelle place ? ou *Quel était son rang d'arrivée ?*

5. *Ô combien !* s'emploie plaisamment avec une valeur intensive :

J'admire ô combien ce projet ! L'autre éventualité est ô combien préférable !

comme

1. *Comme/comment.* L'emploi de *comme* au lieu de *comment* pour introduire une interrogation indirecte a un caractère archaïsant : *J'ignore comme il a présenté les choses.* On dit cependant parfois, familièrement : *dis-moi comme il faut faire.*

2. *Comme* s'emploie bien pour introduire une exclamation indirecte, au sens de « combien, à quel point » :

Il m'a raconté comme vous aviez été inquiet. Il fallait voir comme on s'empressait, ou *On s'empressait, il fallait voir comme! Dieu sait comme c'est compliqué,* ou *C'est compliqué, Dieu sait comme!* (V. COMBIEN, 1.)

3. Comme quoi s'emploie parfois dans l'usage soutenu à la place de la simple conjonction *que* après un verbe transitif de déclaration :

> *Il m'a longuement raconté comme quoi il avait été chargé de missions importantes.*

● Cette expression peut introduire, dans l'usage familier et après un nom, une proposition explicative développant la teneur des propos de quelqu'un (= disant que, indiquant que, etc.) :

> *Il m'a écrit une lettre comme quoi il acceptait ces propositions.*

● Après une pause, *comme quoi* peut introduire une réflexion de caractère conclusif (= ce qui prouve que...) :

> *On est bien en avance, comme quoi ce n'était pas la peine de tant se presser.*

4. Aussi, autant, comme. Une comparaison d'égalité peut s'exprimer soit par *aussi... que, autant... que,* soit parfois simplement par *comme* :

> *Est-ce que c'est aussi grave qu'on le croyait?* (ou : *Est-ce que c'est grave comme on le croyait?*). *Il y a autant d'inconvénients que d'avantages.*

Aussi... comme, autant... comme, usuels autrefois, ne s'emploient plus que dans l'usage populaire et dans certaines provinces : **Il y a autant d'inconvénients comme d'avantages.*

5. C'est tout comme est une locution familière signifiant «peu s'en faut, il n'y a guère de différence» :

> *Il n'a pas dit tout à fait cela, mais c'est tout comme.*

6. Comme tout placé après un adjectif lui donne la valeur d'un superlatif :

> *C'est simple comme tout* (= c'est très simple).

7. Comme qui dirait indique dans la langue familière une analogie (= pour ainsi dire, une sorte de), parfois avec une nuance plaisante :

> *C'est une grande place, comme qui dirait la place de la Concorde à Paris Il y a comme qui dirait une difficulté!*

Comme qui dirait que + indic. introduit, dans la langue très familière et sur le mode plaisant, une réflexion suscitée par une observation :

> *Comme qui dirait que j'arrive trop tard!*

8. Comme conjonction de temps ou de cause.

● *Comme* exprimant le temps (= tandis que, alors que, pendant que) s'emploie seulement avec l'imparfait de l'indicatif :

> *Il est arrivé comme la nuit tombait* (et non **Comme il est arrivé, la nuit tombait*).

● *Comme* exprimant la cause (= du fait que, étant donné que) peut s'employer avec n'importe quel temps de l'indicatif ou du conditionnel, mais la proposition qu'il introduit précède normalement la principale :

> *Comme la nuit tombait, on a dû interrompre les recherches.*

On peut, selon la situation, interpréter *comme* au sens temporel ou au sens causal dans une phrase telle que :

> *Comme la nuit tombait, le silence est revenu.*

9. Comme ça, v. ÇA, 4. **Comme** reliant deux sujets, v. ACCORD, II, 5.

commencer

1. Commencer à, commencer de. *Commencer à* + infin. est plus courant aujourd'hui que *commencer de* + infin., qui a souvent un caractère plus littéraire :

> *Le jour commence à se lever. Il commençait à m'agacer avec ses réflexions.*

● Pourtant, *commencer de* est d'un usage très courant dans certains cas, par exemple aux formes composées, ou pour éviter un hiatus :

> *Il a commencé* **de** *(ou* **à***) pleuvoir à dix heures. Dès qu'il commencera* **de** *(ou* **à***) pleuvoir, on se mettra à l'abri.*

2. Commencer par + infin. indique une action qu'on fait avant autre chose :

> *Commençons* **par** *régler les affaires les plus urgentes.*

3. Commencer à (ou d') être + part. passé/être commencé de + infin. Avec des verbes perfectifs (v. VERBE, 5) comme *construire, rédiger, payer*, etc., on peut traduire l'action entreprise par *être commencé de* + infin. ; avec les verbes non perfectifs, on emploie *commencer à* (ou *d'*) *être* + part. passé :

> *La maison a été commencée de construire au printemps dernier* (plus usuel que *a commencé d'être construite*). *Mon rapport est commencé de rédiger* (et non **commence à être rédigé*) mais : *Le gisement commence à être exploité* (et non **est commencé d'exploiter*). *Le phénomène a commencé à* (ou *d'*) *être observé il y a dix ans* (et non **a été commencé d'observer*). *Exploiter, observer* sont des verbes non perfectifs. (V. FINIR, 2.)

comparaison

L'expression de la comparaison peut se faire par des moyens divers.

1. Subordination par la conjonction *comme* ou par des locutions conjonctives, en principe avec :

- l'indicatif (ou le conditionnel) : *ainsi que, à mesure que, aussi* (ou *si*)*... que, autant que, autre(ment) que, d'autant plus* (ou *moins*) *que, davantage que, de même que, mieux que, moins... que, plus... que, selon que, suivant que, tant que, tel que* ;

- l'indicatif ou le subjonctif : *autant que, pour autant que.*

● L'élément qui constitue la comparaison est très souvent elliptique et peut se réduire à un seul mot après la conjonction ou le mot qui établit la comparaison :

> *Il est malin* **comme un singe** [est malin]. *Il était rusé* **tel Ulysse***.*

2. Juxtaposition avec répétition du mot qui établit la comparaison : *tel..., tel ; autant..., autant ; plus..., plus ; moins..., moins,* etc.

3. Emploi de locutions prépositives : *à l'exemple de, à l'instar de* (littéraire), *à l'égal de, à la différence de, en regard de, comparativement à, contrairement à,* etc.

4. Emploi d'adjectifs exprimant l'idée de comparaison : *semblable, analogue, égal, supérieur, inférieur, moindre, différent,* etc.

V. à leur ordre AUTANT, COMME, DAVANTAGE, etc.

comprendre

1. Comprendre que + indic. ou condit. Le verbe de la proposition dépendant de *comprendre* est à l'indicatif ou au conditionnel quand *comprendre* indique un raisonnement aboutissant à la prise de conscience d'un fait :

> *Je comprends maintenant qu'il ne* **pouvait** *pas faire autrement* (= je m'en rends compte, j'en ai conscience). *Je comprends en lisant sa lettre qu'il* **aimerait** *mieux ne pas être mêlé à cela* (= je le déduis de sa lettre).

2. Comprendre que + subj. Le verbe de la proposition dépendant de *comprendre* est normalement au subjonctif quand *comprendre* indique la reconnaissance, l'acceptation des raisons d'une action :

> *Vu sa situation, je comprends qu'il se* **fasse** *du souci* (= je trouve cela normal). *Je comprends fort bien qu'il* **n'ait** *rien voulu dire avant d'avoir des preuves.*

3. *Ne pas comprendre que.* À la forme négative de *comprendre*, le choix entre l'indicatif (ou le conditionnel) et le subjonctif pour le verbe de la subordonnée repose sur la même distinction de sens :

*Il **ne comprend pas** qu'on **peut** se passer de lui* (= il ne s'en rend pas compte, il n'en a pas conscience). *Il **ne comprend pas** qu'on **puisse** se passer de lui* (= il ne se l'explique pas, il ne l'admet pas).

Si *comprendre* est à la 1re personne, seul le subjonctif est possible dans la subordonnée :

*Je **ne comprends pas** qu'on **agisse** ainsi.*

concession, opposition

Il y a des moyens divers d'exprimer la concession, c'est-à-dire le contraire de ce qu'on aurait pu logiquement attendre, ou l'opposition.

1. Des conjonctions ou locutions conjonctives :

- avec le subjonctif : *quoique, bien que, malgré que, encore que* (soutenu), parfois aussi l'indicatif ou le conditionnel (v. QUOIQUE, 1 ; ENCORE, 4) ; *si... que, quelque... que* (soutenu), *pour* + adj. *que* (soutenu), *loin que ; quel... que, quoi que, qui que, qui* (ou *quoi) que ce soit qui* (ou *que*) ;

- avec l'indicatif ou le subjonctif : *tout ... que, au lieu que ;*

- avec l'indicatif (ou le conditionnel) : *alors que, tandis que ;*

- avec l'indicatif : *même si ;*

- avec le conditionnel : *quand bien même, même que* (familier).

2. Des conjonctions ou des adverbes de coordination : *mais, toutefois, cependant, pourtant, néanmoins.*

3. Des prépositions ou locutions prépositives : *malgré, en dépit de, au lieu de, loin de, avec :*

Avec toute sa fortune, il n'est pas heureux.

4. La locution *avoir beau* **+ infin. :**

*Il **a beau être** riche, il n'est pas heureux.*

5. La locution *tout* **+ gérondif :**

***Tout en étant** très riche, il n'est pas heureux.*

6. La construction *pour* **+ n. ou** *pour* **+ infin.** *ne ... pas :*

***Pour un spécialiste,** il a fait un travail médiocre. **Pour être** riche, il **n'**en est **pas** plus heureux*

7. Le subjonctif imparfait ou plus-que-parfait de quelques verbes *(avoir, être, vouloir)* dans une construction de l'usage littéraire telle que :

Fût-il** sincère, il a pu se tromper* (usage courant : *même s'il est sincère*). ***Eussiez-vous** toutes les garanties de sa part **qu'il faudrait** encore compter avec l'imprévu* (usage courant : *même si vous aviez..., il faudrait...*). *Il n'y pouvait rien changer, l'**eût-il voulu (usage courant : *même s'il l'avait voulu*).

concevoir

Concevoir que **(mode).** Le verbe de la proposition dépendant de *concevoir* est le plus souvent au subjonctif :

*Je conçois qu'on **ait** envie d'améliorer sa situation* (= je me l'explique, j'en comprends les raisons).

● On peut cependant employer l'indicatif quand *concevoir* signifie « se rendre compte » (usage soutenu) :

*Je conçois que c'**était** une décision difficile à prendre.*

● Si *concevoir* est à la forme négative ou interrogative, seul le subjonctif est usuel dans la subordonnée :

*C'est quelqu'un qui **ne conçoit pas** qu'on **puisse** agir de façon désintéressée.* (V. COMPRENDRE.)

concordance des temps

1. Présent ou imparfait de l'indicatif ? Si on transpose dans le passé une phrase telle que *Il prétend qu'il* *est malade,* on dit *Il prétendait* (ou *il a prétendu*) *qu'il* **était** *malade.* L'imparfait *(était)* exprime alors un fait ayant eu lieu en même temps que celui de la principale (*il prétendait, il a prétendu,* etc.).

● L'imparfait dans la subordonnée peut aussi exprimer un fait antérieur à celui de la principale ; dans ce cas, un adverbe ou un complément de temps exprime cette antériorité :

> *Il prétendait qu'****avant*** *il* **était** *malade,* ou *qu'il* **était** *malade* **la semaine précédente.**

● Quand le verbe de la subordonnée exprime une idée générale, ou encore valable au moment où l'on parle, il peut être au présent, même si le verbe de la principale est au passé :

> *Il a dit que l'argent ne* **fait** *pas le bonheur. On m'a dit que vous* **êtes** *un spécialiste de la question.*

Toutefois, il est fréquent que ce verbe soit à l'imparfait :

> *Il a dit que l'argent ne* **faisait** *pas le bonheur. On m'a dit que vous* **étiez** *un spécialiste de la question.*

● Le passé composé de la subordonnée : *Il dit qu'il* **a compris** a pour correspondant le plus-que-parfait si la principale est au passé : *Il disait* (ou *il a dit*) *qu'il* **avait compris.**

2. «Futur dans le passé». Si le verbe principal est à un temps du passé, le temps qui correspond au futur dans la subordonnée est le «futur dans le passé», qui se confond pour la forme avec le conditionnel :

> *Il m'annonce qu'il* **viendra,** mais *Il m'annonçait* (ou *Il m'a annoncé*) *qu'il* **viendrait.** *Il a l'intention de vous voir quand il* **viendra,** mais *Il* **avait** *l'intention de vous voir quand il* **viendrait.** *Je ne sais pas s'il* **viendra,** mais *Je ne savais pas s'il* **viendrait.**

On a un vrai conditionnel dans :

> *Il m'annonce* (ou *il m'annonçait*) *qu'il* **viendrait** *si les circonstances le permettaient.*

● De même, le futur antérieur *Il assure qu'il* **aura fini** *ce soir* a pour correspondant le «futur antérieur dans le passé» :

> *Il assurait qu'il* **aurait fini** *le soir même.*

3. Subordonnée au subjonctif. Dans l'usage courant, on emploie soit le présent, soit le passé du subjonctif :

- Le présent exprime un fait qui a lieu en même temps que celui de la principale, ou après lui :

> *Je regrette* (ou *j'ai regretté*) *qu'il* **soit** *absent. Je regrette que vous* **partiez** *demain.*

- Le passé dans la subordonnée exprime un fait antérieur à celui de la principale :

> *Je regrette* (ou *j'ai regretté*) *que vous* **ayez été** *absent.*

● Dans l'usage soutenu, on peut employer aussi l'imparfait ou le plus-que-parfait du subjonctif dans la subordonnée quand le verbe principal est au passé :

- L'imparfait exprime un fait qui a lieu en même temps que celui de la principale, ou après lui :

> *Je regrettais qu'il* **fût** *absent. Je regrettais qu'il* **partît** *le lendemain.*

- Le plus-que-parfait exprime une action antérieure à celle de la principale :

> *Je regrettais qu'on n'****eût*** *pas* **pris** *de précautions.*

● Dans l'usage soutenu, l'imparfait ou le plus-que-parfait du subjonctif peuvent aussi correspondre à un verbe principal au conditionnel :

> *Je voudrais que ce* **fût** *vrai* (usage courant : *que ce soit vrai*). *Je souhaiterais que cela* **fût** *pas* **arrivé** (usage courant : *que cela ne* **soit** *pas* **arrivé**).

● Dans l'usage littéraire, l'imparfait du subjonctif dans une subordonnée dont la principale est au présent ou au futur a la valeur d'un conditionnel :

> *On craint qu'il ne* **révélât** *des secrets importants s'il était mis en*

accusation (= il révélerait, on le craint, des secrets...).

V. SUBJONCTIF, 3.

condition

I. L'expression de la condition ou de l'hypothèse peut se faire par des moyens très divers.

1. Subordination par des conjonctions ou des locutions conjonctives :

● à l'indicatif : *si, suivant (selon) que... ou que...* ;

● à l'indicatif ou au subjonctif : *en supposant (admettant) que, à supposer que, si tant est que* ;

● au subjonctif : *pourvu que, pour peu que, soit que... soit que, que... ou que..., que... (et)..., à condition que/de* (v. ci-dessous, II), *à moins que/de* :

*Qu'il **essaie**, et il aura affaire à moi! **À** **moins** **qu'**on se **soit** trompé/**à moins d'**une erreur.*

Quand *que* remplace *si* dans une subordonnée de condition coordonnée à une autre (v. QUE, 1), il est souvent suivi du subjonctif :

*S'il pleut **et qu'il fasse** encore plus froid, il y aura du verglas.* Mais l'indicatif s'emploie aussi dans ce cas.

● au conditionnel : *au cas où/en cas de, dans l'hypothèse où, des fois que* (fam.), *une supposition que* (fam.) [subj. possible].

2. Prépositions : *avec, sans, faute de* :

Avec un peu de chance, ça peut réussir. Sans cette panne, nous arrivions à l'heure. Faute de vin blanc, prenez du vinaigre pour la sauce.

3. Juxtaposition, coordination, apposition, interrogation, gérondif, proposition relative, etc. :

Encore un mot, (et) j'appelle la police. Je le voudrais (que) je ne le pourrais pas. Fussiez-vous cent fois plus riche, cela ne changerait rien (valeur à la fois conditionnelle et

concessive). *Prévenu à temps, j'aurais pu agir* (= si j'avais été prévenu). *Faut-il un volontaire? C'est toujours lui le premier. En continuant ainsi, vous iriez à la catastrophe. Quelqu'un qui ne serait pas au courant pourrait s'y tromper.*

II. À *condition que*/à *condition de*. Le subjonctif est le mode le plus usuel après *à condition que* :

*On peut modifier la date à condition que tout le monde **soit** d'accord. Je vous aiderai à condition que vous me **préveniez** assez tôt* (= pourvu que).

● Le futur (ou le futur dans le passé [v. CONCORDANCE DES TEMPS, 2]) s'emploie plus rarement, dans le cas où la condition porte sur l'avenir ; le futur insiste un peu plus sur le caractère contractuel de la condition requise :

*Vous serez payé comptant à condition que vous **respecterez** les délais* (ou *que vous **respectiez** les délais*). *Il a accepté de s'occuper de l'affaire à condition qu'on lui **laisserait*** (ou *qu'on lui **laisse***) *toute liberté d'action.*

● En cas d'identité de sujets entre la principale et la proposition de condition, on emploie souvent *à condition de* + infin. :

*Vous serez payé comptant à condition **de respecter** les délais. Il est possible de résilier la convention à condition **d'envoyer** une notification un mois avant l'échéance annuelle.*

conditionnel

1. Le mode conditionnel peut indiquer :

- un fait soumis à une condition : *Je vous le **dirais** si je le savais.*

- un fait douteux : *Aux dernières nouvelles, l'accident n'**aurait** pas **fait** de victimes.*

- une exclamation ou une interrogation de surprise, d'indignation, etc. : *Moi, j'**accepterais** cela ?*

- une atténuation dans l'expression d'une volonté, d'une demande : **Voudriez**-vous faire un peu de silence ? Je **souhaiterais** vous entretenir d'un projet. Il **faudrait** vous presser un peu.

2. Le conditionnel est identique pour la forme au «futur dans le passé». (V. CONCORDANCE DES TEMPS, 2.)

3. Le conditionnel se trouve dans la principale dont dépend une subordonnée de condition :

Je le **ferais** si je pouvais (et non *si je pourrais* ; v. SI 1, 2, et IMPARFAIT, 2). Je l'**aurais dit** si je l'avais su.

● Le conditionnel ne se trouve dans la subordonnée de condition que dans deux cas :

a) quand celle-ci est introduite par au cas où :

Au cas où un incident se **produirait**, prévenez le gardien.

b) quand il s'agit d'une «subordonnée inverse» (v. SUBORDINATION, 2) :

Il me le jurerait (que) je ne le **croirais** pas (= même s'il me le jurait, je ne le croirais pas).

4. Le subjonctif plus-que-parfait, appelé aussi parfois «conditionnel passé 2ᵉ forme», est un équivalent littéraire du conditionnel passé :

Il **eût fallu** agir plus tôt (usage courant : Il aurait fallu...). Si on eût pris les précautions nécessaires, cet accident **ne se fût pas produit** (usage courant : Si on avait pris..., ne se serait pas produit).

conjonction

1. Une conjonction est un mot invariable qui établit entre des éléments de phrase une relation de coordination (v. ce mot) : et, ou, ni, mais, or, car, donc ou de subordination (v. ce mot) : si, comme, quand, que, lorsque, puisque, quoique.

● Une locution conjonctive est une conjonction faite de plusieurs mots, le dernier étant ordinairement que : dès que, pourvu que, parce que, etc.

2. Mode. Certaines conjonctions ou locutions conjonctives de subordination sont toujours suivies de l'indicatif (ou du conditionnel), d'autres toujours du subjonctif. (V. BUT, CAUSE, COMPARAISON, CONCESSION, CONSÉQUENCE, CONDITION, TEMPS. V. aussi SI, APRÈS QUE, CAS, FAÇON.)

● Sont notamment au subjonctif les verbes des propositions introduites par afin que, à moins que, avant que, bien que (v. cependant QUOIQUE), de crainte (ou de peur) que, en attendant que, encore que (v. cependant ENCORE, 4), jusqu'à ce que, loin que, malgré que (v. cependant MALGRÉ), pour que, pourvu que, quoique (v. cependant ce mot), sans que, soit que.

connaissance

On dit faire **la** connaissance **de qqn** ou faire connaissance **avec qqn,** entrer en relation avec lui. On dit aussi faire connaissance **avec qqch,** en acquérir l'expérience :

Il a fait connaissance avec la prison.

connaître

1. Connaître de qqch (= s'en occuper) est une construction appartenant à la langue du droit :

C'est un autre juge qui avait eu à connaître de cette affaire.

2. Connaître que, combien, etc. L'emploi d'une subordonnée conjonctive, ou interrogative, ou exclamative après connaître est de l'usage classique ou littéraire ; dans ce cas, connaître signifie «savoir, se rendre compte» :

On connut alors que ces prévisions étaient justes.

consentir

1. Consentir qqch, c'est accepter de le faire (usage soutenu) :

Nous devons consentir de nouveaux sacrifices. Consentir un effort. Consentir de gros investissements.

2. Consentir qqch à qqn, c'est le lui accorder (spécialement dans la langue des affaires) :

> *Consentir un rabais à un client. La banque lui a consenti un prêt. Il demande qu'on lui consente un nouveau délai.*

3. Consentir à qqch, à ce que + subj. ; consentir que + subj. La construction *consentir à ce que* + subj., comportant la préposition *à* comme dans *consentir à qqch* (= l'admettre), est la plus courante :

> *Les responsables consentent à ce que nous tentions l'expérience.*

Consentir que est de l'usage soutenu :

> *Je consens volontiers que vous fassiez état de ma lettre.*

4. Consentir à + infin. Cette construction s'impose quand le verbe dépendant de *consentir* a le même sujet que *consentir* :

> *Je consens à vous écouter. Je consens à être chargé de ce rôle.*

La construction *consentir de* + infin. est archaïsante.

conséquence

La relation de conséquence peut s'exprimer de diverses façons :

1. Subordination, ordinairement à l'indicatif, parfois par la seule conjonction *que* (v. QUE, 2), le plus souvent par des locutions conjonctives : *de (telle) façon (ou manière, ou sorte) que, en sorte que, tant que, (tant et) si bien que, si... que, au point que, à ce (ou tel) point que, à un point que, tellement que, tel que.*

● Le subjonctif s'emploie aussi après ces locutions conjonctives quand l'idée de but prévaut sur celle de conséquence :

> *Il faut faire vite de manière que tout soit terminé ce soir* (conséquence recherchée = but).

● Le subjonctif est seul possible après *assez* (ou *suffisamment* ou *trop*) *pour que, de façon* (ou *manière*) *à ce que* :

> *C'est trop compliqué pour qu'il comprenne ;*

ou quand la principale est négative ou interrogative avec les locutions *au point que, si ... que, tel* (ou *tellement*) *que* :

> *Ce n'est pas tellement compliqué qu'il soit incapable de comprendre.*

2. En cas d'identité de sujet entre la principale et la subordonnée, **infinitif** introduit par de *façon* (ou *manière*) *à, au point de, jusqu'à, à, en sorte de, assez* (ou *suffisamment*, ou *trop*) *pour.*

● *Ne pas si... que de* + infin., v. AUSSI, 9.

3. Emploi de **mots de liaison** à valeur conclusive : *donc, par conséquent, par suite, c'est pourquoi, ainsi, aussi.*

4. Simple **juxtaposition** (les deux termes étant en général séparés à l'écrit par deux points) :

> *Un avion s'écrase : quarante-cinq morts.*

considérer

Considérer qqn ou qqch (comme) + adj. ou n. L'omission de *comme* dans cette construction qui introduit un attribut du complément d'objet peut s'expliquer par l'analogie de verbes comme *croire, estimer, juger, trouver.* On dit parfois *On le considère responsable, On considère cette solution satisfaisante,* sur le modèle de *On le juge responsable, On juge cette solution satisfaisante.* Dans l'usage surveillé, on emploie *comme* :

> *On le considère comme responsable, On considère cette solution comme satisfaisante.* (V. TENIR, 2 et 3.)

consister

1. Consister à/dans/en. Le complément de *consister* est introduit par *à* si c'est un infinitif, par *dans* si c'est un nom déterminé par un article défini, par *en* dans les autres cas :

En quoi consiste votre rôle? Mon rôle consiste **à contrôler** les résultats, **en un contrôle** constant, **dans le contrôle** des résultats.

2. Consister en ce que + indic./**Consister à ce que** + subj. On dit *La différence consiste en ce que cet article est plus robuste que l'autre. Le secret de la réussite consiste en ce que les détails sont toujours prévus* (= réside dans le fait que ; l'indicatif exprime une réalité actuelle : il y a une différence, la réussite a eu lieu), mais *Le secret de la réussite consiste à ce que les détails soient toujours prévus* (le subjonctif exprime ce qui est requis : si on veut réussir, il faut que...). Seule la construction *consister à ce que* + subj. correspond à la construction infinitive : *Le secret de la réussite consiste à prévoir tous les détails.*

constituer

Être constitué de/par. Quand le complément d'agent de ce verbe désigne les éléments composant un ensemble, il peut être introduit par les prépositions *de* ou *par* :

L'atome est constitué d'un noyau et d'électrons, ou *par un noyau et des électrons.*

● Le complément d'agent introduit par la préposition *par* peut avoir une valeur proche de celle d'un attribut :

Le principal obstacle est constitué par le coût de l'opération (= est le coût de l'opération, consiste dans le coût de l'opération).

continuer

Continuer à ou *de* + infin. Les deux constructions sont usuelles, sans différence de valeur :

Il continue à pleuvoir ou *de pleuvoir.*

contre

1. Par contre. Cette expression, longtemps critiquée dans l'usage surveillé sous prétexte qu'elle provenait de la langue' commerciale, est d'un emploi tout à fait courant pour exprimer une opposition :

Il n'a aucune compétence en électronique, par contre il connaît bien la mécanique. Les plats étaient excellents, par contre le vin était médiocre.

Les expressions *en compensation, en revanche,* d'un usage plus soutenu, ne sont pas toujours substituables à *par contre,* compte tenu du sens des mots *compensation, revanche :* ainsi la médiocrité du vin ne pourrait pas être considérée comme une « compensation » ou une « revanche » par rapport à l'excellence des plats.

2. Là contre est usuel au sens de « contre cela » dans des contextes assez limités (phrase ordinairement négative ou interrogative) :

On ne peut pas aller là contre. On ne peut rien faire là contre. Qu'avez-vous à dire là contre ?

3. Contre employé absolument. L'emploi de *contre* sans pronom complément (*lui, cela,* etc.) est de l'usage familier ou administratif :

L'idée est intéressante : je ne suis pas contre. Ce projet est irréaliste : je vote contre.

convenir

1. Convenir à qqn, à qqch, c'est lui aller, lui être approprié. Aux temps composés, l'auxiliaire est toujours *avoir* :

Est-ce que ces propositions vous ont convenu ?

2. Convenir de qqch, de + infin., **que** + indic., c'est s'accorder sur cela ou l'admettre. L'auxiliaire est soit *être,* dans l'usage soigné, soit plus couramment *avoir* :

Nous étions convenus (ou nous **avions convenu**) *d'un sujet de discussion, de discuter de cette question, que la discussion devait être reprise. Convenez que c'est regrettable.*

● Bien que ce verbe soit normalement transitif indirect, on l'emploie parfois au passif :

*Une date de réunion **a été convenue**.* (On peut aussi dire, impersonnellement : ***Il a été convenu d'**une date de réunion*.) *Je m'occupe de tout, **comme convenu**.*

On lui donne parfois aussi pour complément le pronom neutre *le* au lieu de *en*, quand l'auxiliaire est *avoir* :

*Tout s'est passé comme nous **en** étions convenus* (ou ***en avions convenu***), *ou comme nous **l'avions** convenu*.

3. *Il **convient que*** est suivi du subjonctif :

*Il convient qu'on **prenne** des précautions.*

Il est souvent plus commode d'employer *il convient de* + infin. :

*Il convient **de prendre** des précautions. Il ne lui convient guère **de faire** le difficile.*

coordination

Des propositions ou des termes de proposition sont coordonnés quand ils sont reliés entre eux par une conjonction de coordination : *et, ou, ni, mais, or, car, donc,* ou un adverbe de coordination (ou de liaison) : *puis, ensuite, ainsi, en effet, cependant, toutefois,* etc.

1. Les éléments coordonnés sont en principe de même nature grammaticale (par ex. nom + nom, adjectif + adjectif, proposition + proposition, etc.) et de même fonction :

*Ils se chamaillent comme **chien** et **chat**. Il est **idiot** ou **inconscient**. **Je cherche**, mais **je ne trouve rien**.*

2. Certaines équivalences de classes grammaticales autorisent cependant des dissymétries :

● Il n'est pas rare, par exemple, qu'une proposition relative ou un complément prépositionnel qui joue auprès du nom le même rôle qu'un adjectif épithète ou apposé soient coordonnés, surtout par *et, ou, mais* à un adjectif :

*Voilà un événement imprévu **et qui peut changer la situation**. C'est un remède agréable, **mais d'une efficacité douteuse**.*

● La coordination entre un nom ou un pronom complément d'objet et une subordonnée conjonctive ou interrogative, ou un infinitif, est théoriquement possible, mais on préfère souvent l'éviter. Au lieu de

*Je demande **du calme** et **qu'on me laisse le temps de réfléchir**,* ou *Je demande **du calme** et **à réfléchir** un moment,*

on dira plutôt, par exemple :

*Je demande **du calme** et **du temps pour réfléchir**,* ou *Je désire réfléchir au calme,* etc.

3. On ne coordonne normalement par *et* que des phrases de même type (déclaratives, ou interrogatives, ou impératives, ou exclamatives [v. PHRASE, 2]) :

Je vous l'affirme et vous pouvez le vérifier (et non **je vous l'affirme et vérifiez-le*). *Je vous écoute et je me demande ce que vous voulez dire* (et non **Je vous écoute et qu'est-ce que vous voulez dire ?*).

4. Deux verbes coordonnés ne peuvent recevoir un même complément que s'ils admettent la même construction. On dit

*Ce projet **se rapproche** et **diffère** tout à la fois **du** précédent,*

parce qu'on dit *se rapprocher **de** qqch* et *différer **de** qqch,* mais la phrase **Ce projet ressemble et diffère tout à la fois du précédent* est mal construite parce qu'on dit *ressembler **à** qqch* et *différer **de** qqch.* La solution consiste ordinairement dans ce cas à reprendre le complément au moyen d'un pronom :

*Ce projet ressemble **au** précédent et il **en** diffère tout à la fois.*

● Le même principe s'applique au complément de deux adjectifs coordonnés. On dit

> *Ce projet est à la fois **semblable** et **opposé au** précédent,*

mais non **Ce projet est à la fois semblable et différent du précédent (semblable **à** qqch, différent **de** qqch);* on peut dire : *semblable **au** précédent et différent **de** lui.*

5. Et/ou. On emploie parfois, surtout dans des textes scientifiques ou didactiques, le lien complexe *et/ou* pour exprimer une coordination qui peut marquer aussi bien l'association qu'une autre éventualité :

> *Si un verbe a plusieurs noms **et/ou** pronoms comme sujets...*

6. Car ... et que ..., v. CAR, 4. **Sujets coordonnés,** v. ACCORD, A, II. V. aussi : PRONOM PERSONNEL, 1 ; PRÉPOSITION, 3 ; SYMÉTRIE.

coup

1. Tout à coup. Tout d'un coup. Ces deux locutions s'emploient couramment au sens de « soudain » :

> *Tout à coup, il m'est venu une idée. Tout d'un coup, j'ai compris.* (Dans l'usage soutenu, on préfère *tout à coup.*)

● *D'un seul coup* signifie couramment « en une seule fois » :

> *Il a cassé trois verres d'un seul coup.*

Mais cette locution s'emploie en outre familièrement au sens de « soudain » :

> *Il avait l'air bien tranquille ; d'un seul coup il s'est mis à crier.*

2. Un coup que est un équivalent très familier de « une fois que » : *Un coup qu'on a compris, c'est facile.*

courant

1. Courant janvier. Cet emploi du mot *courant* devant un nom de mois ou un millésime est de l'usage familier :

> *L'assemblée générale aura lieu courant janvier. Les deux prochains tomes paraîtront courant 1983.*

Dans un usage plus soutenu, on dit *dans le courant de janvier, de 1983.*

● Les mots *début* et *fin s'emploient de la même façon :*

> *Les vacances de Pâques commencent début avril. Les vendanges ont eu lieu fin octobre.*

2. Le 10 courant, c'est le 10 du mois en cours, dans la langue des affaires :

> *En réponse à votre lettre du 10 courant...*

crainte

Les locutions *crainte de* + n. ou infin., *crainte que (ne)* + subj. sont de l'usage littéraire :

> *Il se tut, crainte d'indiscrétion, crainte d'être indiscret. Il se cachait, crainte qu'on ne l'interrogeât.*

Dans l'usage courant, on dit *de crainte de (que), par crainte de (que), dans la crainte de (que),* le *ne* explétif étant toujours facultatif :

> *Hâtons-nous, **de crainte qu'il (ne) pleuve.** (On dit plus couramment encore de peur de, de peur que.)*

croire

1. Croire qqn, croire qqch, c'est ajouter foi aux paroles de qqn, à la véracité de qqch :

> *Sur ce point, je crois les historiens. On peut croire le récit du témoin.*

2. Croire à/croire en. *Croire à qqch, à qqn,* c'est être convaincu de leur réalité, de leur existence :

> *Croyez-vous **aux** miracles? Croire **à** une autre vie. Croire **aux** revenants. Croire **au** diable.* (On ne dit pas **croire à Dieu,* mais *croire en Dieu.*)

● *Croire à qqch,* c'est aussi être convaincu de sa valeur ou de sa véracité :

> *Croire **au** progrès, **à** la science. Croire **aux** prédictions des astrologues. Croyez **à** l'assurance de mes meilleurs sentiments. Croyez **à***

toute ma sympathie, à mon entier dévouement.

● **Croire en qqn,** c'est avoir foi dans ses capacités, lui faire confiance, miser sur sa réussite :

*Sa brillante carrière ne me surprend pas, j'ai toujours cru **en** lui.*

3. (Ne pas) croire que + subj. A la forme affirmative, *croire que* est suivi d'une subordonnée à l'indicatif. Le verbe de la subordonnée est souvent au subjonctif quand *croire* est à la forme négative ou interrogative, ou dans une proposition de condition introduite par *si,* ou dans un contexte qui indique négation ou atténuation :

*Je **ne crois pas** que ce **soit** possible, qu'il y **ait** eu une erreur. **Croyez-vous** que ce **soit** nécessaire ? **Si vous croyez** qu'il **faille** le faire, nous le ferons. **Gardez-vous de croire** qu'on **veuille** vous duper. **Loin de croire** qu'on **doive** se résigner, je suis d'avis de contre-attaquer. **Vous auriez tort de croire** que l'affaire **soit** terminée. **J'ai peine à croire** qu'il l'**ait** fait exprès.*

4. (Ne pas) croire que + indic. On peut aussi dans ce genre de phrases employer l'indicatif, soit sans grande différence de valeur, soit pour insister davantage sur la considération de la réalité de ce qui est nié ou mis en doute :

*Je **ne crois pas** que c'**est** possible. Personne ne **croyait** que la situation **était** aussi grave. **Croyez-vous** que c'**est** nécessaire ? **Si vous croyez** qu'il **est** trop tard, annulez le projet.*

● Le simple désir d'éviter une forme peu usuelle d'imparfait du subjonctif peut inciter à employer l'indicatif imparfait :

*Je ne crois pas qu'ils **envisageaient** cela (plutôt que qu'ils envisageassent).*

● Le futur de l'indicatif permet plus clairement que le subjonctif de situer l'action dans l'avenir :

*Croyez-vous que ce **sera** nécessaire ? Je ne crois pas que ce **sera** possible. (Croyez-vous que ce **soit** nécessaire ?* peut très normalement s'interpréter « Est-ce que c'**est** [maintenant] nécessaire selon vous ? »)

5. (Ne pas) croire que + condit. Le conditionnel s'emploie aussi après *croire que* à la forme négative ou interrogative, pour exprimer une éventualité :

*Je ne crois pas qu'on **pourrait** (ou qu'on **puisse**) faire mieux. Croyez-vous que ça **vaudrait** (ou que ça **vaille**) la peine ?*

6. Les mêmes principes concernant le choix du mode ou du temps s'appliquent aux verbes des propositions conjonctives par *que* dépendant de nombreux verbes autres que *croire ;* ce sont des verbes d'opinion, de déclaration, de perception, notamment :

affirmer, assurer, avouer, certifier, compter, constater, convenir, déclarer, dire, espérer, estimer, (s') imaginer, juger, jurer, penser, présumer, prétendre, promettre, reconnaître, remarquer, soutenir, se souvenir, supposer, trouver, voir.

7. Croire que/croire + infin. Quand une proposition dépendant de *croire* a le même sujet que *croire,* la construction infinitive, sans être obligatoire, est souvent possible et plus légère que la subordination par *que :*

*Je crois que **je** connais la raison de son silence,* ou *Je crois **connaître** la raison de son silence. Je crois que **j'ai été** clair* ou *Je crois **avoir été** clair. Je ne crois pas que **j'ai** été trop obscur,* ou (plutôt) *Je ne crois pas **avoir été** trop obscur.*

● La construction infinitive n'est pas toujours possible, par exemple si le verbe de la proposition subordonnée est à l'imparfait ou au futur, *croire* étant au présent :

*Je crois que j'**avais** dix ans à l'époque. Je crois que je **viendrai** demain (on peut dire : Je **pense venir** demain).*

8. *Croire qqch à qqn, croire qqn* + adj. On peut dire :

Je crois qu'il a de l'ambition ou *Je **lui** crois **de l'ambition**. Je crois qu'il est ambitieux* ou *Je **le** crois **ambitieux**.*

Même construction pour *reconnaître, supposer, trouver.*

d

davantage

1. Cet adverbe modifie un verbe. Il
équivaut à *plus*, qui peut presque
toujours lui être substitué. On le préfère parfois à *plus* pour le rythme ou
la sonorité de la phrase, ou pour
exprimer plus spécialement la durée
(= plus longtemps) :

*Si vous voulez en savoir davantage
(ou plus), adressez-vous à lui. Vous
devriez vous interroger davantage sur
les causes* (plutôt que *vous interroger plus*). *Son dernier roman m'a
intéressé, mais le précédent m'avait
davantage plu* (plutôt que *m'avait
plus plu*). *Je ne m'attarderai pas
davantage (ou pas plus) sur ce point.*

2. *Davantage* ne modifie pas un
adverbe : on dit *plus souvent, plus
facilement*, et non **davantage souvent, *davantage facilement*. Il ne peut
guère modifier un adjectif que si cet
adjectif est attribut et représenté par
le pronom *le* :

*Voilà un détail surprenant, mais
celui-ci l'est davantage encore.*

3. Comme *plus*, *davantage* peut être
suivi d'un complément introduit par
de, ainsi que d'un terme de comparaison introduit par *que* :

*Il nous faudrait davantage **de
temps**. Cette séance a duré davantage **que la précédente**.*

4. On dit *bien davantage*, mais *beaucoup davantage* est archaïsant, alors
qu'on dit aussi bien *beaucoup plus* que
bien plus.

de

1. La préposition *de* est de loin la plus
employée ; ses emplois sont extrêmement divers. On trouvera des remar-

ques la concernant dans de nombreux
articles, notamment :

À, 2 ; ACCOUTUMER, 2 ; AFFAIRE, 2 ;
AGENT, 2 ; AIMER, 1 ; ALENTOUR, 2 ;
ARTICLE, 5 et 6 ; ATTENTION, 4 ;
AUPRÈS, 3 ; AUSSI, 9 ; AUTRE, 9 ;
AVANT, 1, AVEC, 8 ; BEAUCOUP, 1 ;
BÉNÉFICIER ; CAUSE, 2 ; CELUI, 1 ;
CERTAIN, 2 ; C'EST … QUI, C'EST …
QUE, 2 ; COLLECTIF, 1 ; COMBIEN, 2 ;
COMMENCER 1 et 3 ; CONNAISSANCE ;
CONSTITUER ; CONTINUER ; CONVENIR,
2 ; CRAINTE ; DAVANTAGE, 3 ; DÉCI-
DER, 1, 3 et 4 ; DEMANDER, 3 ; DÉSI-
RER ; DESSUS ; DÉTESTER ; DIRE, 3 ;
DONT, 1 ; DOUTER, 1 ; S'EFFORCER ;
EMPÊCHER, 1 et 2 ; EN, 1 et 4 ;
ENCONTRE ; ENTRE, 1 ; ESPÉRER, 2 ;
ESSAYER ; ÊTRE, 2 ; ÉVITER ; S'EXCU-
SER ; FACE ; FAIRE, 1, 2 et 10 ; FAUTE ;
FINIR ; FOURNIR, 1 ; GARDE, 2 et 6 ;
GOÛTER ; HASARDER ; HÉRITER ; INFI-
NITIF, II ; INFORMER ; JOUER ; LAISSER,
1 ; MANQUER, 1 ; NIER ; NOMBRE ; NOU-
VEAU, 2 ; OBLIGER ; S'OCCUPER, 1 ;
OUTRE, 1 ; PARTICIPER ; PEINE, 2 et 3 ;
PERSONNE, 3 ; PERSUADER ; PLUS, 7 ;
PRÉFÉRER, 2 ; PRÉJUGER ; PRENDRE,
6 ; PRÉPOSITION ; PRÈS ; PRÊT ; PROFI-
TER ; QUELQUE, 5 ; QUELQU'UN, 2 ; SE
RAPPELER ; RÉSOUDRE ; RÊVER ; RIEN,
4, 5, 8 et 9 ; SERVIR ; SOUHAITER ;
SUR, 4 ; TÂCHER, 1 ; TARDER, 2 ;
TÉMOIGNER, 2 ; TENIR, 1.

2. *De* **partitif.** La valeur partitive de
de apparaît non seulement dans l'article dit « partitif » *(acheter **du** pain, **de**
la viande)*, mais aussi devant d'autres
déterminants du nom :

*Reprenez **de** ce plat. J'ai lu **de** ses
livres. j'ai eu **de leurs** nouvelles.*
V. ARTICLE, 5.

3. *De* **distributif.** On dit *Ça revient
à cent francs de l'heure* ou, dans
un usage un peu plus soutenu, *Cela*

revient à cent francs l'heure (ou *par heure*), *Payer vingt centimes du kilomètre.*

4. De, en. Pour indiquer la matière de quelque chose, on emploie *de* ou *en* (*de* apparaît parfois d'un usage un peu plus soutenu) : *une maison de brique* ou *en brique, de la vaisselle de porcelaine* ou *en porcelaine.*

● *De plus, en plus; de moins, en moins; de trop, en trop;* v. PLUS, MOINS, MIEUX, 7.

5. De, pour. Pour indiquer la cause ou le motif de la gratitude, de l'approbation ou de la désapprobation, on emploie *de* ou *pour*. On dit *remercier* (ou *féliciter, louer, blâmer, critiquer,* etc.) *quelqu'un de quelque chose* ou *pour quelque chose* :

> On l'a félicité *de ce succès* ou *pour ce succès, d'avoir dit cela* ou *pour avoir dit cela.*

● *Le train de Marseille* est une expression ambiguë qui peut désigner le train venant de Marseille ou le train qui va à Marseille. Ce deuxième sens peut être exprimé sans ambiguïté sous la forme *le train pour Marseille.*

6. De, par, v. (complément d') AGENT, 1 et 2.

7. *Ce vantard de Martin. Son idiot de frère.* Dans ce type d'expression, *de* relie un nom ou un adjectif à un nom pour le qualifier, le plus souvent avec une valeur dépréciative, parfois aussi dans une intention plaisante :

> *Mes amitiés à votre tabellion de mari.*

● Le déterminant du nom qualifié est presque toujours un démonstratif ou un possessif. Seuls certains adjectifs pouvant être employés comme noms sont susceptibles d'être construits ainsi : on peut dire *Ce paresseux de Jacques* car on dit aussi *Jacques est un paresseux,* mais non **Cet aimable de Jacques,* car on ne dit pas **Jacques est un aimable.*

8. *Rien de nouveau. Encore un carreau (de) cassé. De* est nécessaire devant un adjectif ou un participe se rapportant comme épithète à un pronom indéfini comme *rien, tout, personne, quelqu'un, quelque chose, autre chose,* ou démonstratif comme *ceci, cela,* ou interrogatif comme *quoi, que* :

> *Il n'y a **rien de** vrai dans cette histoire. **Quelque chose de** nouveau s'est produit. L'affaire a **cela** de curieux que ... **Quoi de** plus simple que ce problème ? **Que** dit-il **d'intéressant ?***

De même après *il y a,* sans pronom exprimé :

> *Il n'y a **de** changé que l'heure du rendez-vous.*

● Avec un mot numéral ou un indéfini (article ou déterminant), on dit par exemple : *Il y a eu dix personnes blessées* ou *dix personnes de blessées,* mais *de* est nécessaire si la phrase contient le pronom *en* avant le verbe :

> *Il y **en** a eu dix **de** blessés. Il y a des questions simples, et il y **en** a **de** compliquées. J'**en** ai vu quelques-uns **de** surpris.*

9. *Tu en as une, de veine !* Ce genre de phrase segmentée est de l'usage familier. *De* introduit un nom annoncé par *en* dont le déterminant (article indéfini, mot numéral ou indéfini) est mis en relief en tête de phrase :

> *Il **en** possède au moins cinq, **de** maisons. J'**en** ai connu bien d'autres, **d'aventures.***

10. *(De ce) que* + indic. Certains verbes qui reçoivent un nom complément introduit par *de* peuvent aussi être complétés par une subordonnée à l'indicatif introduite par *de ce que* :

> *Il abuse **de** la situation. N'abusez pas **de ce que** votre adversaire est momentanément en difficulté.*

Cette construction s'applique à des verbes tels que

> *abuser, bénéficier, naître, se prévaloir, profiter, provenir, remercier qqn, résulter, savoir gré à qqn, se venger, venir, en vouloir à qqn.*

● De nombreux verbes, en général pronominaux, exprimant un sentiment, peuvent être suivis d'une subordonnée ordinairement à l'indicatif introduite par *de ce que*, qui se transforme en infinitif en cas d'identité de sujet :

> *Je me félicite de ce que tout s'est bien passé. Je me félicite de vous* **avoir écouté.**

Cette construction peut s'appliquer notamment aux verbes suivants :

> *s'affliger, s'applaudir, s'effrayer, s'émerveiller, s'enorgueillir, s'épouvanter, s'étonner, se féliciter, se formaliser, se froisser, se glorifier, s'impatienter, s'indigner, s'inquiéter, s'irriter, se lamenter, se louer, s'offenser, s'offusquer, se plaindre, se réjouir, souffrir, se vanter, se vexer.*

On préfère souvent employer après ces verbes une subordonnée au subjonctif introduite simplement par *que*; c'est même le cas le plus fréquent pour *s'étonner, se plaindre, se réjouir* :

> *Je m'étonne qu'il n'ait rien dit. Félicitez-vous qu'on m'ait écouté.*

11. On dirait d'un... Cette construction est de l'usage littéraire : *On dirait* (ou *on aurait dit*) *d'un fou* (usage courant : *On dirait, on aurait dit un fou*).

12. Omission de *de* : *la question financement.* Dans l'usage familier ou des affaires, on juxtapose parfois un nom sans article à un mot tel que *question, point de vue, côté, facteur, air, aspect, allure, élément,* au lieu de faire de ce nom un complément qui serait le plus souvent introduit par *de* et serait précédé d'un article :

> *La question financement n'a pas été réglée* (usage plus soutenu : *la question* **du** *financement*). *Du point de vue qualité, ces deux articles se valent* (usage plus soutenu : *du point de vue de la qualité*). *Du côté santé, tout va bien. Il faut tenir compte du facteur temps. C'est l'élément rapidité qui a été déterminant.*

13. *De* + infinitif, v. INFINITIF, II, 1 et 2 ; *de dix à quinze* (approxima-

tion), v. NUMÉRAUX, 6 ; *du, des/de,* v. ARTICLE, 5 et 6.

décider

1. Décider qqch/de qqch. Au sens de « fixer, arrêter quelque chose », c'est normalement la construction directe *décider qqch* qu'on emploie :

> *Le conseil des ministres a décidé* **une augmentation** *du prix de l'essence.*

● *Décider de qqch* s'emploie surtout au sens de « se prononcer sur quelque chose, faire un choix à ce propos » ou, avec un sujet nom de chose, « déterminer le sort de quelque chose » :

> *Il faut décider* **de la conduite** *à tenir. C'est ce point qui a décidé* **de la partie.**

2. Décider que + indic. ou subj. Selon que la valeur de « déclaration » ou la valeur de « volonté » prévaut dans le verbe *décider,* la subordonnée par *que* qui dépend de ce verbe est à l'indicatif (ou au « futur du style indirect » en -*rais*), ou au subjonctif :

> *L'arbitre décide que le point* **est** *valable. Le gouvernement a décidé qu'une aide d'urgence* **serait** *allouée aux sinistrés* (déclaration d'un fait à venir), ou *soit allouée aux sinistrés* (expression de la volonté du gouvernement).

3. Décider de + infin. / décider qqn (ou se décider) à + infin. En cas d'identité de sujet entre *décider* et le verbe de la subordonnée qui en dépend, la construction infinitive avec *de* est possible, mais non obligatoire :

> *Je décide que je viendrai. Je décide* **de venir.**

● En cas de sujet différent pour les deux verbes et aux formes pronominale et passive *se décider, être décidé,* l'infinitif est normalement introduit par *à* :

> *Nous l'avons décidé* **à** *agir. Alors, tu te décides* **à** *venir? Il était bien décidé* **à** *se défendre.*

La construction *se décider, être décidé*

de + infin. s'écarte de l'usage courant : **Il s'est enfin décidé de parler.*

4. Il a été décidé de + infin. Dans l'emploi passif impersonnel de *décider*, l'infinitif qui suit est sujet réel ; il est toujours introduit par *de* :

*Il a été décidé **d'entreprendre** les travaux.*

5. Décider si, où, etc. On peut employer après *décider* une subordonnée interrogative indirecte introduite par *si, où, quand, comment, qui,* etc. :

*On n'a pas encore décidé **si** la fête aurait lieu, **où** elle aurait lieu,* etc.

demander

1. Demander que + subj. / demander à + infin. Quand le sujet de la subordonnée est différent de celui de *demander*, le verbe de la subordonnée est au subjonctif :

*Je demande qu'on me **fasse** connaître les résultats.*

● Quand le sujet de la subordonnée est le même que celui de *demander*, la construction infinitive avec *à* (ou plus rarement *de*) est obligatoire :

*Je demande **à connaître** le résultat, **à** (ou **d'**) **être informé** du résultat (et non *Je demande que je connaisse..).*

2. Demander à ce que + subj. est une variante, parfois critiquée, de *demander que* :

*Je demande **à ce qu'**on me **fasse** connaître les résultats.*

Cette construction s'explique par l'influence de *demander à* + infin., sur le modèle analogique de verbes comme *arriver à* + infin./*arriver à ce que* + subj., *consentir à* + infin./*consentir à ce que* + subj., etc.

3. Demander à qqn de + infin. Quand le destinataire de la demande est indiqué, il est introduit par *à*, et la complétive a la forme d'un infinitif introduit par *de* :

*J'ai demandé **à** mon secrétaire **de** me **tenir** au courant.*

Dans ce cas, le destinataire est généralement aussi le sujet de la complétive, donc différent du sujet de *demander* (= « Je lui ai demandé qu'il me tienne au courant », construction rare).

● Si le sujet de l'infinitif doit être le même que celui de *demander*, l'infinitif peut être introduit par *à* (voir n° 1) :

*Je lui ai demandé **à** être informé du résultat.*

Mais le plus souvent, du fait de la présence d'un premier complément introduit par *à* (ou de la forme *lui, leur* du pronom), l'infinitif est alors introduit par *de*, ce qui peut créer une ambiguïté avec le cas précédent. *J'ai demandé à M. Dupont de ne pas venir demain* peut signifier, selon les situations : « J'ai demandé à M. Dupont qu'il ne vienne pas » (construction rare) ou « J'ai demandé à M. Dupont d'accepter que je ne vienne pas ».

4. Demander après qqn, v. APRÈS, 2.

demeurer

Ce verbe est un équivalent un peu plus soutenu de *rester* ou de *habiter*.

● Au sens de « rester », l'auxiliaire est *être* :

*Il **est** demeuré quelque temps perplexe.*

● Au sens de « habiter, résider », l'auxiliaire est *avoir* :

*Il **a** demeuré dix ans dans cette maison.*

depuis

1. Depuis au sens spatial. Outre son emploi temporel, *depuis* est devenu usuel pour désigner, comme *de*, le point pris comme origine d'une distance, même si le point d'aboutissement n'est pas exprimé par *jusqu'à* :

Depuis nos fenêtres, on découvre la baie. Il m'a téléphoné depuis Stockholm.

2. Depuis tout petit. Une phrase comme *Depuis tout petit (tout enfant,* etc.) *il voulait être marin* est très familière, au sens de « depuis qu'il était tout petit », ou « depuis sa toute petite enfance ». Il peut y avoir ambiguïté si on dit, par exemple : *Je le connais depuis tout petit* (= depuis que j'étais tout petit, ou qu'il était tout petit ?)

3. Depuis que (ne pas), v. NÉGATION, 5.

désirer

Désirer que + subj. / désirer (de) + infin. Selon que le sujet du verbe de la proposition dépendant de *désirer* est différent ou non du sujet de *désirer*, cette proposition est une complétive par *que* au subjonctif ou prend la forme d'un infinitif :

> *Je désire qu'on le* **sache.** *Je désire le* **savoir.**

L'emploi de *de* devant l'infinitif est un archaïsme littéraire ;

> *Il désirait d'être informé de tout.*

dessus, dessous

Ces mots sont ordinairement employés comme adverbes au sens de « sur (sous) lui (ou elle, ou cela) » :

> *Prends une chaise et assieds-toi dessus.*

● Dans l'usage soutenu, on les emploie parfois comme prépositions après *de* :

> *Oter un vase* **de dessus** *la table* (usage courant : *de sur la table*). *Retirer quelques objets* **de dessous** *les décombres* (usage courant : *de sous les décombres*).

déterminant

I. La classe des déterminants du nom est constituée par :

1. Les articles.

- Article défini *le (la, les) : Le mari et la femme sont les époux.*

- Article indéfini *un (une, des) ; J'ai* **un** *frère,* **une** *sœur,* **des** *enfants.*

- Article partitif : *Il achète* **du** *pain,* **de la** *viande,* **des** *rillettes.*

L'article défini singulier est élidé en *l'* devant voyelle ou *h* muet : *l'arbre, l'union, l'hôpital,* mais *la harpe, le hérisson* (*h* aspiré). L'article défini peut être contracté en *au, aux, du, des* avec les prépositions *à* et *de* :

> *S'adresser* **au** *secrétariat* **du** *ministère* **des** *Finances.*

2. Le démonstratif *ce (cette, ces)* :

> *Ce mot,* **cette** *phrase conviennent mal à* **ces** *circonstances.*

Le masculin singulier a la forme *cet* devant voyelle ou *h* muet : **cet** *arbre,* **cet** *hôpital,* mais *ce hérisson* (*h* aspiré).

3. Les possessifs *mon (ma, mes), ton (ta, tes), son (sa, ses), notre (nos), votre (vos), leur (leurs)* :

> **Mon** *frère et* **ma** *sœur ont amené* **leurs** *enfants.*

4. L'interrogatif-exclamatif *quel (quelle, quels, quelles)* :

> **Quelle** *heure est-il ?* **Quel** *dommage !*

5. Les numéraux *un, deux, trois, quatre,* etc. :

> *Il possède* **deux** *maisons.*

6. Les indéfinis *plusieurs, certains, quelques,* etc. :

> *Il possède* **plusieurs** *maisons.*

7. Le relatif *lequel* :

> *Il possède plusieurs maisons,* **lesquelles** *maisons lui sont échues par héritage.*

II. OMISSION DES DÉTERMINANTS. Un nom est en principe précédé d'un déterminant. Toutefois, dans un certain nombre de cas, ce déterminant est omis, en particulier :

1. Devant des compléments de noms ou des compléments circonstanciels de verbes, caractérisant ces mots à la façon d'adjectifs ou d'adverbes : *une feuille de papier, une table à dessin, un fauteuil pour malade, un voyage* *sans incident; travailler avec ardeur, ralentir par réflexe.*

● Quand le complément circonstanciel d'un verbe est accompagné d'un adjectif ou d'un complément, il prend normalement un déterminant : *travailler avec **une** ardeur infatigable, ralentir par **un** réflexe de prudence.*

2. Devant des noms mis en apposition ou attributs, surtout quand ils caractérisent plutôt qu'ils n'identifient :

> *Pierre, **lecteur** acharné, dévore trois romans par semaine. Son frère est **médecin** (mais : Son frère est **un** médecin célèbre).*

3. Dans de très nombreuses locutions, des phrases sentencieuses, des comparaisons figées, etc. : *avoir faim* (mais *avoir une faim de loup*), *imposer silence* (mais *imposer un silence total*), *garder rancune* (mais *garder une rancune tenace*), *Pierre qui roule n'amasse pas mousse, être blanc comme neige,* etc.

4. Dans des énumérations, pour donner plus de vivacité à la phrase :

> *Vêtements, livres, bibelots étaient épars dans la pièce. Bêtes et gens s'entassaient sur le pont.*

détester

Quand un infinitif est complément de ce verbe, il peut être construit directement ou avec la préposition *de* (en particulier quand *détester* est à la forme négative) :

> *Il déteste **discuter** là-dessus, ou **de discuter** là-dessus. Il ne détestait pas **de passer** pour un original.*

devoir

1. Devoir s'emploie devant un infinitif pour exprimer diverses valeurs, comme

- l'obligation, la nécessité : *Vous devez déclarer vos revenus avant la fin du mois.*

- la probabilité, la vraisemblance : *Vous devez être bien content d'avoir fini! Il doit y avoir un moyen d'en sortir.*

- le futur, la prévision : *La séance doit s'achever d'ici un quart d'heure. Si cela doit se reproduire, il faudra prendre des mesures. Le temps semble devoir s'améliorer.*

2. Quand *devoir,* employé comme verbe d'obligation, est à la forme négative, la négation porte en réalité sur l'infinitif qu'il introduit : *Vous ne devez pas vous absenter* signifie «vous devez ne pas vous absenter, vous devez rester là», et non «vous n'êtes pas obligé de vous absenter».

V. NÉGATION, 10.

3. On peut dire à peu près indifféremment :

> *Il a dû se tromper* ou (plus rarement) *Il doit s'être trompé. J'avais dû confondre* ou (plus rarement) *je devais avoir confondu.*

● Mais tandis que *J'ai dû m'absenter* peut être ambigu (= «il a fallu que je m'absente», ou «je me suis probablement absenté»), *Je dois m'être absenté* n'exprime que la probabilité.

4. Dussé-je, dût-il, dussiez-vous, etc. + infin. sont des équivalents, dans un usage très soutenu, de : «même si je devais, s'il devait, si vous deviez... »

dire

1. Dire que + indic. ou condit./**ne pas dire que** + subj. ou indic.** Quand *dire* signifie «déclarer, affirmer», le verbe de la subordonnée par *que* qui en dépend est soit à l'indicatif (ou au conditionnel), soit au subjonctif dans les mêmes conditions que pour *croire* (v. CROIRE, 1, 2, 3, 4) :

> *Je lui ai dit que tout **allait** bien. Je dis que ce **serait** une erreur. Je ne dis pas que vous **ayez** tort (ou que vous **avez** tort). Ai-je dit que je ne **veuille** pas le faire? (ou que je ne **veux** pas le faire?)*

2. Dire + infin. Quand il y a identité de sujet entre *dire* et le verbe de sa subordonnée, on emploie parfois, dans l'usage soutenu, la construction infinitive au lieu de la subordination par *que*, toujours possible :

> *Il dit **avoir** des raisons de se plaindre* (ou ***qu'il** a des raisons de se plaindre*). *Il m'a dit **être** prêt* (ou ***qu'il** était prêt*).

3. Dire que + subj. / dire de + infin. Quand *dire* signifie « ordonner, commander », le verbe de la subordonnée par *que* qui en dépend est au subjonctif :

> *Dites-leur qu'ils **fassent** bien attention.*

● L'usage le plus courant est toutefois d'employer la construction infinitive avec *de*, le sujet de l'infinitif étant le complément d'attribution de *dire* :

> *Dites-leur **de** faire bien attention. Il m'a dit **d'**être prêt.*

4. Dire/demander. Dans le discours direct, on peut dire :

> *Il m'a dit : « Que faites-vous là ? Où allez-vous ? »*

Si on adopte le discours indirect, le verbe introducteur est *demander* :

> *Il m'a demandé ce que je faisais là, où j'allais* (et non *⁺Il m'a dit qu'est-ce que je faisais là*).

discours indirect

1. Quand on rapporte les paroles ou la pensée de quelqu'un, on peut utiliser

- le « *discours direct* » : *Il m'a dit : «Vous avez raison».*

- le « *discours indirect* » : *Il m'a dit que j'avais raison.*

Le passage du discours direct au discours indirect se marque par la subordination *(que)* et par des modifications qui peuvent concerner la personne grammaticale *(je* au lieu de *vous)*, le temps ou le mode des verbes *(avais,* imparfait au lieu de *avez,* présent), dans certains cas enfin par le choix de mots différents *(alors* au lieu de *maintenant, là* au lieu de *ici, si* au lieu de *est-ce que,* etc.), ou d'un ordre différent

des mots, notamment dans l'interrogation. (V. CONCORDANCE DES TEMPS et INTERROGATION.)

● L'impératif est exclu du discours indirect ; il est remplacé par le subjonctif ou l'infinitif :

> *On lui a dit : «Ne te **fais** pas de souci»*

devient

> *On lui a dit qu'il ne se **fasse** pas de souci, ou On lui a dit de ne pas se **faire** de souci.* (V. DIRE, 3.)

● On notera que les risques d'ambiguïté sont plus élevés dans le discours indirect que dans le discours direct. Une phrase telle que

> *Il lui a dit qu'il lui avait menti*

peut correspondre à

> *Il lui a dit : « Je vous ai menti », ou « Vous m'avez menti », ou «Je lui ai menti », ou « Il m'a menti », ou « Vous lui avez menti », ou «Il vous a menti », ou encore à «Je vous avais menti », ou «Vous m'aviez menti »,* etc.

2. Discours indirect libre. Dans l'usage littéraire, on supprime parfois la subordination tout en conservant la plupart des particularités du discours indirect ; c'est ce qu'on appelle le « discours indirect libre » :

> *Il m'a rassuré : je n'avais pas à craindre ce genre d'accident.* (Discours indirect ; *Il m'a rassuré en disant que je n'avais pas à craindre ce genre d'accident.* Discours direct : *Il m'a rassuré en disant : « Vous n'avez pas à craindre ce genre d'accident. »*)

● Toutefois l'interrogation a la même forme dans le discours indirect libre que dans le discours direct, mis à part les changements éventuels de personne et de temps du verbe :

> *Il la pressait de questions : se souvenait-elle de lui ? Que comptait-elle faire ?* (Discours direct : *Il la pressait de questions : «Vous souvenez-vous de moi ? Que comptez-vous faire ? ».* Discours indirect : *Il la pressait de questions en lui deman-*

dant si elle se souvenait de lui, ce qu'elle comptait faire.)

dont

1. Dont / de qui / duquel. *Dont* représente en principe un complément introduit par *de* :

> *Le garçon dont je parle s'appelle Pierre* (je parle **d'**un garçon). *Il roule dans une voiture dont les pneus sont usés* (les pneus **de** cette voiture). *C'est un résultat dont il est fier* (il est fier **de** ce résultat).

● *De qui* peut s'employer au lieu de *dont* pour représenter des personnes : *le garçon de qui je parle.* (V. LEQUEL, 2.)

● *C'est* toujours *dont* qu'on emploie (et non *duquel* ou *de quoi*) pour représenter *ce, cela, quelque chose* :

> *C'est **ce dont** je voulais parler. Il y a **quelque chose dont** il faut parler.*

● *Rien,* ordinairement représenté par *dont,* ne peut être représenté par *de quoi* que dans l'usage littéraire :

> *Il n'y a là **rien dont** je puisse avoir à rougir* (ou, littérairement, *rien de quoi je puisse avoir à rougir*).

● *Dont* ne peut pas être, en règle générale, complément d'un nom introduit par une préposition. Alors qu'on dit *C'est une maison dont je connais l'histoire* (*dont* est complément du nom *histoire* non introduit par une préposition), on ne dit pas dans l'usage surveillé **C'est une maison dont je m'intéresse à l'histoire, dont je me souviens de l'histoire* (le mot *histoire,* complété par *dont,* est introduit par *à* ou *de*). Dans ce cas, on emploie *duquel (de laquelle, desquels)* ou, si le nom complété désigne une personne, *de qui* :

> *C'est une maison **à l'histoire de laquelle** je m'intéresse, **de l'histoire de laquelle** je me souviens. C'est un homme **à la parole duquel** (ou **de qui**) on peut se fier* (et non **dont on peut se fier à la parole*).

On dit toutefois *C'est un homme dont j'apprécie la liberté de parole,* parce que *dont* est complément du groupe de mots *liberté de parole* (non introduit par une préposition), et non du seul complément *parole.*

2. *Dont + en. *Dont + son. *Dont* est incompatible avec le pronom ou adverbe *en* représentant par pléonasme le même mot que lui : **Le garçon dont j'en parle s'appelle Pierre* (*dont* et *en* représentent l'un et l'autre le mot *garçon*). **Il s'est produit un accident dont la cause en est inconnue* (*dont* et *en* représentent l'un et l'autre le mot *accident*); on peut supprimer soit *en,* soit la subordination par *dont* :

> *Il s'est produit un accident dont la cause est inconnue,* ou *Il s'est produit un accident : la cause en est inconnue.*

● De même, *dont* est incompatible avec *son (sa, ses)* ou *leur(s)* renvoyant au même mot que lui. On dit : *C'est un garçon **dont** je connais **les** qualités* et non **C'est un garçon dont je connais ses qualités* (*dont* et *ses* renvoient au même mot que *garçon* : «les qualités de ce garçon»).

3. *Dont* s'emploie souvent, avec ou sans ellipse d'un verbe, comme complément partitif au sens de «*parmi lesquel(le)s*» :

> *Il a six enfants, dont quatre filles* (ou *dont quatre sont des filles*).

4. Dont ... que ... *Dont* signifie parfois «au sujet duquel (de laquelle, desquel(le)s» dans une construction qui associe une subordonnée relative à une subordonnée conjonctive :

> *Voilà une promesse dont j'espère qu'elle sera tenue. C'est un exploit dont on peut penser qu'il est unique au monde.*

Ce tour est un des moyens d'éviter la construction archaïque *que j'espère qui sera tenue, qu'on peut penser qui est unique au monde.*

5. Dont/d'où. On emploie parfois *dont* au lieu de *d'où* avec des verbes comme *sortir, venir, descendre,* pour indiquer le point de départ :

> *Je connais bien la région dont vous arrivez* (usage plus courant : *d'où vous arrivez*).

En principe, *dont* s'emploie de préférence pour indiquer l'origine familiale, sociale, etc. :

> *La famille dont il est issu est très modeste* (on dit aussi, plus rarement, *la famille d'où il est issu*).

douter, doute, douteux

1. *Douter que* + subj. ou *de* + infin. On dit :

> *Je doute qu'il puisse le faire. Je doute de sa capacité.*

● En cas d'identité de sujet entre *douter* et le verbe de la subordonnée, la construction infinitive avec *de* est de règle :

> *Je doute de pouvoir le faire* (et non **que je puisse*).

● Après *ne pas douter que,* la subordonnée est ordinairement au subjonctif avec, facultativement, un *ne* explétif :

> *Personne ne doute qu'il (ne) l'ait fait exprès.* (V. NE, II, 3.)

L'indicatif se rencontre parfois, surtout dans l'usage littéraire :

> *Je ne doute pas qu'il fera tout son possible.*

2. *Il n'y a pas de doute* (ou *aucun doute*) *que, il ne fait pas de doute que, il n'est pas douteux que* sont suivis soit de l'indicatif ou du conditionnel, soit du subjonctif, avec facultativement, dans ce dernier cas, un *ne* explétif :

Il n'y a pas de doute que c'était la meilleure solution. Il n'y a aucun doute que ce serait préférable. Il n'est pas douteux qu'il est au courant, ou *qu'il ne soit au courant.*

● Après *nul doute que,* on emploie plutôt le subjonctif, mais parfois aussi l'indicatif ou le conditionnel :

> *Nul doute que vous (n')ayez raison,* ou *que vous avez raison. Nul doute que cela pourrait se produire.*

● Après *il est hors de doute que,* on emploie ordinairement l'indicatif :

> *Il est hors de doute qu'il est sincère.*

3. *Se douter que.* La subordonnée qui dépend de ce verbe est à l'indicatif ou au conditionnel :

> *Je me doute que vous allez protester. Il ne se doute pas qu'il pourrait être inculpé.*

durant

1. *Durant, pendant.* Ces deux prépositions sont pratiquement équivalentes, mais *pendant* est plus fréquent :

> *Personne n'a téléphoné durant (ou pendant) mon absence ?*

Durant peut être placé, avec une valeur insistante, après un complément de temps indiquant la durée, ce qui n'est pas le cas de *pendant* :

> *On a poursuivi les recherches des années durant (ou durant des années, pendant des années).*

2. *Durant que* + indic. Cette locution est archaïsante :

> *Le blessé est décédé durant qu'on le transportait à l'hôpital* (usage courant : *pendant qu'on le transportait,* ou *durant son transport*).

e

effet

1. *À cet effet* équivaut, dans l'usage soutenu ou technique, à «dans cette intention, dans ce but, pour cela» :

> *Il faut éviter un excès de pression : une soupape est prévue à cet effet.*

● *À l'effet de* + **infin.** est une expression juridique : *Promulguer un décret à l'effet de rendre une loi applicable.*

2. *En effet, car en effet,* v. CAR, 2 et 3.

s'efforcer

1. *S'efforcer de* + **infin.**/*à* + **infin.** Dans l'usage courant, on emploie *de* devant l'infinitif :

> *Elle s'est efforcée de rester calme.*

La construction avec *à* a un caractère littéraire : *Elle s'efforçait à sourire.*

2. *S'efforcer à* + **n.** Cet emploi est littéraire :

> *Ils s'étaient longuement efforcés à la patience.*

Dans l'usage courant on dirait plutôt : *Ils s'étaient longuement exercés* (ou *entraînés*) *à la patience,* ou par exemple *Ils s'étaient longuement efforcés d'être patients.*

ellipse

Il y a ellipse dans une phrase quand un ou plusieurs mots ne sont pas exprimés alors qu'ils pourraient l'être ; l'ellipse est fréquente dans des phrases ayant des membres symétriques :

> *Je suis plus âgé que vous* [n'êtes âgé] (ellipse du verbe *être*, de l'adjectif *âgé* et de *ne* explétif).

> *Si vous êtes satisfait, moi aussi* [je suis satisfait].

> *Ce produit est cher parce que* [il est] *rare.*

Une phrase qui contient une ellipse est une phrase elliptique.

empêcher

1. *Empêcher que (ne)* + **subj.**/*empêcher qqn* ou *qqch de* + **infin.** La négation explétive *ne* est facultative dans la subordonnée dépendant de *empêcher.* (V. NE, II, 2.)

● Le plus souvent, la subordonnée dépendant de *empêcher* est de la forme infinitive ; au lieu de *la brume empêche* **que nous (n')apercevions** *les montagnes,* on dit habituellement :

> *La brume* **nous** *empêche* **d'apercevoir** *les montagnes.*

2. *Empêcher à qqn* ou *à qqch de* + **infin.** est une construction familière ; on la rencontre surtout avec les pronoms *lui, leur* :

> *Cette mise en garde leur a empêché de commettre une imprudence* (usage courant : *les a empêchés ...*).

3. *(Il) n'empêche que* + **indic.** ou **condit.** Cette expression, qui équivaut à «et pourtant», n'est pas suivie du subjonctif, ni de *ne* explétif :

> *Il a gagné son pari ; il n'empêche* (soutenu) ou *n'empêche* (usage courant) *qu'il* **a risqué** *la catastrophe.*

● On peut employer l'indicatif (ou le conditionnel) après *cela n'empêche pas que, ce qui n'empêche pas que* :

> *Ce voyage était très agréable, mais cela n'empêche pas que nous* **étions** *bien contents de nous retrouver chez nous.*

en

I. EN PRONOM OU ADVERBE

1. *En* représente en général un complément introduit par *de* :

> *Ce succès, il en parle peu, il en est fier, il en a tout le mérite* (= *il parle peu de ce succès, il est fier de ce succès, il a tout le mérite de ce succès*).

2. En/son. *En* peut être complément d'un nom ; dans cet emploi, il peut souvent être remplacé par un possessif :

> *Cette méthode, j'en constate l'efficacité,* ou *je constate son efficacité* (mais on ne pourrait pas dire, par exemple : **Ce succès, Pierre a tout son mérite*).

● Comme *dont*, il ne peut pas être complément d'un nom introduit par une préposition ; on emploie alors ordinairement le possessif. On ne peut pas dire : **Cette méthode, j'en doute de l'efficacité* ; on dit : *je doute de son efficacité*.

● Quand *en* est complément d'un nom, ce nom est le plus souvent complément d'objet direct ou attribut. Il peut aussi être sujet :

> *Avez-vous lu ce livre ? L'auteur en est peu connu* (= l'auteur de ce livre, son auteur).

3. Personne ou chose ? *En* peut toujours représenter des choses. Il représente aussi des personnes, mais dans ce cas on préfère souvent employer *de lui, d'eux,* etc. (sauf avec la valeur partitive) :

> *Ta tante, je m'en souviens très bien,* ou *je me souviens très bien d'elle. Ces collègues, j'en connais un grand nombre* (ou *le plus grand nombre d'entre eux*).

● En principe, *en* ne représente pas des personnes dans la fonction complément de nom ; dans ce cas, le recours au possessif est l'usage normal :

> *Ce restaurant, j'en connais l'adresse,* mais *Ce garçon, je con-*

nais son adresse. Qui est son père ? (de ce garçon). *Qui en est le père ?* (de cette invention).

4. *En + son, *de … + en. *En* est incompatible avec un possessif renvoyant par pléonasme au même nom ou au même pronom. On ne dit pas dans l'usage surveillé : **Cette méthode, j'en constate son efficacité* (voir ci-dessus, 2).

● Dans la phrase **De cette méthode, j'en constate l'efficacité,* en fait double emploi avec le complément *de cette méthode.* On peut soit supprimer *en* : *De cette méthode, je constate l'efficacité,* soit supprimer *de* en conservant la mise en relief du complément par anticipation (voir ci-dessus, 2, 1ᵉʳ exemple).

5. Dont + en, v. DONT, 2.

II. EN PRÉPOSITION : EN/DANS/À

1. Dans un petit nombre de cas, il est possible d'employer *en* ou *dans* sans différence réelle de sens ; toutefois le choix de *en* est en général la marque d'un usage plus soutenu : *en ce temps-là* ou *dans ce temps-là ; en* (ou *dans*) *de telles circonstances. Il vivait en* (ou *dans*) *une contrée lointaine.*

● Certaines formules de faire-part contiennent l'expression *en l'église, en la cathédrale de …* (ou, plus rarement, *en la mairie, en l'hôtel de…*) :

> *Les obsèques seront célébrées en l'église Notre-Dame.*

Mais on dit :

> *Les mariés entrent dans l'église, dans la mairie,* etc.

2. *En* apparaît le plus souvent devant un nom sans déterminant, alors que *dans* ne s'emploie que si le nom qu'il introduit est précédé d'un déterminant (article, démonstratif, possessif, etc.) :

> *Il est en colère, en forme ;* mais *Il est dans une colère bleue, dans une forme extraordinaire.*

● L'emploi de *dans* + déterminant situe souvent de façon plus concrète ou plus précise dans l'espace ou dans le temps que l'emploi de *en* sans déterminant :

> *Il va **dans la** classe* (= il se rend à l'intérieur de la salle de classe) / *Il va **en** classe* (= il fréquente un établissement scolaire). *Les travaux se feront **dans l'**été* (= à l'intérieur de cette période) / *Les travaux se feront **en** été* (= à la saison chaude).

● L'article défini *le, la, les* est le déterminant qui s'emploie le plus rarement après *en*. On dit ordinairement :

> *J'ai confiance en lui, en eux, en mes amis, en sa sagesse* ; mais *J'ai confiance dans les amis de mon fils, dans le jugement, dans la sagesse de mes amis.*

Toutefois, l'article défini se trouve après *en* dans un certain nombre de locutions comme **en** *l'occurrence,* **en** *l'espèce,* **en** *la matière.*

3. Les noms géographiques. En règle générale, on emploie *en* sans article devant les noms de pays et d'îles qui prennent ordinairement les formes *la* ou *l'* d'article, ainsi que devant *Israël,* qui ne prend pas d'article :

> *Il habite **en** France* [la France], **en** *Espagne* [l'Espagne], **en** *Irak* [l'Irak], **en** *Israël,* **en** *Corse,* **en** *Nouvelle-Calédonie.*

● Quand ces noms sont accompagnés d'un adjectif ou d'un complément qui situe dans l'espace, on a généralement le choix entre *en* et *dans* :

> *On observait ces coutumes dans la* (ou *en*) *France méridionale* ; mais *dans la* (et non **en*) *France des rois.*

● Devant les noms de pays qui prennent ordinairement les formes *le* ou *les* d'article, on emploie *au(x),* ou *dans le(s)* s'il y a un adjectif ou un complément : **au** *Portugal,* **aux** *Pays-Bas,* **aux** *États-Unis,* **aux** *Nouvelles-Hébrides* ; mais **dans** *le Portugal du Moyen Age.*

● Pour les noms de provinces ou de régions, on emploie ordinairement *en,* sauf devant certains noms masculins

commençant par une consonne : **en** *Auvergne,* **en** *Bretagne,* **en** *Anjou,* **en** *Sologne,* **en** (ou *dans le*) *Limousin,* **en** (ou *dans le*) *Dauphiné,* **en** (ou *dans le*) *Poitou* ; mais **dans** *le Maine,* **dans** *le Vercors.*

● Devant les noms de départements, on emploie *dans* sauf s'ils sont composés par coordination au moyen de *et* : **dans** *le Cher,* **dans** *l'Aube,* **dans** *les Pyrénées Orientales,* **dans** *le Pas-de-Calais* ; mais **en** (ou *dans l'*) *Ille-et-Vilaine,* **en** (ou *dans le*) *Loir-et-Cher.*

● Devant les noms de villes ou de villages, on emploie soit *dans,* soit *à,* mais non *en* : *Se promener **dans** Paris* ou **à** *Paris.*

En Avignon, en Arles sont des constructions de l'usage soutenu, surtout dans l'annonce de fêtes, de cérémonies : *le festival qui se tient **en** Avignon.* Dans l'usage courant, on dit **à** *Avignon,* **à** *Arles.*

4. L'opposition de sens la plus nette entre *en* et *dans* apparaît dans des compléments de temps comportant un déterminant numéral ou indéfini, ou un adverbe de quantité :

> *Nous ferons le voyage **en** deux jours* (indication de la durée) / *Nous ferons le voyage **dans** deux jours* (indication de la date, du moment à venir).

5. *Une maison en brique, de brique,* v. DE, 4.

---

encontre

A *l'encontre de qqch, de qqn* signifie « en opposition à qqch » ou « contre qqch, qqn » :

> *Cette idée va à l'encontre de l'opinion générale. Intervenir à l'encontre d'un orateur. Une franche hostilité s'était manifestée à l'encontre de ce projet, de ce personnage.*

● On dit *à mon encontre, à ton encontre,* etc. et non **à l'encontre de moi, de toi,* etc. :

> *On lui a fait savoir que des sanctions avaient été prises à son encontre.*

● En fin de phrase, cette locution peut s'employer sans son complément, comme un adverbe :

Le règlement est formel sur ce point : on ne peut pas aller à l'encontre.

encore

1. *Encore* peut indiquer

- la répétition (= à nouveau) : *Il a encore raté son train.*

- la continuation (= toujours, jusqu'à ce moment) ; *Est-ce qu'il dort encore ?*

- l'addition (= en outre) : *J'ai encore une déclaration à faire.*

- le renforcement : *C'est encore plus beau que je ne pensais.*

2. *Ne ... pas encore, ne ... encore pas/ne ... plus.* Les réponses négatives aux questions *Est-ce qu'il dort encore ? Avez-vous encore une déclaration à faire ?* sont :

Non, il ne dort plus (= il a cessé de dormir). *Non, je n'ai plus de déclaration à faire.*

La phrase *Il ne dort pas encore* (ou plus rarement *Il ne dort encore pas*) signifie « il n'a pas commencé à dormir ». *Je n'ai pas encore de déclaration à faire* signifie : « le moment n'est pas venu pour moi de faire une déclaration. »

3. *Encore = cependant, toutefois.* En tête de proposition, *encore* peut avoir une valeur restrictive ; le verbe a alors un sujet pronominal inversé :

Cette accusation est capitale ; encore faut-il (encore doit-on) la prouver.

On dit aussi, plus familièrement : *faudrait-il encore la prouver.* Dans l'usage oral, on évite souvent l'inversion : *... mais il faudrait (on doit) encore la prouver.*

4. *Encore que* est un équivalent un peu recherché de *bien que, quoique,* et exprime souvent plus particulièrement

une réflexion accessoire en opposition avec le contenu de la proposition principale ; le verbe de la subordonnée qu'il introduit est ordinairement au subjonctif :

C'est un document essentiel, encore que certains détails soient contestés.

On emploie parfois aussi le conditionnel pour exprimer une hypothèse, une éventualité :

Si vous changiez d'avis, il faudrait nous prévenir, encore qu'il serait bien tard.

On peut employer *encore que* devant un adjectif ou une locution adjectivale ou circonstancielle, avec ellipse du verbe :

Le conseil, encore que tardif, a été utile.

s'ensuivre

Ce verbe ne s'emploie qu'à l'infinitif ou à la 3e personne du singulier ou du pluriel de chaque temps, et en particulier à la forme impersonnelle :

Des complications risquaient de s'ensuivre de cet incident. Il y a eu un procès, avec toutes les complications qui s'ensuivent, ou (plus rarement) qui s'en ensuivent.

● Aux formes composées, on dit : *les complications qui s'étaient ensuivies,* ou *qui s'en étaient suivies,* ou *qui s'en étaient ensuivies.*

entendre

1. *Entendre que* **+ indic./entendre + prop. infin.** Quand *entendre* indique une opération des sens (ouïe), le verbe de la proposition complétive qui dépend de lui est parfois à l'indicatif, mais la construction infinitive, sans être obligatoire, est habituelle :

J'ai cru entendre qu'on marchait dans la pièce d'à côté (ou J'ai cru entendre marcher ...). On entendait que l'orage commençait à gronder (ou On entendait l'orage commencer à gronder).

3. Entendre qqn dire qqch/entendre dire qqch à qqn, par qqn.
Dans la construction infinitive, l'agent de l'infinitif qui dépend de *entendre* peut se présenter sous les mêmes formes que l'agent d'un infinitif dépendant de *laisser* (v. complément d'AGENT, 3) :

> *J'ai entendu mon grand-père raconter cette histoire,* ou *J'ai entendu raconter cette histoire par mon grand-père,* ou (plus rarement, en raison de l'ambiguïté) : *J'ai entendu raconter cette histoire à mon grand-père.*

Mais très couramment, avec un pronom :

> *Je lui ai entendu raconter cette histoire,* ou *Je l'ai entendu raconter cette histoire,* ou *C'est par lui que j'ai entendu raconter cette histoire.*

3. Entendre que + subj./entendre + infin. Quand *entendre* indique une volonté, une intention (usage soigné), le verbe qui dépend de lui est au subjonctif, sauf s'il a le même sujet, auquel cas il se met à l'infinitif :

> *J'entends que chacun puisse donner son avis. J'entends bien exposer mon point de vue.*

entre

1. D'entre/de. *D'entre* peut toujours être employé pour introduire un complément pluriel à valeur partitive.

● Devant un nom, on peut employer *d'entre, parmi* ou simplement *de : une majorité d'entre les participants,* ou *parmi les participants,* ou *des participants ; combien d'entre nos amis,* ou *parmi nos amis,* ou *de nos amis ?*

● Devant *nous, vous, eux* compléments partitifs, on ne peut employer en général que *d'entre* ou *parmi : une majorité d'entre nous, d'entre vous,* ou *parmi nous, parmi vous,* mais non *une majorité de nous, de vous.*

Ce principe s'applique à *nous, vous, eux* compléments d'un nom collectif (*une multitude, la plupart,* etc.), d'un mot numéral (*trois, un millier,* etc.),

d'un adverbe de quantité (*beaucoup, trop*) d'un indéfini (*certains, plusieurs,* etc.), moins régulièrement à *nous, vous, eux* compléments d'un interrogatif : *qui d'entre nous, d'entre vous ?* ou *qui de nous, de vous ?.* Mais *qui d'entre eux ?* et non **qui d'eux ?* (V. COLLECTIF, 1.)

● Quand le sujet est complété par *d'entre nous, d'entre vous,* le verbe se met soit à la 3ᵉ personne, soit, plus rarement, à la même personne que le pronom complément :

> *Certains d'entre nous le savaient,* ou *le savions.*

Le même principe s'applique aux constructions du type *ceux* (ou *plusieurs,* ou *certains,* etc.) *d'entre vous qui ... : ceux d'entre vous qui le savaient,* ou *qui le saviez.*

2. Entre autres, v. AUTRE, 7. **Entre chacun, entre chaque,** v. CHACUN, CHAQUE, 3.

espèce

Dans l'usage surveillé, on dit *une espèce de,* même si le nom complément est masculin :

> *Ce local est une espèce de débarras.*

Dans l'usage familier, on dit souvent *un espèce de* devant un nom masculin, surtout quand cette expression a une valeur dépréciative :

> *C'est un espèce de grand escogriffe.*

espérer

1. (Ne pas) espérer que (mode). Le choix du mode du verbe d'une subordonnée dépendant de *espérer* obéit aux mêmes principes que dans le cas d'une subordonnée dépendant de *croire* (v. CROIRE, 3 à 6). Quand *espérer* est à la forme négative ou interrogative, le verbe qui en dépend est ordinairement au subjonctif :

> *Je ne peux pas espérer qu'il soit guéri la semaine prochaine.*

Toutefois l'indicatif, surtout futur, est possible :

*Je ne peux pas espérer qu'il **sera** guéri.*

● A la forme affirmative de *espérer* correspond en général un verbe subordonné à l'indicatif (futur, présent, passé), ou au conditionnel. Cependant le subjonctif peut se rencontrer dans l'usage littéraire :

*Chacun espère qu'un miracle **se produira** (ou, littérairement : **se produise**).*

2. Espérer (de) + infin. En cas d'identité de sujet entre *espérer* et le verbe qui en dépend, la construction infinitive est courante mais non obligatoire :

*J'espère **que** je **viendrai**. J'espère **venir**.*

La construction *espérer de* + infin. est archaïsante :

Je n'espérais pas de vous convaincre en si peu de temps.

essayer

1. Essayer de + infin. est la construction courante :

*Je vais essayer **de** le **joindre** par téléphone.*

Essayer à + infin. est un archaïsme littéraire : *Il n'essaya pas à le convaincre.*

2. Essayer (de) qqch, c'est s'en servir, y recourir pour en faire l'essai :

*Je vais essayer **(d') un nouveau remède**. J'ai essayé en vain **de tous les moyens** pour le persuader.*

3. On dit *s'essayer à* + infin., *s'essayer à qqch* :

*Il s'essayait **à rester** calme. Il s'est essayé quelque temps **à la peinture**.*

être

1. Il est, il était (toujours à la 3e personne) est un équivalent littéraire de «*il y a, il y avait*», etc. :

Il est des lieux chargés d'histoire. Il

était un adolescent qui rêvait d'aventures.

2. Il n'est que de + infin. équivaut, dans l'usage littéraire, à «il n'y a qu'à, il suffit de» :

Pour se convaincre de la nécessité d'une réforme, il n'est que de comparer ces situations.

3. Si j'étais (que) [de] vous, de lui, etc. On dit couramment *si j'étais vous* ou, familièrement, *si j'étais de vous* ou, plus rarement, *si j'étais que de vous* (= à votre place) :

Si j'étais vous, je n'insisterais pas. Si j'étais de lui, je me méfierais. Si j'étais que de votre ami, je me renseignerais.

4. Serait-ce, fût-ce. Ces deux expressions invariables s'emploient à peu près indifféremment, dans l'usage soutenu, pour traduire la condition et l'opposition (= même si c'était) :

Il ne peut voir personne, serait-ce (ou fût-ce) ses propres parents.

5. N'était, n'eût été. Ces deux expressions de l'usage littéraire traduisent l'exception (= si ce n'est, sauf); en général le verbe s'accorde en nombre avec le sujet :

N'était un aboiement lointain, le silence serait total. N'eussent été les moustiques, le séjour aurait été merveilleux.

6. Être = aller, v. ALLER, 2. *C'est,* v. CE, II, 1 et 3. *Être pour* + **infin.,** v. POUR, 5. *Si ce n'est,* v. SI, I, 4.

éviter

1. Éviter que (ne) + subj./éviter de + infin. L'emploi de la négation explétive est facultatif dans une subordonnée dépendant de *éviter :*

*La stérilisation évite que les fruits s'abîment, ou **ne** s'abîment. (V. NE, II, 2.)*

● En cas d'identité de sujet entre les deux propositions, la transformation infinitive est systématique :

*Vous éviterez **de faire** du bruit.*

2. *Éviter à qqn qqch,* **ou** *de* **+ infin.** L'emploi d'un complément introduit par *à* est très normal dans l'usage courant :

> *Vos renseignements ont évité **aux enquêteurs une perte de temps.***
> *Qu'il emporte le paquet ; cela **lui** évitera **de revenir.***

L'emploi de *épargner* dans cette construction est d'un usage plus soutenu.

● La construction *éviter à qqn que (ne)* **+ subj.** n'est pas, exclue :

> *Cela **lui** évitera **qu'on le dérange.***

Mais on peut en général la remplacer par une construction infinitive :

> *Cela **lui** évitera **d'être dérangé.***

s'excuser

On dit *s'excuser de qqch, de* + infin., *de ce que* + indic. *(auprès de qqn)* :

> *Il s'est beaucoup excusé de cette erreur, d'avoir oublié le rendez-vous.*
> *Il s'excuse de ce que tout était en désordre.*

On dit *Excusez-moi,* ou *Je m'excuse,* ou (plus déférent) *Veuillez m'excuser.*

f

face

1. Face à qqch ou qqn, en face (de) qqch ou qqn. On dit à peu près indifféremment *La poste est* **face à** *la mairie* ou **en face de** *la mairie* (= vis-à-vis de, à l'opposé de). On dit plutôt *La maison est face à la mer* (= orientée vers la mer), ou *Il s'est dressé face à la foule* (= tourné vers la foule) que *La maison est en face de la mer* ou *Il s'est dressé en face de la foule*.

● La construction *en face la mairie* est fréquente, surtout dans l'usage familier.

2. En face l'un de l'autre, ou *l'un en face de l'autre*, v. UN, 6.

façon, manière

1. De façon (à ce) que + subj./de façon à + infin. *De façon à ce que* est d'usage courant ; on peut lui préférer *de façon que*, qui est plus classique :

> *Je lui ai fait signer sa déclaration,* **de façon à ce qu'**aucune contestation ne **soit** possible. Arrangez-vous **de façon que** tout **soit achevé** demain.

● Si le verbe de la principale et celui de la subordonnée de but ont le même sujet, on emploie ordinairement la construction infinitive dans la subordonnée de but :

> *Je suis parti bien en avance, de façon* **à éviter** *tout retard. Arrangez-vous de façon* **à avoir achevé** *demain.*

● Les mêmes principes s'appliquent à la locution de *manière (à ce) que*.

2. De façon ou d'autre, de manière ou d'autre sont des constructions plus littéraires que *d'une façon (manière) ou d'une autre*.

faillir

1. Comme auxiliaire devant un infinitif pour exprimer ce qui a été sur le point de se réaliser, *faillir* ne s'emploie qu'au passé simple et aux formes composées avec le participe passé *failli* :

> *Quand il apprit la nouvelle, il* **faillit** *s'évanouir. Le coup* **a failli** *réussir.*

Aux autres temps, on emploie par exemple *manquer de, être près de, être sur le point de* :

> *À chaque tentative, il manquait de tomber, il était sur le point de tomber.*

On dit aussi, plus familièrement : *un peu plus, (et) … : Un peu plus, et tout était à refaire.*

2. Faillir à qqch. Cet emploi est de l'usage littéraire :

> *Vous ne sauriez faillir à vos engagements.*

On dit plus couramment, avec le même sens, *manquer à qqch.*

faire

1. Faire, verbe substitut. Dans un système comparatif, on évite souvent de répéter un verbe, et éventuellement ses compléments, en leur substituant le verbe *faire,* précédé ou non (à volonté) du pronom neutre *le* :

> *Il ne* **mange** *plus autant qu'il* **faisait** (= qu'il mangeait). *Il faut* **pousser les recherches** *plus activement qu'on ne* **l'a fait** *jusqu'ici* (= qu'on n'a poussé les recherches). *Il* **a pris** *ses précautions, comme on* **fait** *en pareil cas.*

● Cette substitution ne se fait pas pour les verbes attributifs *être, paraître, sembler, devenir, rester, demeurer,* ni pour des verbes indiquant un état plutôt qu'une action :

> *Il est moins timide qu'il n'était autrefois* (et non **qu'il ne faisait*).
> *J'en sais plus que vous n'en saviez* (et non **que vous ne [le] faisiez*).

● On pouvait autrefois donner à *faire* employé comme substitut du seul verbe un complément d'objet direct différent de celui du verbe représenté :

> *On examina [...] mon amusement comme on aurait fait* [= examiné] *une tragédie* (Racine).

Cette construction ne peut plus se rencontrer que dans l'usage littéraire, et à condition qu'aucune ambiguïté ne puisse en résulter avec les sens ordinaires de *faire* = exécuter, réaliser, fabriquer. On recourt plus habituellement, dans l'usage soutenu, à une construction indirecte avec *de :*

> *Il a jeté cette lettre à la corbeille comme il l'aurait fait d'un banal prospectus.*

2. *Ne faire que/ne faire que de* + infin. La locution restrictive *ne ... que* doit encadrer un verbe, mais la restriction qu'elle exprime s'applique au terme qui la suit :

> *Je ne pense qu'à cela* (= je pense à cela exclusivement).

Pour faire porter la restriction sur un verbe, il faut mettre ce verbe à l'infinitif et le faire représenter (par anticipation) par *faire*.

● *Ne faire que* + infin. indique le plus souvent que l'action du sujet se limite exclusivement à ce qu'exprime l'infinitif :

> *Je ne fais que répéter ce qu'on m'a dit* (= je m'en tiens à cela, sans plus).

Cette construction peut aussi insister sur la continuité de l'action exprimée :

> *Toute la matinée, il n'a fait que s'amuser* (= il s'est amusé sans cesse).

● *Ne faire que de* + infin. s'emploie fréquemment aussi, dans l'usage familier, avec les valeurs de *ne faire que* + infin., et surtout pour exprimer la continuité ou la répétition :

> *Pendant tout mon exposé, il n'a fait que de m'interrompre.*

Cette locution peut aussi, dans un usage un peu soutenu, exprimer un passé très récent :

> *Quand je l'ai rencontré, il ne faisait que d'arriver* (= il venait tout juste d'arriver).

3. *Faire, se faire* verbe attributif. *Faire*, au sens de *avoir l'air, paraître*, peut être suivi d'un adjectif ou d'un nom en fonction d'attribut. L'adjectif peut s'accorder avec le sujet ou rester invariable :

> *Elle fait vieille,* ou (plus courant) *elle fait vieux. Ils font un peu originaux. Elle fait très directrice.*

● *Se faire* au sens de *devenir* introduit un attribut qui s'accorde :

> *Elle commence à se faire vieille.*

● *Faire* au sens de *devenir* (+ nom de profession) est d'un usage régional ou populaire : *Il étudie pour faire ingénieur.*

● Dans la langue sportive, on dit, d'un coureur par exemple : *Il a fait troisième* (= il a été classé troisième).

4. *Se faire* + infin. est proche d'une construction passive, en soulignant parfois le rôle joué par l'être que désigne le sujet dans l'action subie par lui ; aux formes composées, le participe *fait* reste invariable :

> *Il s'est fait inscrire sur la liste électorale* (= il a été inscrit à sa demande). *Elle s'est fait assassiner par un cambrioleur* (= elle a été assassinée).

5. *Faire* + infin. *par ..., à ...,* v. (COMPLÉMENT D') AGENT, 3.

6. *Faire (se) souvenir,* etc., v. (VERBE) PRONOMINAL, 2.

7. Faire que introduit une subordonnée à l'indicatif ou au subjonctif.

● L'indicatif dans la subordonnée indique un résultat acquis, une conséquence envisagée dans sa réalité :

> Toutes ces raisons font que le projet **a été abandonné**. Ce travail imprévu fait que j'**arriverai** peut-être en retard.

● Le subjonctif dans la subordonnée indique une action conçue comme hors de la réalité actuelle ; il correspond au verbe faire employé à l'impératif ou au subjonctif (vœu, souhait), ou précédé de ne (pas) pouvoir :

> **Faites** (ou **fasse** le ciel) que tout aille bien ! Je **ne peux pas faire** que la situation **soit** différente.

8. Se faire que (impersonnel) au sens de arriver que est suivi du subjonctif quand se faire est précédé de il pourrait, ou à la forme interrogative avec comment ;

> Il pourrait se faire que je **doive** m'absenter. Comment se fait-il qu'on ne m'**ait** pas prévenu ?

Toutefois, dans l'usage familier, on emploie aussi l'indicatif après comment... :

> Comment ça se fait qu'on ne m'**a** pas prévenu ?

9. C'en est fait de (nous, etc.). Cette locution est couramment admise aujourd'hui, dans l'usage soutenu, bien que en ait été jugé pléonastique quand un complément (par ex. de nous) est exprimé. On ne dit plus C'est fait de nous.

10. Il fait bon (de) + infin. L'emploi de la préposition de est moins courant que la construction directe de l'infinitif :

> Il fait bon **vivre** ici. Il ne fait pas bon **(d')** avoir affaire à lui.

11. Il fait faim, soif (= nous avons faim, soif) sont des constructions familières sur le modèle de Il fait froid, etc.

12. Tant qu'à faire, v. TANT, 3.

fait

1. Le fait que + indic. ou subj. Cette locution est un des moyens d'opérer une nominalisation (v. ce mot). Elle permet, comme la conjonction que, d'introduire une subordonnée sujet, attribut ou complément :

> Le fait que la fièvre **a baissé** est un signe favorable. La raison de ce phénomène est le fait que la chaleur **dilate** inégalement les métaux. Il est sensible au fait qu'on **ait pensé** à le prévenir.

● On emploie, sans différence appréciable de valeur, l'indicatif ou le subjonctif dans la subordonnée introduite par le fait que :

> Le fait que la fièvre **ait baissé** est un signe favorable. Le fait qu'on **n'a** (ou **n'ait**) pas **relevé** de preuves contre lui ne signifie pas qu'il soit innocent. J'ai été surpris par le fait qu'il **n'a** (ou **n'ait**) pas **élevé** d'objection.

2. Le fait de + infin. Cette construction, équivalant à l'infinitif simple, s'emploie souvent comme sujet ou complément, en particulier dans des cas où l'infinitif seul serait peu usuel ou exclu :

> Le fait d'**être** étranger lui interdit de participer aux élections (= le fait qu'il est [ou soit] étranger, sa qualité d'étranger). J'attache beaucoup d'importance au fait de **pouvoir organiser** mon travail comme je l'entends (= au fait que je peux [ou puisse] organiser mon travail, à la possibilité que j'ai d'organiser mon travail).

3. Du (seul) fait que + indic., du (seul) fait de + nom ou infin. Ces locutions expriment la cause :

> Du fait **que les ventes ont augmenté**, le chiffre d'affaires s'est élevé. Nul ne peut être sanctionné du fait **de ses opinions** politiques. Du seul fait **de l'inflation**, son capital s'est dévalorisé. Il s'est mis dans son tort du fait **de n'avoir prévenu** personne.

falloir

1. Il faut que je (tu, etc.) + subj.
peut être exprimé aussi sous la forme,
souvent plus légère, il me (te, etc.)
faut + infin. :

> Il faut **que vous preniez** cette
> route. Il **vous faut prendre** cette
> route.

D'autres tournures sont éventuellement possibles : je dois + infin., j'ai
à + infin., etc.

2. Il faut que + subj. exprime
parfois la conjecture (ce qui est logiquement nécessaire en guise d'explication) :

> Il n'est pas encore là ? Il faut **qu'il
> ait eu** un empêchement grave.

3. Faut-il que … ! Faut-il … ! souligne une exclamation :

> Faut-il que vous soyez (ou faut-il
> être) inconscient pour agir ainsi !

4. *Il faut mieux n'appartient pas à
un usage normal : il y a confusion avec
il vaut mieux (ou il faut plutôt).

**5. Il s'en faut, peu s'en faut que
… (ne),** v. NE, II, 5, et BEAUCOUP, 1.

6. Loin s'en faut s'emploie parfois,
par confusion semble-t-il, entre les
locutions de sens voisin il (ou tant)
s'en faut et loin de là.

7. Ce qu'il faut/*Ce qui faut. Falloir, étant un verbe uniquement impersonnel, ne peut pas avoir pour sujet le
pronom relatif qui. La seule forme
normale est ce qu'il faut, qui se confond dans la prononciation familière
avec *ce qui faut.

8. Faudrait-il encore, v. ENCORE,
3.

faute

1. C'est (de) ta faute. Cette locution s'emploie avec ou sans la préposition de, l'absence de préposition étant
parfois jugée comme la marque d'un
usage un peu plus soutenu.

● C'est (de) la faute **à** Pierre est plus
familier que C'est (de) la faute **de**
Pierre.

2. Faute de + n. ou infin. introduit un complément de cause (= par
manque de, parce que … ne pas) ou
de condition (= si … ne pas) :

> On a relâché le suspect **faute de
> preuves**. On l'a relâché **faute
> de pouvoir** prouver sa culpabilité.
> **Faute de payer** dans les délais
> voulus, vous seriez pénalisé. (On
> veillera à éviter l'emploi de la néga-
> tion devant l'infinitif : *faute de ne
> pouvoir prouver …, *faute de ne pas
> payer …).

feu

Au sens de « défunt », feu est invariable devant un nom (emploi archaïsant) : Feu mon père, feu ma mère.
Placé entre l'article et un nom en
principe au singulier il s'accorde en
genre (emploi très archaïque) : Ma
feue mère.

finir

1. Finir de/par + infin. Finir de
faire qqch, c'est le faire entièrement,
l'achever, ou cesser de le faire :

> J'ai fini **de repeindre** la pièce. La
> pluie a fini **de tomber**.

● Finir par faire qqch, c'est en venir
à le faire en fin de compte :

> Le suspect a fini **par avouer**.

**2. Être fini (ou achevé) de
+ infin.** Avec les verbes perfectifs (v. VERBE, 5), cette construction
exprime l'achèvement de l'action :

> La maison sera bientôt finie **de
> bâtir** (et non *finira bientôt d'être
> bâtie). Les arbres sont achevés **de
> planter**. (V. COMMENCER, 3.)

fois

**1. (À) chaque fois que. (À) la
troisième fois (que).** Dans l'emploi
adverbial ou comme locution conjonctive, on dit à peu près indifféremment
chaque fois que ou à chaque fois que,

la première construction étant semble-t-il plus usuelle :

Ç'est chaque fois la même chose ou *À chaque fois, c'est la même chose. (À) chaque fois que le vois, il me demande de vos nouvelles.*

2. *Deux fois par an, deux fois l'an.* La première construction est la plus habituelle. La construction sans *par* est archaïsante ou littéraire et ne s'applique qu'aux noms désignant des mesures du temps *(an, mois, semaine, jour ...).* On dit toujours, par exemple : *deux fois par séance, par voyage.*

3. *(Par) trois fois.* L'emploi de *par*, facultatif, insiste sur l'importance de la répétition :

J'ai essayé en vain par trois fois de le joindre au téléphone.

4. *Une fois que ..., une fois* + participe ou adj. *Une fois que* est une locution conjonctive équivalant dans la plupart de ses emplois à *après que;* le verbe de la proposition qu'elle introduit est à l'indicatif passé composé ou surcomposé, passé antérieur ou futur antérieur, plus rarement imparfait (verbes d'état) :

*Une fois qu'on **a compris,** tout est simple. Une fois que tu **étais** là, tu aurais pu t'occuper de l'affaire* (= dès l'instant que).

À la différence de ce qui a lieu pour *après que,* on n'a pas tendance à employer le subjonctif avec *une fois que.*

● On peut souvent alléger la phrase en réduisant la subordonnée de temps introduite par *une fois que* à *une fois* suivi soit d'un participe ou d'un adjectif se rapportant au sujet du verbe principal, soit d'un participe absolu :

*Une fois (que vous serez) **arrivé,** prévenez-moi. Une fois **l'affaire terminée** (ou **l'affaire** une fois **terminée),** passez me voir.*

5. *La fois où, la fois que,* v. QUE, 5.

6. *Des fois que* + condit. est un équivalent très familier de *au cas où, pour le cas où :*

Je te le rappelle, des fois que tu l'aurais oublié.

7. *Des fois.* Cette expression est très courante dans la langue familière au sens de « parfois, quelquefois » :

Je me dis des fois que tout ça n'a pas grande importance.

● *Des fois* est familier au sens de « par hasard » dans une proposition de condition ou une interrogation :

*Si des fois j'étais absent, laissez-moi un mot. Vous ne pourriez pas **des fois** me renseigner ?*

8. *À la fois ... mais aussi,* v. SYMÉTRIE.

force

Dans l'usage littéraire, le mot *force*, invariable, s'emploie devant un nom singulier ou pluriel au sens de « une grande quantité de, un grand nombre de, beaucoup de » :

On buvait force champagne. Il s'expliquait avec force gestes.

fournir

1. On dit *fournir qqch à qqn : On vous fournira les pièces nécessaires,* ou (surtout au passif) *fournir qqn en qqch : Ce commerçant est bien fourni en articles ménagers,* et, dans un usage plus soutenu, *fournir qqn de qqch : Ils ont été fournis de tout le nécessaire.*

2. *Fournir à qqch,* c'est y subvenir ou l'assurer :

Fournir aux besoins de quelqu'un. Il n'arrive pas à fournir à la tâche.

3. Intransitivement, *fournir* signifie « faire du profit, avoir du rendement » : *du blé qui fournit bien.*

g

garde

1. Prendre garde. Cette locution tend à être remplacée dans la plupart de ses emplois par *faire attention*. *Prendre garde à qqch* signifie le plus couramment « en éviter les dangers, s'en méfier » :

> *Prenez garde à la peinture. Prenez garde à la marche. Si vous n'y prenez garde, vous allez être envahi de paperasse.*

● Cette locution peut aussi signifier « veiller à ne pas mettre à mal quelque chose » :

> *Prends garde au vase. Prends garde à tes pieds.*

2. Prendre garde de (ou à) ne pas + infin. *Prendre garde de* + infin. Ces constructions peuvent s'employer avec le même sens : « veiller à ne pas ... » :

> *Prenez garde de ne pas vous salir. Prenez garde à ne pas vous salir. Prenez garde de vous salir.*

La première de ces constructions est la plus usuelle, mais on dit encore plus couramment :

> *Faites attention à (ou de) ne pas vous salir.*

3. Prendre garde (à ce) que + **subj.** signifie « veiller à ce que ... » et s'emploie surtout avec une subordonnée négative :

> *Prenez garde à ce que ça ne vous salisse pas, à ce que personne ne vous voie, ou (plus légèrement) Prenez garde que cela ne vous salisse pas, que personne ne vous voie.* (V. À, 5.)

Cette expression avec une subordonnée affirmative est plus archaïsante :

> *Prenez bien garde (à ce) que toutes les précautions soient prises.*

Dans tous les cas, on dit plus habituellement *faire attention (à ce) que* + subj.

● Après *prendre garde que* + subj., on peut aussi avoir, dans l'usage littéraire, une simple négation explétive et, dans ce cas, *prendre garde que* s'interprète « veiller à éviter que » :

> *Prenez garde que cela ne vous salisse, que quelqu'un ne vous voie.* (V. NE, II, 2.)

4. Prendre garde à + **infin.** Cet emploi avec un infinitif affirmatif est archaïsant :

> *Prenez garde à bien suivre toutes les recommandations.* On dit plutôt *veiller à, avoir soin de, faire attention à.*

5. Prendre garde que + **indic. ou condit.** signifie « observer, remarquer que » (usage soutenu) :

> *Nous n'avions pas pris garde que l'orage approchait. Prenez garde que ce détail pourrait tout changer.*

6. N'avoir garde de + **infin.** signifie « éviter soigneusement de » (usage soutenu) :

> *Je n'aurai garde de commettre la même erreur.* On dit plus couramment en ce sens *se garder de* + infin.

genre

1. C'est seulement pour un certain nombre de noms animés, et principalement de noms humains (v. NOM, 1) que l'opposition du masculin et du féminin correspond à la différence des sexes : *le lion, la lionne ; un candidat, une candidate.* Pour les règles générales de formation du féminin, v. *Larousse de l'orthographe*.

2. Formations particulières du féminin.

● Féminin en **-trice.** Il existe de nombreux noms ou adjectifs terminés en *-teur* au masculin ; leur féminin est le plus souvent en *-teuse* si le *t* apparaît à l'infinitif d'un verbe correspondant *(menteur, menteuse,* de *mentir ; porteur, porteuse,* de *porter),* et en *-trice* dans le cas contraire *(animateur, animatrice,* de *animer, auditeur, auditrice).*

Exceptions : *persécuteur, persécutrice,* de *persécuter ; inspecteur, inspectrice,* de *inspecter ; inventeur, inventrice,* de *inventer* (au sens juridique de « découvrir » : *l'inventrice d'un trésor).* *Enquêteur* a pour féminin *enquêteuse* ou *enquêtrice.*

● Féminin en **-eresse, -oresse.** Dans la langue juridique, *bailleur, défendeur, demandeur, vendeur* ont pour féminins *bailleresse, défenderesse, demanderesse, venderesse. Chasseresse* est un féminin poétique de *chasseur,* ordinairement appliqué à Diane. *Enchanteur* fait *enchanteresse, pécheur* fait *pécheresse, vengeur* fait *vengeresse.* *Docteur* (= médecin) fait *doctoresse :* consulter une doctoresse. On n'emploie pas ce féminin pour indiquer un titre, soit devant un nom·propre, soit pour s'adresser à une femme médecin. On dit : *Madame le docteur Solange Martin. Docteur, vous avez été clairvoyante.* Comme titre universitaire, *docteur* n'a pas de forme particulière de féminin : *Elle est docteur en mathématiques. C'est une femme docteur.*

● Féminin en **-esse.** Parmi les noms les plus connus formant leur féminin en *-esse,* on peut citer :

abbé, abbesse ; âne, ânesse ; chanoine, chanoinesse ; comte, comtesse ; diable, diablesse ; drôle, drôlesse ; duc, duchesse ; hôte, hôtesse (= la personne qui reçoit) *; ivrogne, ivrognesse ; maître, maîtresse ; mulâtre, mulâtresse ; nègre, négresse ; ogre, ogresse ; patron, patronesse*

(dans l'expression *dame patronesse) ; pauvre, pauvresse ; poète, poétesse ; prêtre, prêtresse ; prince, princesse ; prophète, prophétesse ; Suisse, Suissesse* (seulement comme nom ; on dit aussi : *une Suisse) ; tigre, tigresse ; traître, traîtresse ; vicomte, vicomtesse.*

3. Certains noms ont pour féminin un nom de forme entièrement différente :

un bélier, une brebis ; un bouc, une chèvre ; un cerf, une biche ; un confrère, une consœur ; un coq, une poule ; etc.

4. De nombreux noms humains terminés par *-e* ont une forme commune pour le masculin et le féminin : *artiste, concierge, esclave,* etc. La distinction du genre s'opère par le choix de l'article et par les accords.

● Les noms *homme, femme, mâle, femelle* sont employés pour préciser, en cas de besoin, le sexe de personnes ou d'animaux dont les noms n'ont pas de féminin : *un professeur femme, une girafe mâle.*

5. Certains noms féminins désignent des hommes :

une vigie, une estafette, une sentinelle, une ordonnance (parfois masculin)*, une recrue : La sentinelle s'était endormie.*

Inversement, quelques noms masculins désignent des femmes :

un laideron, un souillon (parfois *une souillon)*, *un soprano.*

6. *Ascendant, descendant, conjoint,* mots masculins, peuvent désigner soit un homme, soit une femme ;

Sa grand-mère maternelle est son seul ascendant survivant.

7. Pour la grande majorité des noms, le genre est sans rapport avec la notion de sexe (c'est le genre dit « arbitraire », ou « grammatical »). Voici quelques cas sur lesquels les hésitations ou les erreurs sont plus ou moins fréquentes.

- Sont masculins :

*abaque, acrostiche, adage, agru-
mes, albâtre, amalgame, ambre,
amiante, anathème, anévrisme, antidote, antre, apogée, armistice, aromate, arpège, asphalte, astérisque, augure, auspice, autographe,
automne, camée, campanile, chromo,
chrysanthème, colchique, décombres,
ellébore, élytre, en-tête, épiderme,
esclandre, fastes, globule, haltère,
hémisphère, hémistiche, hiéroglyphe,
holocauste, hyménée, hypogée, inter-
classe, jade, lignite, mânes, obélisque, orbe, pétale, planisphère,
poulpe, sépale, tentacule, termite,
tubercule, viscère, etc.*

- Sont féminins :

*abside, algèbre, alluvion, alvéole
(autrefois masc.), anagramme, anicroche, arabesque, argile, arrhes,
autoroute, avant-scène, azalée,
campanule, câpre, chausse-trape,
clovisse, disparate, échappatoire,
écritoire, encaustique, enclume,
éphéméride, épigramme, épigraphe,
épithète, épître, équerre, équivoque, escarre, estafette, forficule,
gemme, glaire, hécatombe, hypal-
lage, immondices (plur.), interview,
oasis, octave, orbite, oriflamme,
patenôtre, phalène, réglisse, scolo-
pendre, sépia, spore, stalactite, sta-
lagmite, topaze, vicomté, etc.*

- Sont d'un genre indécis :

*après-midi, avant-guerre, après-
guerre, entre-deux-guerres, effluve,
enzyme, H. L. M., météorite, palabre*
(ordinairement fém.), *pamplemousse*
(ordinairement masc.), *perce-neige*
(ordinairement masc.).

8. Mots à double genre selon les emplois.

Aigle, ordinairement masculin, est
féminin s'il désigne spécialement la
femelle de l'oiseau, et au sens de
« étendard, armoiries ». *Amour* est parfois féminin au pluriel : *de **belles**
amours* ou *de **beaux** amours. Délice*
est féminin au pluriel : ***Quelles** déli-
ces! Foudre* est masculin dans l'expression littéraire ***un** foudre de guerre*
(ou *d'éloquence,* etc.).

Gens est féminin pour un adjectif qui
le précède et masculin pour un adjectif qualificatif qui le suit ou qui est
attribut ou en apposition : *de **vieilles** gens ; les **petites** gens. **Toutes**
ces **bonnes** gens étaient **admiratifs**.
Tous ces gens sont **pressés**. Des gens
heureux. Les gens sont **méchants.**
Curieux, les gens s'attroupaient.*

Hymne est ordinairement masculin ; il
est parfois féminin quand il désigne un
cantique latin chanté à l'église : ***une**
hymne d'action de grâces. Merci* est
féminin dans l'expression *être à **la**
merci de qqn* ou *de qqch. Œuvre*
est masculin dans les expressions *le
gros œuvre, **le grand** œuvre* (littéraire)
[= l'entreprise à laquelle on consacre
toute son activité], ou quand il désigne
l'ensemble des ouvrages d'un artiste :
*l'œuvre **entier** de Callot, de Mozart.*

Orge est féminin, sauf dans les
expressions *orge **perlé**, orge **mondé.**
Orgue* est masculin au singulier et
féminin quand on l'emploie au pluriel
avec une valeur emphatique pour désigner un seul instrument : *jouer une
fugue sur les **grandes** orgues de Notre-
Dame de Paris.*

Pâque est féminin quand il désigne la
fête juive ; *Pâques,* désignant la fête
chrétienne, est masculin : *Pâques est
tardif cette année.* Il est féminin
dans quelques locutions : ***Joyeuses**
Pâques! **Bonnes** Pâques!*

Période n'est masculin que dans les
expressions littéraires *le **plus haut**
période, **le dernier** période* (= le
point culminant). *Personne* n'est masculin que dans son emploi pronominal : *personne n'a été **surpris.***

9. Noms de villes.
L'usage courant
est indécis quant à leur genre : *Venise
est **belle,*** ou *Venise est **beau.*** Cependant, le masculin est le plus fréquent :
*Paris est **beau.** En **plein** Marseille.*

10. Noms de bateaux.
La tendance
est à l'emploi du masculin, mais on
note la même indécision que pour les

noms de ville lorsque le nom dont le bateau est baptisé est normalement féminin : *le Liberté* ou *la Liberté ; le Belle Hélène* ou *la Belle Hélène.*

11. Quelques principes permettant de prévoir le genre.

● Sont masculins :

- les mots terminés par les suffixes *-age, -ment, -eur* (noms d'agent), *-ier, -is, -isme, -on, -oir : le bavardage, un campement, un campeur, un pommier, un cailloutis, le socialisme, un brouillon, un entonnoir ;*

- les noms d'arbres, sauf *une aubépine, la vigne, une yeuse ;*

- les noms de métaux et de corps chimiques : *le cuivre, le soufre ;*

- les noms désignant des langues : *le français, l'italien ;*

- les noms de jours, de mois, de saisons : *le mardi matin, en mai dernier, le printemps prochain.*

● Sont féminins :

- les noms terminés par les suffixes *-ade, -aie, -aille, -aine, -aison, -ison, -ée, -ence, -esse, -eur* (noms abstraits), *-ie, -ise, -sion, -tion, -té, -(i)tude, -ure : une promenade, une cerisaie, la pierraille, une quinzaine, la pendaison, la trahison, une cuillerée, la semence, la gentillesse, la douceur, la courtoisie, la gourmandise, la cohésion, la répartition, la gaieté, la servitude, l'inquiétude, une écriture ;*

- les noms de sciences, de disciplines : *la physique, la linguistique, la littérature* (sauf *le droit*).

gérondif

1. Le gérondif, forme complémentaire de l'infinitif.
On appelle « gérondif » l'ensemble formé par la préposition *en* et une forme verbale en *-ant : en riant, en marchant,* etc. Le gérondif s'emploie comme complément circonstanciel de la même manière que l'infinitif précédé d'une préposition autre que *en :*

*Il a dit cela **sans rire, pour rire, en riant.***

● De même que l'infinitif complément circonstanciel peut être à la forme composée (infinitif passé), le gérondif peut apparaître (assez rarement toutefois) à la forme composée exprimant l'« accompli » :

*Il est reparti **en ayant donné** ses instructions* (comme *après avoir donné, sans avoir donné ses instructions*).

2. Aller (en) s'améliorant, (en) s'aggravant, etc.
Dans ce tour, qui marque l'aspect progressif ou duratif, l'omission de *en* appartient aujourd'hui à l'usage soutenu : *Le mal va en empirant* est plus usuel que *Le mal va empirant ;* cependant on dit plutôt *aller croissant* que *aller en croissant.* De toute façon, la forme en *-ant* reste invariable : *les difficultés vont croissant* (= s'accroissent continuellement).

3. Le « sujet » du gérondif.
Comme dans le cas de l'infinitif précédé d'une préposition (v. INFINITIF, II, 3) ou du participe (v. PARTICIPE, III), une règle de principe veut qu'on n'emploie le gérondif que s'il y a identité entre le sujet du verbe de la proposition et le « sujet » du gérondif, c'est-à-dire le nom ou le pronom auquel il se rapporte : *Je l'ai informé en arrivant* signifie « quand je suis arrivé » et non « quand il est arrivé ».

C'est surtout quand le gérondif est en tête de phrase qu'on s'expose à manquer à cette règle en risquant de ce fait soit une ambiguïté, soit une maladresse. *En attendant une confirmation, veuillez agréer...* doit normalement s'interpréter : « tandis que vous [sujet implicite de *veuillez*] attendez une confirmation », même si l'auteur de la lettre a voulu signifier « tandis que j'attends une confirmation » — dans ce cas, il aurait dû écrire, par exemple : *En attendant une confirmation, je vous prie d'agréer...*

● Toutefois, dans de nombreux cas le manquement à cette règle n'entraîne aucune hésitation réelle sur le sens, par exemple dans une phrase comme :

En regardant plus attentivement, un détail m'est apparu.

L'application de la règle donne, par exemple :

En regardant plus attentivement, j'ai remarqué un détail, ou Quand j'ai regardé plus attentivement, un détail m'est apparu.

● Souvent le gérondif se rapporte en fait à un *on* qui n'apparaît dans la phrase ni comme sujet, ni sous la forme d'un pronom complément ou d'un possessif :

En réfléchissant bien, tout cela est très logique (= si on réfléchit bien). *L'appétit vient en mangeant* (= quand on mange).

goûter

Goûter qqch, à qqch, de qqch. Ces trois constructions sont usuelles, sans véritable différence de sens ; la construction avec *de* semble cependant plus rare, sauf dans les phrases négatives :

J'aimerais goûter ce vin ou *à ce vin* (ou *de ce vin*). *Je n'ai jamais goûté ce vin*, ou *à ce vin*, ou *de ce vin*.

● On dit toujours *Goûtez-moi ça, Goûtez-moi ce vin,* etc.

● Au sens de « apprécier, jouir de », on n'emploie pas de préposition : *Goûter le calme de la campagne.*

h

habiter

Ce verbe s'emploie transitivement ou intransitivement sans différence appréciable de sens :

*Habiter **Paris**, habiter **la province**. Habiter **à** Paris, habiter **en** province. Il habite **(au) trois** avenue de la Liberté. Il habite **rue** de la Gare, **dans la rue** de la Gare* (simple indication d'une adresse). *Il habite **la rue** de la Gare depuis dix ans* (= il en est un des habitants). *Habiter **sur** une place, **sur** un boulevard. Habiter **sur** (ou **dans**) une avenue. Habiter **dans** une impasse.*

hasarder

Ce mot est un équivalent soutenu de *risquer*, et il admet les mêmes constructions que ce verbe :

Hasarder une réponse. Hasarder sa vie. Hasarder de s'égarer. Se hasarder à une critique, à critiquer un auteur.

hériter

1. Hériter (de qqn). On peut dire, sans préciser le complément de chose :

Il a hérité, ou *Il a hérité de son oncle.*

Il s'agit alors de biens matériels.

2. Hériter de qqch. Pour des biens matériels ou immatériels, on dit, sans complément de personne :

*Il a hérité **d'**une maison. Il a hérité **d'**un heureux caractère.*

3. Hériter qqch de qqn. Avec un complément de personne et un complément de chose, on dit :

*Il a hérité **de son oncle une maison**. Il a hérité **de sa mère un sens artistique raffiné**.*

On n'emploie pas la préposition *de* à la fois pour le complément de personne et le complément de chose.

hésiter

On dit *hésiter sur qqch, au sujet de qqch, entre plusieurs choses,* ou *hésiter à* + infin. :

*Il hésitait **sur le parti** à prendre. J'hésite **à accepter**.*

● La construction interrogative indirecte après *hésiter* est de l'usage littéraire :

Il hésitait s'il dirait toute la vérité, comment il expliquerait la chose (usage courant : *Il se demandait si ..., comment ...,* ou *Il hésitait à dire toute la vérité, il hésitait sur la manière d'expliquer la chose*).

histoire

Histoire de + infin. est une locution familière signifiant « simplement pour » :

Je feuilletais des vieux catalogues, histoire de passer le temps.

hors, hormis

1. Hors et hormis sont de l'usage littéraire ou administratif au sens de « excepté » :

Il avait tout prévu, hors une telle éventualité. Hormis ce cas, la garantie couvre tous les risques.

On dit, dans l'usage soutenu, *être hors pair* ou *être hors de pair* (= être incomparable).

2. Hors, au sens général de « à l'extérieur de, en dehors de », est très usuel dans certaines locutions figées, comme *hors concours, hors jeu, hors-texte, hors-la-loi,* etc.

● *Hors de* s'emploie très couramment avec le même sens :

Il a longtemps habité hors de France. Cette question est hors de ma compétence. Son intervention est hors de propos.

i

ici

1. D'ici (à) demain, d'ici (à) Marseille. Dans ce genre d'expression, la préposition *à* est tantôt employée, tantôt omise, la tendance générale étant à l'omission de la préposition :

D'ici quelques jours, nous serons fixés.

● On dit toujours *d'ici là* au sens de « jusqu'à ce moment là ».

2. D'ici (à ce) que + subj. exprime un intervalle de temps jusqu'à un moment à venir :

D'ici à ce qu'on s'en aperçoive, nous serons loin. D'ici qu'il pleuve, il n'y a pas longtemps.

imparfait

1. Imparfait et passé simple. En règle générale, l'imparfait exprime la durée ou la répétition dans le passé :

La semaine dernière, j'étais en vacances. Il se levait chaque jour à 6 h.

Le passé simple, qui n'est usuel que dans les récits écrits et dans quelques parlers régionaux, exprime une action passée dont le déroulement n'est pas pris en considération, qui est en quelque sorte réduite par la pensée à un point :

Christophe Colomb découvrit l'Amérique en 1492.

● Toutefois, l'imparfait est parfois employé à la place du passé simple (ou du passé composé) avec un complément de temps, pour indiquer une situation nouvelle (imparfait dit « de rupture » ou « de narration ») :

En 1492, Christophe Colomb découvrait l'Amérique. L'incendie a

éclaté à dix heures ; cinq minutes après, les pompiers arrivaient.

2. Imparfait et conditionnel. On emploie l'imparfait de l'indicatif dans une proposition subordonnée de condition introduite par *si*, dont la principale est au conditionnel :

Si je le savais, je te le dirais.
(V. CONDITION et SI, I, 2.)

● L'imparfait de l'indicatif équivaut à un conditionnel passé, avec un complément exprimant une idée de condition ;

Il était temps que tu arrives, cinq minutes plus tard je partais (= je serais parti).

3. Imparfait d'atténuation. Avec quelques verbes introduisant un infinitif, l'imparfait ajoute une nuance de discrétion :

Je voulais vous faire part d'un projet. Je venais vous solliciter.

4. Présent ou imparfait ? V. CONCORDANCE DES TEMPS, 1).

impératif

1. Conjugaison, v. *Larousse de la conjugaison.*

2. Valeurs. L'impératif peut exprimer

- un ordre ou une défense : *Sortez ! Ne recommencez pas !,*

- une prière : *Ne m'abandonnez pas !*

- une exhortation : *Restons calmes !,*

- un souhait : *Soyez heureux !,*

- une supposition : *Continuez ainsi, et vous allez à la catastrophe,*

- une concession : *Criez tant que vous voudrez, cela ne changera rien.*

3. **Autres moyens d'exprimer ces valeurs.**

● Le subjonctif présent ou passé à la 3ᵉ personne :

*Que chacun **se prépare** à partir. Que les observateurs **aient remis** leur rapport dans huit jours.*

● Le futur de l'indicatif (en particulier dans les textes administratifs) :

*Les personnes concernées **se présenteront** au secrétariat.*

● L'infinitif (en particulier dans les consignes générales, les modes d'emploi, etc.) :

***S'adresser** au concierge. **Refermer** le tube après usage.*

● L'interrogation et le conditionnel (en particulier dans une intention d'atténuation) :

Pouvez-vous (ou ***pourriez-***vous) faire un peu moins de bruit ? Tu ne vas pas te taire ?*

4. **Place des pronoms personnels compléments de l'impératif,** v. PRONOM PERSONNEL, 2.

impersonnel

1. La construction impersonnelle, à la 3ᵉ personne du singulier, est une mise en relief (emphase) du verbe, ou du groupe verbal comprenant l'attribut :

***Il manque** un détail de la plus grande importance. **Il est venu** de nombreux visiteurs. **Il est indispensable** d'agir vite.*

Elle permet souvent d'éviter qu'un groupe sujet d'une assez grande ampleur soit suivi d'un verbe bref, ou qu'un infinitif soit employé comme sujet avant le verbe, constructions peu fréquentes en français :

Un détail de la plus grande importance manque. Agir vite est indispensable.

2. Cette construction s'applique en particulier au verbe passif ou pronominal et a pour effet de laisser dans l'ombre ou au second plan l'auteur de l'action ;

*Il **a été procédé** à des arrestations (= on a procédé, ou la police a procédé). **Il a été trouvé** un portefeuille. **Il a été décidé** par l'assemblée de renvoyer le débat. **Il se** racontait d'étranges histoires.*

Quand le sujet réel, postposé au verbe, est un nom, il n'est généralement pas déterminé par l'article défini ; on ne dit pas :

*Il a été trouvé le portefeuille du directeur. *Il se racontait l'histoire du revenant.

incise

Une proposition incise, comme *dit-il, pensais-je,* se réduit souvent à un verbe et à son sujet. Dans l'usage soutenu, le sujet est alors inversé (v. INVERSION DU SUJET) mais, dans l'usage familier ou populaire, on conserve le sujet avant le verbe :

*Tu as raison, **il a dit,** ou **qu'il a dit.***

● À la 1ʳᵉ personne surtout, l'inversion est très marquée littérairement :

*C'est faux, **fis-je, repris-je, répliquai-je, ai-je déclaré.***

● On emploie très normalement en incise sans inversion, même dans l'usage soutenu, *je crois, je pense, j'imagine, j'espère,* etc. :

Vous n'allez pas, je suppose, nier l'évidence (et non suppose-je).

infinitif

I. Dans un nombre limité de cas, l'infinitif peut jouer le rôle de verbe principal d'une phrase.

1. **Infinitif de narration.** Dans une phrase telle que *Il annonça la nouvelle, et tous d'applaudir,* la proposition *et tous d'applaudir* équivaut à « et aussitôt, tous applaudirent ». Cet emploi, dans un récit, de l'infinitif précédé de *de* avec la valeur d'un passé simple, est de l'usage littéraire.

2. **Infinitif délibératif.** Dans une phrase interrogative, l'infinitif peut traduire la perplexité de celui qui se pose la question :

> *Que penser de tout cela ?* (= que dois-je, que peut-on penser de tout cela ?). *Où aller ?* (= où faut-il aller ? où puis-je aller ?, etc.). *Qui croire ?*

3. Infinitif impératif. L'infinitif équivaut à l'impératif dans l'expression de consignes générales :

> *Agiter le flacon avant l'usage.*

4. Infinitif exclamatif. Cet emploi est souvent un procédé littéraire pour traduire la surprise, l'indignation, le regret, etc. :

> *Lui, m'avoir ainsi trompé !*

II. Le plus souvent, l'infinitif a dans une phrase une fonction de sujet, d'attribut ou de complément, à la manière d'un nom ou d'une subordonnée introduite par *que* (v. NOMINALISATION).

1. *De* + infin. sujet. Une construction comme *D'en savoir plus ne vous avancerait à rien* appartient à l'usage littéraire. Dans l'usage courant, on peut employer l'infinitif sans préposition comme sujet en tête de phrase :

> *En savoir plus ne vous avancerait à rien.*

La préposition *de* n'est usuelle devant un infinitif sujet que dans le cas d'une construction mettant en relief un autre terme de la phrase, et particulièrement dans une construction impersonnelle :

> *Cela ne vous avancerait à rien d'en savoir plus. Il est prudent de s'informer.*

2. Infinitif complément. Il peut être construit sans préposition :

> *J'espère réussir.*

C'est le cas après des verbes ou des locutions verbales d'opinion, de volonté, de mouvement, en particulier :

accourir, affirmer, aimer, aller, assurer, avoir beau, avouer, compter, confesser, contester, courir, croire, daigner, déclarer, descendre, désirer, détester, devoir, dire, espérer,

estimer, faillir, falloir, se figurer, s'imaginer, monter, nier, oser, partir, penser, pouvoir, préférer, prétendre, se rappeler, reconnaître, rentrer, retourner, revenir, savoir, souhaiter, supposer, venir, vouloir, etc. (V. cependant AIMER, DÉSIRER, DÉTESTER, ESPÉRER, PRIER, RAPPELER, SOUHAITER.)

● Il peut être introduit par *de* :

> *On a convenu de se réunir.*

C'est le cas après de nombreux verbes, notamment :

s'abstenir, accepter, achever, affecter, ambitionner, appréhender, (s')arrêter, attendre, s'aviser, brûler, cesser, se charger, choisir, se contenter, convenir, craindre, décider, dédaigner, délibérer, se dépêcher, désespérer, se dispenser, douter, envisager, essayer, s'étonner, s'excuser, feindre, finir, se flatter, se garder, se glorifier, se hâter, imaginer, s'indigner, jurer, méditer, se mêler, menacer, mériter, négliger, obtenir, offrir, omettre, oublier, parier, parler, se permettre, se plaindre, prévoir, projeter, promettre, se proposer, redouter, refuser, regretter, se réjouir, se repentir, se reprocher, se réserver, se retenir, risquer, rougir, se soucier, se souvenir, supporter, tenter, se vanter...

● Il peut être introduit par *à* :

> *Qu'est-ce que cela tend à prouver ?*

C'est le cas après de nombreux verbes dont beaucoup expriment une tendance, un effort vers un but, une occupation, par exemple :

s'abaisser, aboutir, s'acharner, s'adonner, s'amuser, s'appliquer, apprendre, s'apprêter, arriver, aspirer, s'astreindre, s'attacher, s'attendre, avoir, se borner, chercher, se complaire, concourir, consentir, contribuer, se décider, se déterminer, se disposer, s'employer, s'engager, s'essayer, s'évertuer, exceller, s'exposer, se fatiguer, s'habituer, se hasarder, hésiter, s'ingénier, se mettre, s'obstiner, s'offrir, parvenir, persister, se plaire, se préparer, prêter, se refuser, renoncer, répugner, se résigner, se résoudre, réussir, songer, tendre, tenir, travailler, veiller, viser...

● L'infinitif précédé de *à* équivaut à peu près, dans certains emplois, à un gérondif complément de manière, de cause, etc. :

À vouloir trop prouver, on ne prouve rien (= en voulant trop prouver, du fait qu'on veut trop prouver).

● Après certains verbes, l'infinitif peut être introduit soit sans préposition, soit par *de,* soit par *à.* (V. en particulier, à leur ordre : AIMER, COMMENCER, DÉCIDER, DEMANDER, GARDER, OBLIGER, OCCUPER, SOUHAITER, TARDER.)

● *À* + infin./*à ce que,* v. À. *De* + infin./*de ce que,* v. DE. *Si ... que de* + infin. v. AUSSI, 9.

3. Le sujet de l'infinitif. Si on appelle « sujet de l'infinitif » le terme qui serait sujet du verbe employé à un autre mode, on peut observer que, dans les cas précédents, l'infinitif a le même sujet (non exprimé) que le verbe dont il dépend :

J'espère réussir = J'espère que je réussirai. On a convenu de se réunir = On a convenu qu'on se réunirait.

● Après un certain nombre de verbes, l'infinitif construit sans préposition ou avec les prépositions *de* ou *à* peut avoir un sujet exprimé qui est aussi complément du verbe :

Je vois (ou *j'entends,* ou *je sens*) *la* **pluie tomber** (ou **tomber la pluie**) [la pluie tombe]. *Je prie* **mes amis** de m'*écouter. J'invite* **mes amis** à m'*écouter* [que mes amis m'écoutent].

On appelle cette construction une « proposition infinitive ». (V. NOMINALISATION et [COMPLÉMENT D'] AGENT.)

● Avec d'autres prépositions (*pour, sans, avant de,* etc.), l'infinitif peut s'employer comme complément circonstanciel d'un verbe, mais en principe à condition d'avoir comme sujet (non exprimé) celui du verbe complété. Une phrase telle que *Après avoir avalé notre petit déjeuner, notre guide nous a emmenés en promenade* ne

respecte pas ce principe (car il est clair qu'on ne veut pas dire que le guide a avalé notre petit déjeuner). On peut adopter la construction conjonctive avec *après que :*

Après que nous avons (eu) avalé notre petit déjeuner, notre guide nous a emmenés en promenade,

ou encore changer le sujet du verbe principal :

Après avoir avalé notre petit déjeuner, nous sommes partis en promenade avec notre guide.

Toutefois, quand aucune ambiguïté ni aucune cocasserie n'est à craindre, l'emploi de l'infinitif avec un sujet implicite autre que celui du verbe ne choque pas :

Je vous ai appelés pour m'aider. Les bottes sont faites pour marcher.

informer

1. On dit *informer qqn de qqch,* ou *que* + indic. :

Je vous informe **de mon départ** *prochain,* ou **que je pars** *prochainement* (et non *de ce que je pars*).

2. On dit *s'informer de qqch,* ou *sur, au sujet de qqch :*

Informez-vous **des horaires.** *Je m'informerai* **sur cette affaire.**

● La construction interrogative indirecte après *s'informer* est de l'usage littéraire :

Ils s'informèrent si tout était prêt, combien de temps il restait.

Dans l'usage courant, on emploie *demander* devant une interrogation indirecte.

interrogation

1. Dans l'usage courant, on peut toujours interroger au moyen de *est-ce que, ... est-ce qui,* sans modifier l'ordre sujet-verbe :

Est-ce que vous êtes prêt ? Où est-ce que vous allez ? Qui est-ce qui vient ? Lequel est-ce qui a dit cela ?

● Il est tout à fait usuel, dans l'usage

oral, de marquer par la seule intonation une interrogation «totale» (celle à laquelle on répond par oui ou non) :

Vous êtes prêt? Le déjeuner est prêt? Il fait beau?

● Dans l'usage littéraire, une deuxième interrogation est parfois coordonnée à la précédente par *ou* si : *Est-ce que c'est une plaisanterie, **ou si** c'est sérieux?* (usage courant : *ou est-ce que c'est sérieux?*).

2. Le rejet du sujet après le verbe (inversion du sujet) appartient à l'usage soutenu :

Êtes-vous prêt? Le déjeuner est-il prêt? Quand commencera la séance? Quand la séance commencera-t-elle? Où allez-vous?

Une phrase comme *Les copains t'ont-ils embêté?* serait insolite en raison de la combinaison de mots familiers *(copains, embêter)* et d'une construction grammaticale soutenue.

3. *Vous allez où? Où vous allez? Tu fais quoi? Le déjeuner sera prêt quand? Comment (que) ça se fait? Pourquoi (qu') il (n') a rien dit? *Quand le déjeuner sera prêt? Comment les autres font?* Ces formes d'interrogation sont familières à des degrés divers. Elles s'écartent de l'usage courant ou soutenu en ce que le mot interrogatif n'est pas en tête, ou que s'il y est, il n'y a ni emploi de *est-ce que,* ni inversion.

● **Est-ce que quelqu'un a-t-il des questions à poser?* Cette phrase est étrangère à tout usage en ce qu'elle combine deux procédés incompatibles, l'emploi de *est-ce que* et l'inversion du sujet. Il y a «hypercorrection».

4. Interrogation indirecte. Quand une phrase interrogative est subordonnée, la marque de l'interrogation totale est *si* qui s'élide en *s'* devant *il* et *ils* :

Est-ce qu'il est prêt? Est-ce que vous êtes prêt? (interrogation directe). *Je vous demande si vous êtes prêt, s'il est prêt* (interrogation indirecte).

● *Ce qui, ce que* sont les marques de l'interrogation indirecte correspondant à *qu'est-ce qui (que)?* de l'interrogation directe :

*Je ne sais pas **ce qui** se passe, **ce que** vous avez fait.*

La construction **Je ne sais pas qu'est-ce qui se passe, qu'est-ce que vous avez fait* est étrangère à l'usage surveillé.

5. Dans l'interrogation indirecte, l'inversion du sujet n'est possible que si ce sujet n'est pas un pronom personnel et si le mot interrogatif n'est pas *pourquoi* :

Je ne sais pas où sont allés les enfants, où les enfants sont allés. Je vous demande où vous allez, pourquoi les enfants sont partis (et non **Je vous demande où allez-vous, *Je vous demande pourquoi sont partis les enfants*).

6. On n'emploie pas une subordonnée interrogative après une préposition :

*Ne t'inquiète pas de comment ça se passera. *On l'a interrogé sur pourquoi il n'avait rien dit.

On peut, par exemple, remplacer le mot interrogatif par un nom :

Ne t'inquiète pas de la manière (la façon) dont ça se passera. On l'a interrogé sur les raisons (les causes, les motifs, ou le but) de son silence.

On peut ainsi substituer à *où* les mots *lieu, endroit,* etc., à *quand* les mots *date, moment, jour, occasion, circonstance,* etc., à *combien* les mots *nombre, quantité, prix, durée, poids, longueur,* etc., à *qui, qu'est-ce que* les mots *personne, ce qui, ce que,* etc.

● Des constructions comme *s'inquiéter comment, interroger quelqu'un pourquoi* peuvent se rencontrer dans l'usage littéraire.

7. *Qui fait quoi?* Cette forme d'interrogation qui pose une double question s'est largement répandue. L'interrogation porte sur l'attribution de tels ou tels actes à telle ou telle personne :

Dans cette affaire, qui s'occupe de quoi? (= quelle est la répartition des tâches?).

8. L'interrogation est souvent utilisée pour exprimer un doute à valeur nettement négative :

> *Est-ce qu'on aurait cru ça de lui?* (= on n'aurait pas cru). *Qui a dit le contraire?* (= personne n'a dit).

Il n'est pas surprenant que les phrases interrogatives régissent souvent l'indicatif ou le subjonctif, dans les subordonnées qui dépendent d'elles, dans les mêmes conditions que les phrases négatives. (V. SUBJONCTIF, 1 ; CROIRE, 3 à 6 ; DIRE, 1.)

● La combinaison d'une interrogation et d'une négation dans une même phrase (phrase interro-négative) équivaut souvent à une affirmation renforcée :

> *Ne vous l'avais-je pas dit? Qui ne sait que tout cela est faux?* (= c'est bien connu).

inversion du sujet

Dans une phrase déclarative, sans mise en relief, le sujet précède le verbe.

Le sujet peut être placé après le verbe (sujet inversé) dans un certain nombre de cas :

1. Dans des phrases dont un terme est mis en relief en tête (inversion toujours facultative).

a) Complément circonstanciel ou adverbe en tête (surtout de lieu ou de temps), en principe avec un verbe intransitif :

> *De tous côtés arrivaient des curieux. Bientôt commenceront les vraies difficultés.*

Cette inversion n'a pas lieu quand le sujet est un pronom personnel, ou *ce :* **Bientôt commenceront-elles.*

b) Adverbe ou locution en tête exprimant un jugement, une restriction, en particulier *ainsi, aussi (bien), au moins, du moins, tout au plus, à peine (... que), peut-être, sans doute, probablement, (et) encore, à plus forte raison.* On ne peut placer après le verbe,

comme sujet, qu'un pronom personnel ou *ce :*

> *C'était inacceptable,* **aussi** *avons-nous refusé* (ou *aussi, nous avons refusé).* **Du moins,** *est-ce la rumeur générale* (ou *du moins, c'est ...).* **Peut-être** *viendra-t-il* (ou *peut-être [qu'] il viendra).* **Sans doute** *avez-vous raison* (ou *sans doute [que] vous avez raison).* **Tout au plus** *peut-on l'espérer* (ou *tout au plus on peut l'espérer).* **Encore** *faut-il le prouver* (on dit aussi, dans un usage moins surveillé : *faut-il encore le prouver,* ou dans l'usage courant : *et encore il faut le prouver).*

Si le sujet est un nom, on peut pratiquer l'inversion «complexe» :

> *Aussi* **les délégués** *ont-ils refusé. Peut-être* **Pierre** *viendra-t-il,* etc.

L'inversion, simple ou complexe, est toujours une marque de l'usage soutenu.

c) Adjectif attribut en tête (avec le verbe *être*) :

> *Rares sont les exceptions. Tel est mon avis.*

Cette construction expressive n'est usuelle qu'avec un petit nombre d'adjectifs, en particulier *rare, nombreux, tel, grand.* Une phrase comme *Longue est la route* est nettement marquée littérairement. Une phrase comme *Inattendue a été sa réaction* est en principe évitée. Quand l'attribut est précédé d'un adverbe de quantité, la phrase est d'un usage plus courant : *Plus inattendue a été sa réaction.*

d) Verbe en tête. On peut mettre en tête un verbe, en particulier sous la forme impersonnelle :

> *Il arrive parfois des accidents. Il se produit une réaction. Il a été perdu un portefeuille.*

Le nom qui suit est sujet inversé. Un petit nombre de verbes, spécialement *suivre, rester, venir* peuvent être placés avant leur sujet à la forme non impersonnelle :

> *Reste un point à examiner. Viendra le jour où la vérité sera connue.*

● Un verbe est parfois en tête dans des formules de caractère administratif ou didactique quand le sujet a un volume assez important (liste énumérative, définition, etc.) :

> *Sont admis MM. Durand, Dupont, Duval, Martin. Est aboli* le décret instituant un prélèvement sur certains revenus non profesionnels.

2. Dans des propositions incises (usage soutenu) :

> *Vous avez raison, dit-il, dit son interlocuteur.* (V. INCISE.)

3. Dans certaines subordonnées circonstancielles (inversion facultative) :

> *Lorsque fut annoncée la nouvelle. Comme font tous les autres. Afin que règne la paix. Pourvu que soit remplie cette condition. Si grand que soit son désir. Dût cette explication vous surprendre* (ou *Cette explication dût-elle...*).

En principe, le pronom personnel (ou *ce*) sujet n'est pas inversé, sauf dans quelques cas où la conjonction *que* n'intervient pas :

> *Si grand soit-il. Dût-il être puni.*

4. Dans des subordonnées relatives :

> *L'histoire que raconte ce roman est banale* (ou *que ce roman raconte*).

5. Dans des phrases interrogatives. (V. INTERROGATION, QUEL, COMBIEN.)

6. Dans des phrases exclamatives :

> *Est-il naïf !* (usage plus courant : *Qu'il est naïf !* ou *Comme il est naïf !,* ou très familier : *Qu'est-ce qu'il est naïf !*).

7. Dans des phrases au subjonctif exprimant un souhait ou une supposition :

> *Fasse le ciel que ...! Viennent les beaux jours,* nous partirons à la campagne. *Soit un cercle* de centre *O.*

j

jamais

1. Jamais s'emploie le plus souvent dans une phrase contenant l'adverbe négatif *ne* ou exprimant l'idée négative par d'autres moyens grammaticaux ou par le vocabulaire :

Je n'ai jamais dit cela ou *Jamais je n'ai dit cela. Il a tout accepté sans jamais protester. On lui a interdit de jamais se représenter. Je désespère de jamais trouver la solution.*

Dans ces derniers exemples, on n'exprime pas *ne*, qui ferait double emploi avec le signe négatif contenu dans *sans, interdire, désespérer.*

2. Il s'emploie aussi dans des phrases interrogatives ou introduites par la conjonction de condition *si* :

Avez-vous jamais pensé à cela ? (= déjà). *Si jamais il s'en aperçoit, c'est la catastrophe !* (= si par hasard).

Dans ces phrases, l'addition de *ne* introduit un sens négatif (*si jamais il ne s'en aperçoit* signifie « s'il ne s'en aperçoit à aucun moment »).

3. Il s'emploie sans *ne* dans des propositions relatives au subjonctif :

C'est la seule explication qui ait jamais été donnée (= on a toujours donné cette seule explication).

L'addition de *ne* rend cette phrase négative (*C'est la seule explication qui n'ait jamais été donnée* signifie « seule, cette explication n'a jamais été donnée »). On dit : *C'est l'homme le plus extraordinaire que j'aie jamais vu* (et non **que je n'aie jamais vu*).

4. Plus jamais/jamais plus. La première construction est la plus cou-

rante ; *jamais plus* a un caractère plus littéraire.

5. À (tout) jamais. Pour (tout) jamais. Ces locutions signifiant « pour toujours » sont de l'usage soutenu :

Ces manuscrits sont à tout jamais perdus.

jouer

Ce verbe a des constructions multiples correspondant à des sens différents. Outre l'emploi intransitif, on dit

jouer à la belote, aux échecs ; jouer une carte, jouer une partie ; jouer au brave, jouer les braves ; jouer une comédie, un rôle ; jouer de la guitare, du piano, jouer un air ; jouer sur les mots, jouer sur la qualité pour abaisser les prix ; jouer avec ses doigts, jouer avec sa vie ; se jouer des difficultés ; se jouer de quelqu'un (= se moquer de lui) ou *jouer quelqu'un* (littér., même sens) ; *faire jouer une clause d'un contrat.*

jusque

1. Jusque (ou sous la forme élidée **jusqu'**) est toujours suivi dans l'usage surveillé d'une préposition *(sur, vers,* etc., mais principalement *à)* ou d'un adverbe *(où, ici, là, alors,* etc.). *Accompagner quelqu'un jusque **dans** le jardin. Veiller jusque **tard** dans la nuit. Rester jusqu'**à** la fin.*

2. Jusqu'à aujourd'hui est une construction usuelle. Du fait que *aujourd'hui* (étymologiquement *au jour d'hui*) contient déjà la préposition *à*, on a préconisé la construction *jusqu'aujourd'hui*, mais celle-ci est moins courante.

3. *Jusques à (au, aux)* au lieu de *jusqu'à (au, aux)* est un archaïsme :

Jusques à quand faudra-t-il le répéter ?

● *Jusques et y compris* est une formule administrative (dans ce cas, il peut ne pas y avoir de préposition ou d'adverbe après *jusque*) :

Depuis tel article du Code jusques et y compris tel autre (Académie).

4. *Jusqu'à = même* (marquant le point extrême). *Jusqu'à* peut se trouver devant un complément d'objet direct, ou même un sujet (usage littéraire) :

Ils ont visité la maison du grenier à la cave, la grange, le débarras et jusqu'à la niche du chien. Jusqu'à une virgule mal placée le scandalisait (usage courant : *même une virgule...*). *Jusqu'à ses amis qui l'abandonnaient* (usage courant : *même ses amis l'abandonnaient*).

● *Il n'est pas jusqu'à ... qui (dont,* etc.*) ne* + **subj.** Ce tour est une variante très littéraire de l'emploi précédent :

Il n'était pas jusqu'au plus obscur empereur byzantin dont le nom ne lui fût connu (= même le nom du plus obscur empereur byzantin lui était connu).

5. *Jusqu'à tant que* + **subj.**, d'un usage courant autrefois, est aujourd'hui familier ou régional, insistant sur l'aboutissement :

Il faut insister jusqu'à tant qu'il vienne.

6. *Jusqu'à ce que* + **subj.**/*jusqu'au moment où* + **indic.**/*jusqu'à* + **infin.**

● Après *jusqu'à ce que* l'indicatif futur, passé simple ou passé composé, courant autrefois, est actuellement d'un emploi littéraire ; le seul mode usuel aujourd'hui est le subjonctif :

Attends-moi ici jusqu'à ce que je revienne.

● *Jusqu'au moment où* + indic. insiste sur la réalité du terme atteint :

J'ai attendu jusqu'au moment où il m'a téléphoné de partir.

● *Jusqu'à* + *infin.* peut s'employer quand le verbe de la subordonée aurait le même sujet que celui de la principale, pour exprimer une conséquence réelle ou envisagée :

Il a mangé jusqu'à en avoir une indigestion.

I

laisser

1. Ne pas laisser de + infin. est une expression de l'usage littéraire qui exprime la concession, l'opposition, ou le caractère non négligeable de quelque chose :

> C'est un point de détail, qui **ne laisse pas d'avoir** des conséquences importantes (= qui a cependant des conséquences importantes). Cette question **ne laissait pas de le préoccuper** (= n'était pas sans le préoccuper).

La variante *ne pas laisser que de + infin.* a un caractère littéraire encore plus marqué :

> Cette question toute naturelle ne laissa pas **que de surprendre.**

2. Laisser + infin. par/à, v. (COMPLÉMENT D') AGENT, 3.

3. Accord du participe laissé, v. *Larousse de l'orthographe.*

le

I. LE (LA, LES), PRONOM PERSONNEL

1. Le (la, les) attribut. Un adjectif masculin ou féminin, singulier ou pluriel, peut être repris comme attribut par le pronom *le,* alors invariable :

> Si vous êtes **pressés,** nous **le** sommes aussi. Cette actrice est **célèbre** et sa sœur est en passe de **le** devenir.

● Un nom peut aussi être repris par un pronom personnel attribut :

> C'est encore lui le **directeur,** mais bientôt il ne **le** sera plus.

Dans ce cas, une règle traditionnelle demande l'accord du pronom avec le nom représenté si celui-ci est déterminé par un article défini, un possessif ou un démonstratif :

> C'est elle la **présidente,** mais bientôt elle ne **la** sera plus.

En réalité ce genre d'accord est peu usuel ; ou bien on conserve la forme *le* pour le pronom *(elle ne le sera plus),* ou bien on formule la phrase autrement *(bientôt ça ne sera plus elle).*

2. Le représentant un participe non exprimé. Une phrase comme *Tâchons de sauver ce qui peut l'être* est courante et de sens clair, mais peu rigoureuse grammaticalement : le pronom *l'* y représente en fait un participe *sauvé* qu'il faut déduire de l'infinitif *sauver.* Si on ne craint pas — ou si on recherche — une répétition insistante d'un même verbe à des formes différentes, on peut dire, plus régulièrement :

> Tâchons de sauver ce qui peut être sauvé.

3. Le facultatif dans les comparaisons. Le pronom attribut *le* est facultatif dans des propositions de comparaison amenées par *aussi, autant, autre(ment), plus, moins, mieux, comme,* etc. :

> C'est moins compliqué que je ne l'aurais cru (ou que je n'aurais cru). Si tout se passe comme je **(le)** prévois...

4. Le (la) omis devant lui, leur. On omet parfois, dans la langue familière, *le* ou *la* compléments d'objet direct devant *lui, leur* :

> Dis-lui, toi, si tu oses. Je n'ai pas besoin de ma voiture aujourd'hui, je peux leur prêter.

Dans l'usage soigné on dit plutôt :

> Dis-**le** lui. Je peux **la** leur prêter.

II. (LE (LA, LES), ARTICLE DÉFINI, v. ARTICLE.).

lequel

1. Lequel/qui. *Lequel* employé comme sujet à la place de *qui* (uniquement après une pause) donne une certaine solennité à la phrase (usage littéraire ou administratif) :

> *Il eut trois enfants, lesquels devinrent tous célèbres. On a interrogé un témoin, lequel a confirmé les faits.*

● L'emploi de *lequel*, qui permet de distinguer singulier et pluriel, masculin et féminin au singulier, évite parfois une ambiguïté ou une cocasserie :

> *Les enquêteurs ont entendu la secrétaire du patron, laquelle a affirmé ne pas disposer de la clé du coffre* (*qui*, dans ce cas, pourrait représenter le patron aussi bien que la secrétaire).

2. Personnes/choses. Si le relatif est précédé d'une préposition, il peut toujours être de la forme *lequel* (*auquel, duquel*), mais on emploie souvent *qui* pour représenter des personnes :

> *Je remercie mes amis, grâce auxquels* (ou *grâce à qui*) *tout s'est bien passé. Je ne veux emmener que des gens avec lesquels* (ou *avec qui*) *je m'entends bien.*

Mais au sens partitif on dit : *les gens parmi lesquels, au nombre desquels,* etc., et non *parmi qui, *au nombre de qui.

● Pour représenter des choses ou des animaux, on emploie *lequel* (*auquel, duquel*), et non *qui* :

> *Voici le projet auquel je songe. Il habite encore la maison dans laquelle il est né. Il a deux chiens avec lesquels il chasse.*

L'emploi de *quoi* pour représenter des choses est archaïsant, mais *quoi* ou *dont* se substituent régulièrement à *lequel, auquel, duquel*, pour représenter un pronom « neutre » comme *ce, rien, quelque chose* :

> *C'est quelque chose à quoi je n'avais pas pensé* (et non **auquel je n'avais pas pensé*). *C'est ce dont je voulais parler* (et non **ce duquel je voulais parler*). (V. QUOI, DONT.)

3. Duquel/de qui/dont, v. DONT et RELATIF.

4. Lequel déterminant relatif. Dans l'usage administratif ou littéraire, on emploie parfois *lequel* en fonction d'adjectif (déterminant) devant un nom qu'on répète :

> *Il a invoqué une loi datant du Premier Empire, laquelle loi stipule que...*

Il est plus usuel d'employer simplement *lequel* comme pronom, sans répéter le nom : ... *une loi datant du Premier Empire, laquelle stipule ...* (voir n° 1), ou d'utiliser le pronom *qui*, au besoin en répétant avant lui son antécédent : ... *une loi datant du Premier Empire, loi qui stipule que...*

● *Auquel cas* est une locution d'un emploi assez courant :

> *Une gelée tardive est toujours à craindre, auquel cas la récolte est perdue* (= et dans ce cas).

m

maint

Ce mot subsiste, au sens de «plus d'un», dans quelques locutions de l'usage soutenu, tantôt au singulier, tantôt au pluriel : *à mainte(s) reprise(s), en mainte(s) circonstance(s), maintes fois, maintes et maintes fois.* En dehors de ces cas, il est nettement littéraire : *Maint passage de ce livre est obscur.*

mais

1. *Mais* relie (coordonne) en les opposant deux propositions, deux adjectifs (ou groupes prépositionnels) :

C'est possible, mais c'est difficile. C'est possible, mais difficile. C'est possible, mais sans intérêt.

● Si les propositions coordonnées par *mais* ont le même sujet, celui-ci peut ne pas être répété :

Il ne disait rien, mais n'en pensait pas moins.

● ***Non seulement ..., mais (encore),*** v. SYMÉTRIE.

2. *Mais* sert à renforcer une réponse, une exclamation :

Vous êtes d'accord? — Mais bien sûr! Mais quelle drôle d'idée!

● *Mais* souligne, surtout dans l'usage oral, la valeur insistante de la répétition d'un mot dans une phrase exclamative :

Il y a longtemps, mais longtemps! (= il y a très longtemps). *Il riait, mais il riait!* (= il riait énormément).

3. *N'en pouvoir mais* est une locution littéraire archaïsante signifiant «n'y pouvoir rien, ne rien pouvoir y changer» :

Il s'en prenait à la malheureuse secrétaire, qui n'en pouvait mais.

malgré

1. *Malgré que* + subj. Cet emploi, longtemps critiqué, s'est banalisé dans l'usage. On admet volontiers aujourd'hui une phrase telle que :

*Il a été condamné **malgré qu'il soit** innocent.*

Il est cependant plus courant dans l'usage surveillé d'employer *bien que* ou *quoique* (ou de dire *malgré son innocence*).

2. *Malgré qu'il en ait.* Cette locution signifiant «bien que cela lui soit désagréable, bon gré, mal gré» est archaïque et appartient exclusivement à l'usage littéraire :

Il fallut bien se rendre à l'évidence, malgré qu'on en eût.

3. *Malgré que* + indic. ou condit., v. QUOIQUE, 1.

manquer

1. *Manquer de qqch/manquer à qqn.* On dit, sans différence appréciable de sens :

Je manque de temps pour faire cela ou *Le temps me manque pour faire cela.*

2. *Manquer (de)* + infin. est un équivalent de «faillir, être sur le point de, courir le risque de» :

*Nous avons manqué **d'être** en retard. A chaque tentative, il manquait **de tomber.***

On omet parfois la préposition *de* :

Nous avons manqué mourir de rire. (V. FAILLIR, 1.)

3. Manquer à + infin. est un archaïsme littéraire signifiant « omettre de » :

> S'il manquait à saluer quelqu'un, cela ferait jaser.

4. Ne pas manquer de + infin. exprime l'assurance qu'on donne ou qu'on a de la réalisation de quelque chose :

> Je ne manquerai pas **de** vous **tenir au courant.** Avec ce vieux matériel, des pannes ne pouvaient manquer **de se produire.**

Dans l'usage littéraire, on emploie parfois ne pas (ne jamais, etc.) manquer à :

> Il ne manquait jamais à nous adresser ses vœux de nouvel an.

Je n'y manquerai pas est une formule par laquelle on répond ordinairement à une formule telle que Veuillez faire part de mon bon souvenir à...

5. Manquer à qqn est archaïsant ou régional au sens de « manquer de respect à quelqu'un ».

6. Il ne manquerait plus que + subj. Avec cette formule de l'usage familier, on fait l'économie d'une conjonction que :

> Il ne manquerait plus qu'il se casse une jambe, maintenant ! (Négation restrictive ne ... que portant sur la proposition qu'il se casse une jambe.)

matin, soir, midi

1. Hier (au) matin, (au) soir, (à) midi. Hier matin (hier soir, hier midi) est une construction bien plus habituelle que hier au matin, etc. De même pour demain, avant-hier, après-demain et les noms de tous les jours de la semaine : après-demain (au) soir, (le) mardi (à) midi.

● On dit normalement : le lendemain, le surlendemain matin (soir, midi), mais la veille, l'avant-veille au matin, au soir, à midi.

● On dit : Ce matin, ce soir. On peut dire : Ce midi, ou aujourd'hui à midi, aujourd'hui midi.

● On écrit : tous les dimanches matin (ou matins), soir(s), midi(s).

2. Se lever matin. Le mot matin s'emploie parfois adverbialement au sens de « tôt, de bonne heure », qui sont bien plus usuels :

> Elles s'étaient levées très matin ce jour-là.

meilleur

1. Meilleur est le comparatif de bon, et le meilleur son superlatif. (V. BON, 1.)

2. Sentir meilleur. Cette expression est couramment utilisée comme comparatif de sentir bon, quoique bon soit employé là adverbialement :

> Ces fleurs sentent meilleur que les autres.

3. On dit couramment : de la meilleure foi du monde, avec la meilleure volonté (du monde) [superlatifs de de bonne foi, avec bonne volonté], ou plus familièrement, avec un pléonasme : de la meilleure bonne foi du monde, avec la meilleure bonne volonté (du monde).

4. Meilleur peut être renforcé par bien, ou par un peu, passablement, sensiblement, etc., mais non par très, fort, tout à fait, extrêmement, ni par plus, moins :

> C'est **bien meilleur** cuit au four.

Beaucoup meilleur ne se dit guère plus que dans l'usage littéraire.

même

1. Placé avant le nom, même peut parfois s'employer sans autre déterminant, non seulement après une préposition, comme certains adjectifs qualificatifs (deux barres de même longueur, d'égale longueur), mais en particulier après le verbe avoir :

> Ces deux phénomènes ont (la) **même** origine.

2. Placé immédiatement après un nom, il équivaut en général à lui-même et s'accorde avec ce nom :

*Nous sommes sur les **lieux mêmes** où s'est livrée cette bataille.*

Lorsqu'il exprime un degré extrême (= jusqu'à), on veut parfois établir une distinction entre son emploi adjectival et son emploi adverbial (alors invariable) ; cette distinction est de peu d'intérêt, la différence de sens étant mince :

*Ses terres, ses maisons et ses meubles **même(s)** ont été vendus aux enchères.*

On fait de *même* un adverbe sans équivoque en le plaçant devant le nom et son déterminant : *ses maisons et **même ses meubles.***

3. Même pas, pas même. Les deux constructions sont usuelles, la première étant un peu plus courante et pouvant seule se trouver en fin de phrase :

*Il ne s'est **même pas** excusé. Il ne s'est pas même excusé. Il ne s'excuse même pas. (*Il ne s'excuse pas même ne se dit pas).*

4. Sans même/même sans. *Sans même* indique un minimum qui n'est pas réalisé :

Il est reparti sans même s'excuser, sans même un mot d'excuse.

● *Même sans* exprime l'opposition, la concession :

Même sans connaissances spécialisées (ou même sans avoir fait des études spécialisées), on peut comprendre ces explications.

5. Quand même, quand bien même + **condit.** exprime la concession et l'hypothèse (= même si) :

Quand (bien) même il me le jurerait, je ne le croirais pas.

6. Même que + **indic.**, dans l'usage oral familier, introduit une remarque accessoire sur laquelle on attire l'attention :

*C'était un dimanche après-midi, **même que** tous les magasins **étaient fermés.***

Dans l'usage surveillé, on dira par exemple :

Je me rappelle même que, etc.

● **Même que** + **condit.** est un équivalent très familier de *même si* + indic. imparfait, ou de *quand bien même* (v. nº 5) :

*Même qu'il me le **jurerait**, je ne le croirais pas.*

7. Le même qui (que, dont, etc.), le même que celui qui (que, dont, etc.). Ces deux constructions sont usuelles, mais la première, plus simple, est moins lourde :

Il a employé les mêmes arguments auxquels il avait souvent recouru (ou que ceux auxquels...).

mettre

Mettre (à) + **infin.** Un infinitif dépendant de *mettre* est tantôt construit directement, tantôt précédé de à :

*Mettez **(à) tiédir** votre plat au bain-marie.*

La tendance dominante est d'employer *à* quand le complément d'objet de *mettre* précède l'infinitif :

*Mettez **votre plat à tiédir** au bain-marie. On a mis **le vin à rafraîchir.***

mien, tien, etc., adjectifs

Quand *mien, tien, sien, nôtre, vôtre, leur* ne sont pas précédés de l'article défini, ce sont des adjectifs possessifs. Leur emploi est limité.

1. Ces adjectifs peuvent être attributs d'un complément d'objet :

*Nous faisons **nôtres** ces **critiques** (= nous nous y associons). Il considère tout l'**héritage** comme **sien** (= comme à lui).*

Ils peuvent être parfois attributs d'un sujet :

*Cette **idée** est **mienne** (on dit plus couramment : Cette idée est de moi).*

2. *Mien, tien, sien* s'emploient parfois entre un déterminant (autre que l'article défini) et le nom, avec une nuance d'affectation plaisante :

> *Un mien cousin vient de débarquer* (usage courant : *un de mes cousins* ou *un cousin à moi*). *Il fait grand état de cette sienne invention.*

moindre

1. *Moindre* équivaut, dans un usage un peu plus soutenu, à *moins important, plus petit* (en importance, en valeur, non en dimensions) :

> *On peut arriver au même résultat avec un **travail moindre*** (ou *un **moindre travail***). *Il n'y a pas la **moindre trace** d'usure.* Mais *Cette chambre est plus petite que l'autre* et non **Cette chambre est moindre que l'autre.*

2. *Moindre* peut être renforcé par *bien, beaucoup,* ou par *un peu, passablement, sensiblement,* etc., mais non par *très, fort, tout à fait, extrêmement* .

> *C'est un roman d'un **bien moindre** intérêt que le précédent.*

3. *Le **moindre petit** ...* Cette expression, qui fait pléonasme, est assez courante et ne choque guère :

> *On n'a pas découvert le moindre petit indice.*

On peut cependant dire, plus régulièrement, *le moindre indice,* ou *le plus petit indice.*

moins

1. V. PLUS.

2. *Au moins/du moins.* *Au moins* indique un minimum :

> *Il y avait **au moins** cent personnes dans la salle.*

On emploie aussi en ce sens les locutions *pour le moins, à tout le moins* (usage plus soutenu).

● *Du moins* indique une contrepartie ou une réserve par rapport à ce qui a été dit :

> *Si ça ne le guérit pas, **du moins** ça ne peut pas lui faire de mal* (= en tout cas). *Il a été malade — du moins, c'est ce qu'il prétend.*

On peut souvent employer aussi *au moins* ou *tout au moins* avec cette valeur :

> *Si ça ne le guérit pas, au moins ça ne peut pas lui faire de mal. Il a été malade — tout au moins, c'est ce qu'il prétend.*

● Le pronom personnel sujet est souvent inversé si *du moins, au moins* sont en tête de proposition :

> *Cela devrait réussir, **du moins peut-on** l'espérer.*

3. *À moins que de* + **infin.** est archaïque :

> *On ne saurait le prévoir à moins que d'être devin* (usage courant : *à moins d'être devin.* V. CONDITION, I, 1).

4. *À moins de/que,* v. CONDITION, 1. *À moins que (ne),* v. NE, II, 5. *Moins... moins,* v. COMPARAISON 1, 2. *Rien (de) moins que,* v. RIEN, 5.

(se) moquer

On dit normalement *se moquer de qqn, de qqch.* La construction non pronominale *moquer qqn* est archaïque ; on la rencontre surtout au passif, dans l'usage littéraire :

> *Il craignait d'**être moqué** de ses camarades.*

La construction normale pour exprimer ce sens est *se faire moquer de soi* :

> *Il avait peur de **se faire moquer de lui.*** (On peut aussi dire, naturellement : *Il avait peur qu'on se moque de lui.*)

n

I. V. NÉGATION.

II. *NE* **EXPLÉTIF.** Dans certaines propositions subordonnées, *ne* s'emploie facultativement sans valeur proprement négative : on dit qu'il est « explétif ». En règle générale, l'emploi de *ne* dans de tels cas caractérise l'usage plus ou moins soutenu; dans l'usage courant ou familier, on n'exprime pas ce *ne*. Ces cas sont les suivants :

1. Après des termes exprimant la crainte : *craindre que, redouter que, appréhender que, trembler que ; avoir peur que, la crainte que, la peur que ; de crainte que, de peur que,* etc.

> *Je* **crains** *qu'il* **ne** *soit malade* ou *qu'il soit malade* (= il est malade, je le crains). *Je* **tremble** *qu'il* **ne** *soit trop tard. On* **redoutait** *que des troubles* **ne** *se produisent. J'ai* **peur** *qu'il soit trop tard* (ou *qu'il* **ne** *soit trop tard*). *Il est paralysé par* **la peur qu'***on (***ne***) l'interroge.* **De crainte qu'***une erreur* **n'***ait été commise...*

● Quand le terme qui exprime la crainte est dans une phrase négative ou interrogative, *ne* est en principe omis dans la subordonnée :

> *Je ne crains pas qu'on me démente. Je n'ai pas peur qu'il soit trop tard.*

● Pour exprimer la négation véritable dans la subordonnée, on emploie *ne ... pas, ne ... plus, ne ... jamais,* etc. :

> *Je crains qu'il* **ne** *soit* **pas** *bien portant* (= il n'est pas bien portant, je le crains). *Je tremble qu'il* **ne** *soit* **plus** *temps d'agir. On redoute qu'il* **ne** *récupère* **jamais** *l'usage de son bras.*

2. Après *empêcher que, éviter que :*

> *La brume* **empêche** *qu'on (***ne***) voie la côte. Il faut* **éviter** *que ces incidents (***ne***) se reproduisent.*

Noter que *défendre que, interdire que* se construisent d'ordinaire sans *ne.* Pour *prendre garde que,* v. GARDE, 3.

● Quand *empêcher que, éviter que* appartiennent à une phrase négative, *ne* explétif est le plus souvent omis dans la subordonnée :

> *On ne peut pas empêcher que cela se produise.*

3. Après *ne pas* **(ou** *ne plus, ne jamais,* **etc.)** *douter que,* ou d'autres verbes ou locutions de sens voisin, aux formes négative ou interrogative : *nier, disconvenir, contester, méconnaître que ; nul doute que ; il n'est pas douteux, niable, contestable que :*

> *Je ne doute pas qu'il (***ne***) soit sincère. Il n'est plus douteux qu'il (***n'***) ait été trahi. Nierez-vous que ce (***ne***) soit une erreur ?*

● Quand ces verbes ou expressions sont à la forme affirmative, on n'emploie pas *ne* :

> *Je doute qu'il soit sincère.*

● On peut exprimer une négation véritable dans la subordonnée :

> *Nul ne conteste que les prix* **n'***aient* **pas** *baissé* (= il est incontestable que les prix n'ont pas baissé).

4. Après *plus que, moins que, mieux que, autre(ment) que, meilleur que, pire que, moindre que, plutôt que* exprimant une relation d'inégalité, de différence :

> *C'est plus difficile que je (***ne***) croyais. Cela s'est passé mieux qu'on (***n'***) avait espéré. Je m'y résigne plutôt que je (***ne***) l'accepte.*

● Quand la proposition principale est négative ou interrogative, *ne* est souvent omis :

La situation n'est pas pire qu'elle était (ou *qu'elle n'était*).

● *Ne … pas* est exclu dans la subordonnée :

*C'est plus difficile que je ne croyais pas.

5. Après ***avant que, à moins que, il s'en faut que, peu s'en faut que*** :

Il faut agir avant qu'il (ne) soit trop tard. J'ai l'intention de m'absenter, à moins que vous (n') ayez besoin de moi. Il s'en faut de beaucoup que tout (ne) soit réglé. Peu s'en est fallu qu'il n'arrivât trop tard.

● On peut exprimer une négation véritable dans la subordonnée :

Il faut agir avant qu'il ne soit plus temps.

6. Après ***sans que,*** on évite *ne* dans l'usage surveillé :

La décision a été prise sans que j'en sois informé. La manifestation s'est terminée sans qu'aucun incident ait été signalé.

Il n'est pas rare, cependant, qu'on emploie un *ne* explétif après *sans que,* surtout quand la proposition principale est négative, ou quand la subordonnée contient un mot comme *personne, rien, aucun, jamais* :

Aucune décision ne peut être prise sans que je n'en sois informé. Il a agi sans que personne ne le sache.

III. *NE … QUE*

1. Cette expression, qui encadre un verbe ou un auxiliaire, exprime une restriction portant sur le terme qui suit *que,* et équivaut à «seulement, uniquement» :

Il ne lit que des romans policiers. Il n'est heureusement que blessé. Je n'ai que suggéré d'agir ainsi.

2. *Ne … rien que, ne … seulement que.* Dans ces expressions, *rien, seulement* sont des renforcements, souvent jugés superflus, de *ne … que* :

Ça ne sert à rien qu'à faire perdre du temps. Il n'y a rien qu'un arbre

dans la cour. Il n'y avait seulement que trois personnes au courant.

3. *Ne … pas que* s'emploie au sens de «*ne … pas seulement*» (*ne … pas* est une vraie négation, et *que* a un sens restrictif) :

Cela n'a pas que des avantages.

4. *Ne faire que (de)* + **infin.,** v. FAIRE, 2.

négation

1. Négation totale : *ne … pas (ne … point).* La phrase

Je n'ai pas de chance, je n'ai pas réussi

est l'affirmation contraire, c'est-à-dire la négation de

J'ai de la chance, j'ai réussi.

Dans l'usage littéraire ou dans certaines régions, on emploie parfois *ne … point* au lieu de *ne … pas* :

Je n'ai point de chance, je n'ai point réussi.

2. Ne pas et l'infinitif. *Ne pas* précède ordinairement le verbe (ou l'auxiliaire) à l'infinitif au lieu de l'encadrer comme aux autres modes :

Je crains de ne pas réussir.

● Toutefois, l'infinitif de *avoir* et de *être* peut être encadré de *ne … pas,* dans un usage plus soutenu :

Je crains de n'avoir pas le temps, de n'être pas compris (ou, plus couramment, *de ne pas avoir le temps, de ne pas être compris*).

Cette construction en encadrement peut s'appliquer aussi à quelques auxiliaires d'infinitif comme *devoir* et *pouvoir,* avec un effet littéraire encore plus sensible :

Il semblait ne pouvoir pas s'exprimer.

L'encadrement des autres infinitifs par *ne … pas* ou *ne … point,* qu'on observe dans des textes littéraires, a un caractère nettement archaïque :

Il feignait de n'y penser point.

3. Négation partielle. La négation peut être fixée sur un terme particulier de la phrase par les expressions *ne ... plus, ne ... guère, ne ... jamais, ne ... personne, ne ... rien, ne ... aucun*, etc. (négation dite partielle) :

> *Je **ne** veux voir **personne**. Cela n'est **guère** prudent.*

Le mot *pas* (ou *point*) est exclu de ce système dans l'usage surveillé : on ne dit pas *Je ne veux pas voir personne. *Il n'y en a pas guère. *Il n'y a pas aucun inconvénient. Toutefois, on dit *Ce **n'est pas rien**,* au sens de « ce n'est pas négligeable, c'est quelque chose ». (V. RIEN, 2).

Les termes complémentaires de *ne* qui expriment la négation partielle peuvent être combinés entre eux :

> *Je **ne** vois **plus jamais personne**. **Aucun** d'eux **ne** s'est **jamais** plaint.*

4. Ni. On peut relier par *ni* des termes d'une phrase négative :

> *Il **n'a pas** de frère **ni** de sœur. Il **n'a ni** frère **ni** sœur.*

Quand *ni* est répété, *pas* est exclu : on ne dit pas, dans l'usage surveillé, *Il n'a pas ni frère ni sœur.

5. Ne seul. *Ne* peut s'employer sans deuxième élément dans plusieurs cas qui appartiennent à l'usage soutenu :

● avant les verbes *cesser, oser, pouvoir, savoir* :

> *Il **ne** cesse de se plaindre. Je **n'ose** y croire. Je **ne** puis accepter. On **ne** saurait mieux dire* (usage courant : *Il ne cesse pas* [ou *n'arrête pas*] *de se plaindre. Je n'ose pas y croire. Je ne peux pas accepter. On ne peut pas mieux dire*).

● après *que* signifiant « pourquoi » :

> ***Que ne** le disiez-vous plus tôt ?* (usage courant : *Pourquoi ne le disiez-vous pas plus tôt ?*).

● après *que* + subj. signifiant « sans que » ou « avant que », dans une phrase à double négation :

> *Il ne peut pas faire trois pas **que** les journalistes **ne** l'assaillent. Je ne*

renoncerai pas, **que** toutes les solutions **n'aient** été tentées.*

● après un *si* de condition (emploi limité) :

> *Si je **ne** m'abuse* (usage courant : *Si je ne me trompe pas*).

● dans une proposition relative dont la principale est négative :

> *Je **n'ai rien** fait **qui ne** soit légal* (usage courant : *... qui ne soit pas légal*).

● après *depuis que, il y a (tel temps) que, voilà (tel temps) que* :

> *Depuis que je **ne** l'avais vu, il a bien changé* (usage courant : *depuis que je ne l'avais pas vu*).

On peut d'ailleurs exprimer le même sens en ôtant la négation :

> *Depuis que je l'avais vu, il a bien changé. Il y a bien dix ans que je l'ai vu, ou que je ne l'ai (pas) vu.*

6. Ne ... que, ne explétif, v. NE, II.

7. Omission de ne. L'omission de *ne* en phrase négative, fréquente dans l'usage oral familier, apparaît comme une négligence grave dans l'écriture, du moins si elle n'est pas une marque intentionnelle de cet usage oral :

> *C'est pas possible ! T'as rien à faire ?*

● *Ne* est souvent omis dans une phrase elliptique qui ne conserve que *pas, jamais, rien, personne*, etc. :

> *Tu es content ? Moi **pas**. Quand te décideras-tu ? — **Jamais**.*

Dans l'usage soutenu, on emploie plutôt *non* que *pas* en pareil cas : *Moi, non*.

8. Autres expressions de la négation. La négation d'une phrase affirmative peut se réaliser par d'autres moyens que *ne ... pas*, etc., comme le recours à *sans* ou *sans que*, ou l'emploi de mots de sens contraire, notamment formés avec les préfixes négatifs ou privatifs *in-, dé-, a-, non-*, etc. :

> *Il **ne** se lasse **pas** de répéter cela. Il répète cela **sans** se lasser. Il répète cela **in**lassablement.*

9. Combinaison de négations. La combinaison de plusieurs négations peut traduire certaines nuances (insistance ou atténuation) :

*Vous **ne** pouvez **pas** ne **pas** le savoir* (= vous le savez certainement). *Je **ne** prétends **pas** que ce **ne** soit **pas** utile* (= c'est sans doute utile).

Si on juge cette accumulation d'adverbes négatifs inutilement lourde, on peut recourir à un autre procédé négatif, par exemple employer un mot de sens contraire ;

*Vous **ne** pouvez **pas** l'ignorer. Je **ne** prétends **pas** que ce soit **inutile**.*

10. Portée de la négation. Quand on dit *Cette personne n'est pas née en France,* on ne nie pas qu'elle soit née, mais on dit que ce n'est pas en France. Quoique *ne ... pas* accompagne nécessairement le verbe, sa valeur négative peut porter sur un autre terme de la phrase. Avec *vouloir, devoir, falloir,* la négation porte sur l'infinitif ou la subordonnée dépendant de ces verbes :

*Je **ne** veux **pas** répondre à cette question* signifie, en fait, « je veux ne pas répondre » (tour peu usuel). *Il **ne** faut **pas** qu'on le **sache*** signifie « il faut qu'on le sache pas ».

● Une phrase comme *On n'a pas adopté cette solution par souci d'économie* est ambiguë. L'ambiguïté cesse si on met l'élément circonstanciel en relief, en tête de phrase :

(C'est) par souci d'économie (qu') on n'a pas adopté cette solution, ou *Ce n'est pas par souci d'économie qu'on a adopté cette solution.*

● Avec *tout, tout le monde, toujours, chacun, chaque, beaucoup de* et les mots numéraux, *ne ... pas* indique seulement une restriction et non une absence totale :

*Tout **n'est pas** clair dans cette affaire* (= certains points ne sont pas clairs). *Cela **ne** réussit **pas** toujours* (= cela réussit quelquefois seulement). *Chacun **ne** peut **pas** en faire autant* (= il y a des gens qui ne peuvent pas...).

Si on veut exprimer la quantité nulle, le degré nul, on peut employer par exemple un mot de sens contraire à celui de *tout, toujours,* etc., ou à celui d'un autre mot de la phrase :

Rien** n'est clair dans cette affaire. Cela **ne** réussit **jamais**. **Tout** est obscur dans cette affaire. Cela échoue* (ou fam. *ça rate*) ***toujours.

nier

Nier que + subj./***nier (de)*** + infin. La subordonnée dépendant de *nier* est au subjonctif :

*Je nie que les choses se **soient passées** ainsi.*

Pour *ne pas nier que (ne),* v. NE, II, 3.

● Quand il y a identité de sujet entre *nier* et le verbe de la proposition qui en dépend, on emploie la construction infinitive soit sans préposition, soit, dans l'usage soutenu, avec la préposition *de* :

*Il nie énergiquement **avoir dit** cela. Il commença par nier **d'être** au courant.*

nom

1. Un nom désigne un être ou une chose. Parmi les noms, on distingue :

● les noms propres (employés le plus souvent sans déterminant) : *Catherine, Paris, la Loire,* et les noms communs : *table, idée, rivière, métal* ;

● les noms concrets, *table, maison, eau, acier,* et les noms abstraits, qui sont le plus souvent en relation de forme et de sens avec un verbe ou un adjectif : *désir, facilité, idée* ;

● les noms comptables, désignant des êtres ou des choses qu'on peut dénombrer : *arbre, maison, idée,* et les noms non-comptables, qui ne s'emploient pas au pluriel à moins d'être employés dans un sens comptable : *verdure, solidité, compréhension, eau* ;

● les noms collectifs : *foule, tas, ribambelle,* et les noms individuels ;

● les noms animés : *cheval, maçon* (et spécialement les noms humains : *maçon, fermière*), et les noms non-animés : *maison, largeur.*

2. Le groupe du nom est constitué, dans une phrase, par le nom et les mots qui se rattachent à lui, en particulier le déterminant (v. ce mot) et éventuellement des adjectifs épithètes ou apposés, des compléments du nom, des propositions relatives. Dans les phrases

Le chien aboie, Le chien noir aboie, Le chien du voisin aboie, Le chien, qui a aperçu le facteur, aboie,

les divers groupes de mots qui précèdent le verbe *aboie* constituent chaque fois le groupe du nom sujet.

nombre

1. *Un certain (grand, etc.) nombre de,* v. COLLECTIF.

2. *Nombre de,* au sens de « beaucoup de, de nombreux », est de l'usage strictement littéraire. Quand cette expression sert de déterminant à un sujet, le verbe est toujours au pluriel :

Nombre d'autres questions sont restées sans réponse.

nominalisation

On a parfois le choix entre plusieurs formes pour exprimer un membre de phrase : nom abstrait, ou infinitif, ou subordonnée introduite par une conjonction ;

Les protestations ne suffisent pas, ou *Protester ne suffit pas,* ou *(Le fait) que vous protestiez ne suffit pas,* (ou *Il ne suffit pas que vous protestiez*).

Dans ces exemples, c'est le sujet qui est exprimé sous ces différentes formes, mais la procédure s'applique à des termes ayant d'autres fonctions, par exemple

- complément d'objet : *J'attends le départ,* ou *J'attends de partir,* ou *J'attends qu'on parte ;*

- complément circonstanciel : *Il a été condamné pour fraude fiscale,* ou *pour avoir fraudé le fisc,* ou *parce qu'il avait fraudé le fisc.*

Le nom abstrait, l'infinitif, la subordonnée sont trois formes d'une même opération, la nominalisation, qui permet de faire d'une phrase (ex. *On part*) un membre d'une phrase plus importante.

non

1. *Non pas* est un renforcement de *non,* qui apparaît en particulier dans une opposition :

La séance a duré non (pas) une heure, comme prévu, mais trois heures.

2. *Non/pas.* Dans de nombreux emplois elliptiques, on utilise soit *non,* dans un usage soutenu, soit *pas,* dans l'usage courant ou familier :

Vous en êtes sûr? Moi non (usage courant : *moi pas,* ou *pas moi*). *Pourquoi non?* (usage courant : *pourquoi pas?*). *Content ou non, il faut accepter* (usage courant : *content ou pas*). *Il est vétérinaire, non médecin* (usage courant ; *pas médecin*). *La rencontre a eu lieu, mais non à l'endroit prévu* (usage courant : *mais pas à l'endroit prévu*).

3. *Non plus,* v. AUSSI, 2.

4. *Non plus que* au sens de « ni non plus » est de l'usage littéraire :

Il n'y avait pas de moyen de transport, non plus que de téléphone.

5. *Que non pas* dans une comparaison est aujourd'hui d'un emploi régional :

J'aimerais mieux payer mille francs que non pas de recommencer (= que de recommencer).

6. *Que non (pas)!* exprime avec force une réponse négative dans un usage soutenu :

Vous êtes satisfait? — Oh! que non! Que non pas!

7. Non que + subjonctif, v. CAUSE, 1.

8. Non sans + infin. ou n. a une valeur affirmative indiquant une certaine importance, une certaine quantité :

> *Il a finalement accepté,* **non sans hésiter, non sans hésitation.**

9. Non ! Non ? Ce mot s'emploie familièrement comme interjection exprimant la surprise, l'incrédulité, le reproche, ou pour solliciter l'accord de l'interlocuteur, etc. :

> *Il paraît qu'il a gagné un gros lot. — Non ! C'est vrai ? Tu ne pourrais pas faire attention,* **non ?** *Vous êtes comblé,* **non ?**

nous

***Nous* « de modestie ».** Selon un usage assez général, l'auteur d'un livre ou d'un rapport, parlant de son rôle d'auteur, de son activité, se désigne par *nous (notre)* et non par *je, me, moi (mon)*, l'accord au pluriel n'ayant lieu que pour le verbe — ou pour l'auxiliaire aux formes composées, mais l'accord en genre se faisant normalement pour les adjectifs et les participes :

> *Nous sommes persuadé(e) que … Nous avons mis tous nos soins à…*

● Parfois, c'est le pronom *on* qui se substitue à *je* : *On a jugé inutile de …* Mais ce procédé n'est guère employé si un possessif doit être exprimé : il n'est pas usuel, dans cet emploi, d'écrire **On a mis tous ses soins à…*

● Le passif, personnel ou impersonnel, est un autre moyen de ne pas exprimer le sujet *je*. (V. PASSIF.)

nouveau

1. Nouveau/nouvel. Devant un nom masculin commençant par une voyelle ou par un *h* « muet », cet adjectif a la forme *nouvel : un nouvel état, un nouvel hôtel.*

● Quand un autre adjectif coordonné par *et, ou* s'intercale entre cet adjectif et le nom, on emploie tantôt la forme *nouvel,* tantôt la forme *nouveau : un* **nouvel** *et important avis,* ou *un* **nouveau** *et important avis.*

2. De nouveau/à nouveau. La distinction qu'on a voulu voir entre *de nouveau,* qui signifierait « une nouvelle fois » et *à nouveau,* qui signifierait « de façon complètement différente », n'est guère observée dans l'usage courant, où ces deux locutions expriment simplement la répétition, le retour de quelque chose :

> *Le téléviseur est* **de nouveau** *(ou* **à nouveau***) tombé en panne.*

numéraux (déterminants ou adjectifs)

1. Douze cents, mille deux cents, etc. Les centaines comprises entre *onze* et *dix-neuf* se disent couramment et s'écrivent souvent *onze cents, douze cents,* etc., surtout si elles ne sont pas suivies d'unités inférieures. On dit et on écrit aussi *mille deux cents, mille trois cents,* etc. (plus rarement *mille cent*), principalement pour indiquer des mesures précises :

> *Nager un quinze cents mètres. Un détachement de douze cents hommes (ou de mille deux cents hommes). Henri IV mourut en seize cent dix (ou en mil[le] six cent dix). Le mille marin vaut mille huit cent cinquante deux mètres (ou dix huit cent cinquante deux mètres). Payez contre ce chèque mille cent quarante-sept francs (ou onze cent quarante-sept francs).*

2. Soixante-dix, soixante et dix. L'usage le plus courant est de n'employer *et* dans les numéraux composés que pour ajouter *un* à une dizaine : *vingt et un, soixante et un,* etc., ou dans *soixante et onze.* Les formes *soixante et dix, soixante et douze,* etc. sont archaïsantes ou régionales.

3. Le septième chapitre, le chapitre sept(ième). Pour indiquer un chapitre, un tome, un acte de pièce de théâtre, etc., on peut placer l'adjectif numéral ordinal avant ou après le nom, mais il est plus habituel d'employer après le nom le numéral cardinal *(tome trois)* que l'ordinal *(tome troisième)*.

4. *Deuxième, second.* Ces deux mots s'emploient indifféremment, sauf dans le cas des adjectifs ordinaux composés : *trente-deuxième* et non **trente second.*

5. *Le cinq ou sixième jour.* En cas de coordination par *et, ou,* ou de juxtaposition sans répétition de l'article, il est courant, en particulier dans l'usage oral, que seul le dernier adjectif ordinal reçoive le suffixe *-ième* : *les douze, treize et quatorzième siècles* ; *le cinq ou sixième jour.* On peut aussi dire, naturellement, *les douzième, treizième,* et *quatorzième siècles* ; *le cinquième ou sixième jour.*

6. *Cinq ou six jours, cinq à six jours.* On emploie soit *ou* soit *à* pour relier les deux numéraux qui indiquent une évaluation approximative, qu'un choix intermédiaire soit possible ou non entre les deux nombres :

> *Il y avait dans la salle vingt **ou** vingt-cinq personnes,* ou *vingt **à** vingt-cinq personnes. Le village comprend sept **ou** huit maisons,* ou *sept **à** huit maisons. Les travaux dureront cinq **ou** six jours,* ou *cinq **à** six jours.*

● Quand les numéraux sont reliés par *à,* on peut les faire précéder de *de* :

> *Il y avait **de** vingt **à** vingt-cinq personnes. Les travaux dureront **de** cinq **à** six jours.*

7. *Vingt ou (à) trente mille.* Ce serait un scrupule excessif de s'imposer de dire : *Il y avait vingt mille* ou *trente mille* (ou *vingt mille à trente mille*) *manifestants* et non, selon l'usage ordinaire, *vingt ou* (ou *à*) *trente mille manifestants,* sous prétexte qu'on risquerait de comprendre que les deux nombres extrêmes de l'évaluation sont *vingt* (deux dizaines) et *trente mille* (trois cents dizaines).

8. *Être* (ou ***se mettre,*** etc.) [*à*] **cinq.** On dit :

> *Les prisonniers étaient cinq par cellule,* ou ***étaient à cinq** par cellule.*

● En plus de l'information numérique, on souligne, avec la préposition *à,* la communauté de situation ou d'action. De même, on dit :

> *A **eux deux,** ils ne possédaient que quelques centaines de francs* (= en additionnant leurs fortunes). *Ils ont fait tout ce travail **à trois*** (= en associant leurs efforts).

9. Valeurs conventionnelles. Les numéraux apparaissent dans de nombreux emplois locutionnels sans valeur numérique précise, notamment pour symboliser

- soit les quantités élevées :

> *Je vous l'ai dit **vingt** fois, **cent** fois, **mille** fois. Il a fait les **quatre cents** coups,* etc. ;

- soit les quantités faibles :

> *Je reviens dans **deux** minutes. Il habite à **trois** pas d'ici.*

● *Mille et un* signifie, symboliquement «un grand nombre de» :

> *Il y a **mille et une** manières d'altérer la vérité.*

On emploie plus rarement, avec cette valeur, *cent et un.*

o

obliger

Obliger à ou de + infin. De ces deux constructions, *obliger à* est de loin la plus courante à la forme active :

J'ai un rendez-vous qui m'oblige à partir. Qu'est-ce qui m'oblige à vous croire ? Rien ne vous obligeait d'y aller (ou *à y aller*).

● Au passif, on dit *être obligé de faire qqch* au sens de « être dans la nécessité de le faire » :

La route était inondée, j'ai été obligé de faire un détour.

Au sens de « être soumis à l'obligation de » on dit parfois *être obligé à faire qqch*, surtout s'il y a un complément d'agent :

Les prisonniers étaient obligés par leurs gardiens à nettoyer la cour. On est obligé par la loi à déclarer ses revenus.

● Les verbes *contraindre* et *forcer* se construisent de la même façon que *obliger*.

s'occuper

1. S'occuper de/à. *S'occuper de qqch, de qqn,* c'est le prendre en charge, en prendre soin :

Qui s'occupe de ce dossier ? Les infirmiers s'occupent du malade.

● *S'occuper de* + infin., c'est se charger de cela, faire le nécessaire pour :

Occupez-vous de trouver un bon hôtel.

● *S'occuper* (*à qqch, à* + infin., etc.), c'est (y) employer son temps :

Il s'occupe à des bagatelles. Il s'occupe à jardiner, en jardinant. Feuilleter des revues pour s'occuper.

2. *S'occuper si. Dans l'usage surveillé, on évite d'employer une interrogation indirecte après *s'occuper* : **Il ne s'occupe pas si tout le monde est d'accord. *Il faudrait s'occuper où on va coucher ce soir.*

On peut dire, par exemple : *s'occuper de savoir,* ou plutôt *chercher à savoir, se demander,* etc.

3. *Il y a un tas de choses à s'occuper. Ce genre de construction n'appartient pas à l'usage surveillé ; on peut dire :

Il y a à s'occuper d'un tas de choses.

on

1. On/nous. Dans son emploi le plus traditionnel, *on* désigne une ou plusieurs personnes indéterminées :

On frappe à la porte. On n'est jamais trop prudent.

● Dans l'usage oral familier, *on* s'emploie très couramment pour *nous* et, dans ce cas, les adjectifs qui s'y rapportent s'accordent en genre et en nombre :

On en a assez, de cette histoire ! Nous, on veut bien. On est prêtes depuis longtemps. On en a plein le dos ! (*Nous en avons plein le dos* présenterait une association insolite d'une locution très familière et d'un usage soutenu de *nous.*)

2. On = je, tu, il, etc. *On* peut remplacer *je, tu, il, vous* avec diverses valeurs de style (familiarité, ironie, etc.) :

On fait ce qu'on peut (= je fais ce que je peux). *Alors, on se promène ?* (= tu te promènes, vous vous promenez ?). *On fait l'intéressante ?* (= tu fais, elle fait l'intéressante ?).

3. *On* + possessif ou pronom.

*On est souvent responsable de **ses** malheurs. **On** ne doit pas toujours rendre autrui responsable de **ses** malheurs.*

La deuxième phrase est ambiguë, du fait que *ses* peut renvoyer à *on* ou à *autrui.* Pour éviter ce genre d'ambiguïté, le renvoi à *on* se fait souvent non par *se, soi, son,* mais par *nous, vous, notre, votre :*

> ***On** ne doit pas toujours rendre autrui responsable de **nos** malheurs. **On** n'aime pas que les gens **nous** (ou **vous**) posent des questions trop indiscrètes.*

On peut aussi employer *son propre* pour renvoyer à *on :*

> ***On** ne doit pas toujours rendre autrui responsable de **ses propres** malheurs.* (V. PROPRE, 1.)

4. *L'on.* La forme *l'on,* toujours facultative, ne s'emploie que dans l'usage soutenu, surtout après une voyelle, après *et,* ou pour éviter la suite phonique *qu'on con* (...) :

> *Il ne faudrait pas que l'on confonde.*

L'emploi de *l'on* en début de phrase donne à un texte un caractère affecté, surtout si le fait est fréquent.

où (relatif)

1. *Où* + *y, là; où* + complément circonstanciel.

● *Où* étant déjà lui-même complément circonstanciel, l'emploi de *y,* de *là* pour représenter le même mot est un pléonasme non admis dans l'usage surveillé ; **Voilà la maison où il y a habité dix ans.* **C'est une situation où là il n'y a plus rien à faire* (cas comparable à *dont* + *en*).

On peut soit supprimer *y, là,* soit supprimer la subordination par le relatif, par exemple :

> *Vous voyez cette maison ? Il y a habité dix ans.*

● Il y a aussi pléonasme si après *où* on exprime un complément circonstanciel de lieu, même si celui-ci ajoute

une précision : *Voilà la maison où il habite au troisième étage.* Pourtant la phrase apparaît moins négligée que celle du cas précédent, surtout si le complément *au troisième étage* est séparé par une pause de ce qui précède. La tournure *au troisième étage de laquelle il habite,* grammaticalement irréprochable (v. RELATIF, 2, et LEQUEL, 2) risque de paraître lourde dans un contexte familier ; on pourra dire, par exemple :

> *Voilà la maison où il habite; il est au troisième étage.*

2. *Le jour où..., le jour que...,* v. QUE, 5.

3. *Où* sans antécédent. *Où* s'emploie souvent sans antécédent au sens de « là où » :

> *Reste **où** tu es. Passe par **où** tu voudras. Avance jusqu'**où** tu pourras.*

La phrase *Retourne* (ou *Va-t-en*) ***d'où** tu viens* est familière : cette construction est peu rigoureuse en ce que *d'où* est anormalement employé ici pour exprimer le but d'un mouvement. *Retourne à l'**endroit d'où** tu viens, **là d'où** tu viens* sont des constructions plus rigoureuses grammaticalement, mais moins usuelles.

● *Où* peut aussi s'employer sans antécédent au sens indéfini de « un endroit où », comme complément d'un infinitif :

> *Il n'avait pas **où** s'asseoir.*

4. *D'où* devant un nom indique une conséquence ou donne une explication :

> *Ces produits sont rares et recherchés, **d'où** leur prix élevé.*

L'emploi de *d'où* comme simple conjonction ou adverbe de liaison au sens de *donc, c'est pourquoi, en conséquence,* devant une proposition n'est pas admis dans l'usage surveillé : **Ces produits sont rares et recherchés, d'où ils sont chers.*

5. *D'où/dont,* v. DONT, 5. V. aussi INTERROGATION.

outre

1. *Outre qqch* ou *qqn, outre que* + **indic. ou condit.** équivaut, dans l'usage soutenu, à « en plus de qqch ou de qqn, sans en tenir compte, sans compter que » :

> *Outre le remboursement du capital, il faut prévoir le versement des intérêts. Cette solution est la plus rapide, outre que c'est la plus économique.*

● *En outre de qqch ou de qqn* s'emploie plus rarement, dans le même sens :

> *En outre de sa proche famille, il avait autour de lui un groupe d'amis.*

2. *Passer outre (à qqch), aller plus outre* sont de l'usage soutenu, au sens de « ne pas se laisser arrêter (par des obstacles), aller plus loin dans la même voie ».

p

pallier

La construction directe *(pallier un inconvénient)* est la construction traditionnelle, mais en raison de l'analogie de *parer à qqch, rémédier à qqch,* la construction avec *à* est devenue courante :

> *On peut facilement pallier à cet inconvénient.*

par

1. Par est de l'usage soutenu pour introduire un complément de temps indiquant simplement la date : *par une belle journée d'automne,* ou un complément de lieu au sens de « ça et là à travers » : *errer par la campagne.*

2. De par s'emploie au sens de « du fait de, en raison de » (usage soutenu) :

> *De par ses origines, il se sentait proche du monde paysan.*

3. Par trop est un renforcement littéraire de *trop :*

> *Tout cela m'a semblé par trop compliqué. Il avait par trop misé sur sa chance* (= vraiment trop).

4. Par + **complément d'agent,** v. (COMPLÉMENT D')AGENT.

V. AILLEURS, AVANCE, CONTRE, FOIS, PARENTHÈSE, TERRE.

paraître

1. Auxiliaire. Au sens de « être publié », *paraître* reçoit tantôt l'auxiliaire *avoir,* tantôt l'auxiliaire *être,* ce dernier soulignant l'aspect accompli, l'état :

> *Ce livre a paru le mois dernier. Ce livre est paru depuis un mois. La nouvelle a paru* (ou *est parue*) *dans la presse de ce matin.*

2. Il paraît que introduit l'énoncé d'une rumeur, d'une idée reçue, et le verbe qui suit est en principe à l'indicatif :

> *Il paraît qu'il a eu un accident.*

On exprime parfois le caractère non confirmé de cette assertion au moyen du conditionnel :

> *Il paraîtrait qu'on a découvert du pétrole dans la région* (ou *Il paraît qu'on aurait découvert...*)

● *À ce qu'il paraît* est plus familier que *paraît-il :*

> *Vous êtes, à ce qu'il paraît, un spécialiste de la question ?*

● *A ce qu'il paraît que, paraît-il que* sont de l'usage populaire : *Paraît-il qu'il a eu un accident. A ce qu'il paraît que personne n'était au courant.*

● *Il* (*me, te,* etc.) *paraît que* au sens de « il (me, te, etc.) semble que » ne se rencontre que dans l'usage littéraire, et le verbe qui suit est soit à l'indicatif, soit au subjonctif dans les mêmes conditions que pour *sembler* (v. ce mot).

● *Il* (*me, te,* etc.) *paraît* + **adj. que** est d'un emploi aussi courant que *il* (*me, te,* etc.) *semble* + *adj. que.* Le verbe qui suit est à l'indicatif ou au subjonctif selon que l'adjectif indique soit certitude ou probabilité, soit négation, doute, inactualité :

> *Il paraît évident qu'il s'en est aperçu. Il paraît difficile qu'il ne s'en aperçoive pas. Il me paraît utile que vous soyez mis au courant.* (V. SUBJONCTIF 1, et CROIRE, 3 et 4.)

pareil

1. Pareil à, pareil que. La construction *pareil que* est courante, mais dans l'usage surveillé on préfère *pareil à* (ou simplement *comme*) :

Sa maison est pareille aux autres maisons du lotissement (ou *pareille que les autres*). *Le temps est pareil qu'hier* (ou *est comme hier*).

2. *Pareil* s'emploie familièrement comme adverbe :

Ils sont tous les deux habillés pareil (= de la même façon).

parenthèse

Entre parenthèses, par parenthèse. La première de ces deux expressions de même sens est plus usuelle pour introduire une remarque incidente :

J'ai eu affaire au sous-directeur — entre parenthèses (ou *par parenthèse*), *il est plus aimable que le directeur.*

partant

Ce mot invariable (anciennement *par tant*), qui signifie « par conséquent, donc », appartient à l'usage soutenu :

La question est réglée, partant la réclamation est sans objet.

participe

I. PARTICIPE PRÉSENT, ADJECTIF VERBAL, GÉRONDIF.

1. Le participe présent, terminé par *-ant*, est invariable, à la différence de l'adjectif verbal, qui s'accorde :

*C'est une question **intéressant** tous les sportifs. C'est une question **intéressante**.*

Ce qui distingue le participe présent et l'adjectif verbal, c'est leur emploi dans la phrase. Est participe, donc invariable, une forme verbale en *-ant* ayant un complément d'objet, comme dans le premier exemple donné ci-dessus, et généralement une forme verbale en *-ant* ayant un complément circonstanciel (temps, cause, but, etc.) ou suivie d'un adverbe. Est adjectif verbal, donc variable, une forme en *-ant* à laquelle on peut ajouter ou substituer un adjectif qualificatif :

*C'est une question **intéressante** et **délicate**. C'est une question **bizarre**.* V. *Larousse de l'orthographe.*

2. L'adjectif verbal correspond le plus souvent à une forme de la voix active du verbe : une *question intéressante,* c'est une question qui intéresse ; mais dans certains cas, la correspondance de sens est plus complexe : une couleur *voyante* n'est pas celle qui « voit », mais qui « est vue », que l'on voit ; une rue *passante* est celle où l'on passe beaucoup ; une rue *commerçante* est une rue où il y a du commerce, etc.

3. Une forme comme *en chantant* est un gérondif. (V. ce mot.)

II. PARTICIPE PASSÉ. ACCORD.

1. Si l'auxiliaire est *avoir,* le participe passé est invariable sauf si le verbe a un complément d'objet direct placé avant ce participe ; dans ce cas, il s'accorde avec ce complément d'objet :

*Ils ont **couru**. Avez-vous **trouvé** la solution ? Quelle solution avez-vous **trouvée** ? La solution que vous avez **trouvée** est ingénieuse. C'est la réponse qu'il a **faite**.*

● Quand le participe est suivi d'un infinitif, il ne s'accorde éventuellement avec un mot (nom ou pronom) qui le précède que si ce mot s'analyse comme complément d'objet du participe, et non de l'infinitif :

*Quelle solution a-t-on **vue** triompher ?* (= on a vu quelle solution triompher ?). *Quelle solution a-t-on **vu** appliquer ?* (= on a vu qu'on appliquait quelle solution ?).

● Quand le complément d'objet est *en* placé avant le participe, celui-ci reste invariable ou s'accorde avec le nom représenté par *en* :

Il m'a raconté les difficultés qu'il a

eues; *j'en ai* **eu** *aussi* ou *j'en ai eues aussi*.

● Quand le participe est précédé de *l'* représentant toute une proposition, il est invariable :

La difficulté est plus grande que je ne l'aurais **pensé**.

● Les participes *couru, coûté, pesé, valu, vécu* ne s'accordent avec le mot qui les précède que si celui-ci peut s'analyser comme un complément d'objet et non un complément de circonstance :

Les efforts que cette réalisation a **coûtés,** mais *La somme que cette réalisation a* **coûté** (cette réalisation a coûté combien?). *Les aventures qu'il a* **vécues,** mais *Les quatre-vingts ans qu'il a* **vécu** (= pendant lesquels il a vécu).

2. Si l'auxiliaire est *être*, en règle générale le participe passé s'accorde avec le sujet :

Elles sont venues. Ils sont accompagnés. Elle s'est endormie.

● Toutefois, quand il s'agit d'un verbe pronominal, si celui-ci a un complément d'objet direct différent du pronom *se* et placé avant le participe, l'accord ou l'invariabilité ont lieu dans les mêmes conditions que si l'auxiliaire était *avoir :*

Quelle excuse s'est-il **trouvée?** mais *Ils se sont* **trouvé** *des excuses.*

V. *Larousse de l'orthographe.*

III. Participe et sujet du verbe principal

Le participe (présent ou passé) s'emploie parfois en position détachée, en tête de proposition. Dans ce cas, il doit en principe se rapporter au sujet du verbe principal, ce qui est une façon d'éviter tout risque d'ambiguïté ou de cocasserie. En vertu de ce principe, une phrase telle que *Ayant égaré mes clefs, le gardien a appelé un serrurier* présente le gardien comme responsable de la perte des clefs; si celui qui s'exprime veut dire qu'il est, lui, le responsable, il pourra dire :

Comme j'avais égaré mes clefs, le gardien a appelé un serrurier, ou : *Ayant égaré mes clefs, j'ai demandé au gardien d'appeler un serrurier.*

Le plus souvent, le sens est clair même si ce principe n'est pas observé. Toutefois on évite, dans l'usage surveillé, une phrase comme *Espérant que cette réponse vous satisfera, veuillez agréer mes salutations distinguées,* car le sujet non exprimé du verbe principal à l'impératif *veuillez* est *vous,* et le participe présent se rapporte à un *je* non exprimé; on peut corriger :

Espérant que cette réponse vous satisfera, je vous prie d'agréer mes salutations distinguées.

Un principe analogue s'applique au gérondif et à l'infinitif (v. ces mots).

participer

Participer à qqch, c'est y prendre part :

Nous nous engageons à **participer aux** *frais.*

Participer de qqch, c'est en présenter certains caractères :

Un sentiment qui **participe** *à la fois* **de** *la joie et* **de** *la déception.*

partir

1. On dit couramment *partir* **pour** *une destination inconnue, Je pars* **pour** *Paris,* et aussi *Je pars* **à** *Paris,* **vers** *Paris,* **en** *voyage,* **en** *vacances,* **dans** *le Midi,* **sur** *mer, ailleurs; partir se promener.*

2. *Partir* **à** + **infin.** exprime le commencement d'une action (aspect inchoatif) :

Elle partit à rêver (on dit plus couramment *se mettre à, commencer à*).

passé

1. Passé simple / passé composé. Dans l'usage oral, le passé simple (ex. *Il fit*) n'est plus employé, sauf parfois dans certaines provinces; c'est en principe le passé composé (ex. *Il a fait*) qu'on emploie à sa place. Cependant, dans l'usage écrit on utilise l'un ou l'autre de ces temps selon le type d'énoncé et l'aspect de l'action qu'on souligne.

● Dans l'usage écrit, quand on fait le récit d'événements passés ne concernant pas celui qui s'exprime ni celui ou ceux à qui il s'adresse, on emploie le passé simple pour traduire des faits dont on ne souligne pas la relation avec l'actualité présente et dont la durée n'est pas prise en considération :

Christophe Colomb découvrit l'Amérique en 1492.

Ce temps est celui qu'on emploie couramment dans les récits historiques. Dans l'usage oral, la même idée s'exprimerait normalement sous la forme :

Christophe Colomb a découvert l'Amérique en 1492.

● Le passé composé est usuel dans l'usage écrit pour exprimer des faits passés dont on considère l'incidence sur la situation actuelle :

C'est Pasteur qui a découvert le vaccin de la rage (nous disposons aujourd'hui de ce vaccin).

Quand le verbe utilisé est un verbe non-perfectif (v. VERBE, 5), le passé composé souligne en général la cessation d'un état passé :

J'ai habité dix ans dans cette maison (= je n'y habite plus). *J'ai su son adresse* (= je l'ai oubliée).

2. Passé surcomposé. Ce temps est d'un emploi assez rare ; on le rencontre surtout dans des propositions subordonnées de temps, en général avec des verbes perfectifs (v. VERBE, 5) pour insister sur l'aspect accompli (v. ASPECT, 1) :

C'est seulement quand j'ai eu terminé ce travail que je me suis rendu compte de l'erreur (= après avoir terminé).

3. Passé antérieur. Ce temps appartient à l'usage écrit ; il s'emploie ordinairement dans des propositions subordonnées de temps. Il exprime l'aspect accompli (v. ASPECT, 1) du passé simple :

Aussitôt qu'il eut prononcé ce mot, il le regretta (= aussitôt après l'avoir prononcé).

4. Plus-que-parfait. Ce temps exprime l'antériorité par rapport à un événement accompli :

Cela s'est passé comme je l'avais prévu (la prévision est antérieure à l'événement).

On utilise souvent le passé composé pour rendre la même idée quand le rapport d'antériorité est suffisamment clair par ailleurs :

Cela s'est passé comme je l'ai prévu.

● Le plus-que-parfait s'emploie aussi dans une subordonnée de condition introduite par *si*, pour exprimer l'« irréel », c'est-à-dire l'hypothèse non réalisée, par opposition à l'imparfait :

Si j'avais su, je ne serais pas venu (= je ne savais pas).

V. SUBJONCTIF, 3, et IMPARFAIT, 2.

passer

1. Dans la plupart des emplois intransitifs, l'auxiliaire *être* est plus courant que l'auxiliaire *avoir* :

Les pompiers sont passés par la fenêtre. Je suis passé à la poste.

L'auxiliaire *avoir* reste cependant usuel dans quelques emplois, par exemple au sens de

- « perdre sa couleur » : *Ce tissu a passé au soleil* (et non *est passé*).

- « être bien digéré » : *C'est la mousse au chocolat qui n'a pas passé.*

- « être filtré » : *Le café a passé lentement.*

- « s'écouler », en parlant du temps : *Les années ont passé.*

● Dans les emplois transitifs, l'auxiliaire est toujours *avoir* :

Nous avons passé la frontière. J'ai passé dix ans à l'étranger.

2. *Passer* s'emploie familièrement comme verbe attributif au sens de

« être promu, nommé » (auxiliaire *avoir* ou *être*) :

> *Il va bientôt **passer sergent**. Il a (ou est) **passé chef**.*

3. *Passer pour* signifiant « être considéré comme » introduit un nom ou un adjectif attribut (auxiliaire *avoir*) :

> *Il **passe pour** un **spécialiste** de la question. Ce tableau a longtemps **passé pour authentique**.*

passif

1. Il y a équivalence générale de sens entre les deux phrases :

> *La chaleur dilate les métaux. Les métaux sont dilatés par la chaleur.*

Cependant la première a plus de chances d'apparaître dans un contexte relatif à la chaleur et à ses effets, la seconde dans un contexte relatif aux métaux et à leurs propriétés (rôle de « thème » du sujet de la phrase). Il y a en général une différence de valeur, sous tel ou tel rapport, entre la phrase active et la phrase passive correspondante.

2. Action/état. Si on peut dire à peu près indifféremment :

> *On apprécie ces fruits* ou *Ces fruits sont appréciés,*

il y a une différence nette de sens entre :

> *On tond la pelouse* (action en cours, ou habituelle)

et

> *La pelouse est tondue* (état actuel).

Sans aucun complément et spécialement sans complément d'agent, de nombreux verbes — les verbes perfectifs — n'expriment au passif que l'état (aspect accompli). La mention d'un agent permet d'exprimer l'action actuellement ou habituellement en cours :

> *La pelouse est tondue par les jardiniers municipaux.*

3. Passif impersonnel, v. IMPERSONNEL, 2.

4. Pronominal-passif. Le pronominal peut être l'équivalent d'un passif.

À la phrase active :

> *On vend ces articles sur les marchés,*

correspondent à peu près indifféremment les deux phrases :

> *Ces articles sont vendus sur les marchés. Ces articles se vendent sur les marchés.*

Ce pronominal-passif peut être construit impersonnellement :

> *Il se vend beaucoup de ces articles sur les marchés.*

● On évite l'emploi du pronominal chaque fois qu'il pourrait donner lieu à des ambiguïtés ou à des cocasseries. On ne dira évidemment pas :

> **Le soldat s'est décoré* pour signifier *Le soldat a été décoré,* ni **Les cartes se battent avant chaque partie,* mais *On bat les cartes...,* ou *Les cartes sont battues...*

● Le pronominal-passif ne reçoit pas de complément d'agent. (V. [COMPLÉMENT D']AGENT, 4.)

5. Autres substituts du passif. D'autres constructions peuvent être substituées à la conjugaison passive, avec des valeurs particulières, entre autres l'infinitif introduit par *se faire, se laisser, se voir, s'entendre* :

> *Il **s'est fait** (ou **s'est entendu,** ou **s'est vu**) condamner par le tribunal. Elle ne **s'est** pas **laissé** convaincre.*

● Ce recours aux auxiliaires pronominaux d'infinitif permet d'employer comme sujet de phrase un mot qui, à l'actif, serait un complément construit indirectement, c'est-à-dire avec préposition, puisqu'on sait qu'un verbe ne peut normalement être mis au passif que si on peut lui donner comme sujet le complément d'objet direct de l'actif correspondant :

> *Il **s'est fait** (ou **entendu,** ou **vu**) **interdire** l'accès de la salle* (= on lui a interdit l'accès).

● On peut aussi employer des locutions telles que *être* (ou *faire*) *l'objet*

de, être la cible, la victime de, etc. :
Cette question **a été l'objet d'**un débat (= a été débattue).

peine

1. À peine... que. Cette construction indique une relation de temps : l'action ou l'état exprimés dans la deuxième proposition suivent de très près ceux de la première :

Il était à peine arrivé qu'il parlait de repartir.

La conjonction *que* est parfois omise, notamment quand la première proposition se réduit par ellipse à un participe ou à un complément circonstanciel :

À peine arrivé (ou à peine dans la maison), il parlait de repartir.

● **À peine ... quand, ou lorsque** traduit la même relation, mais la deuxième proposition a un verbe au passé composé ou au passé simple, et non à l'imparfait :

Il était à peine arrivé quand (ou lorsque) l'orage **a éclaté.**

● Quand *à peine* est en tête de la première proposition, il y a ordinairement inversion (simple ou complexe) du sujet, du moins dans l'usage soutenu :

À peine **était-il** arrivé qu'il parlait de repartir. À peine **Pierre était-il** arrivé que... (v. INVERSION DU SUJET, 1, *b*).

Parfois cette inversion n'a pas lieu, surtout dans un usage plus familier :

À peine il était arrivé que...

2. À peine de qqch. Cette expression signifie « un tout petit peu de quelque chose » :

Je prendrai une tasse de thé avec **à peine de lait.**

3. À peine de nullité est une locution de la langue juridique ; dans l'usage courant ou administratif, on dit *sous peine de* :

Défense d'entrer sous peine d'amende. Il faut partir tout de suite sous peine d'être en retard.

penser

1. Penser que. Pour le choix du mode de la subordonnée, v. CROIRE, 1, 2, 3, 4, 5.

2. Penser que + indic./penser + infin. En cas de transformation infinitive (identité de sujet entre *penser* et le verbe de la subordonnée), l'infinitif peut correspondre soit à un présent, soit à un futur de l'indicatif :

Je **pense être** suffisamment informé (= que je suis). Je **pense être** prêt à votre arrivée (= que je serai)

Sur ce point, l'emploi de *penser* est un peu différent de celui de *croire* ; en effet, l'infinitif qui peut suivre *croire* n'exprime normalement pas le futur. Au lieu de **Je crois être prêt à votre arrivée*, on dit *Je crois que je serai prêt...* (ou *Je pense être prêt...*).

3. Penser à + infin. signifie « ne pas oublier de » :

Tu penseras **à éteindre** l'électricité en sortant.

4. Penser un projet, etc., c'est le concevoir en détail (usage soutenu).

5. Penser = faillir, manquer de. Cet emploi est archaïque avec un nom de personne comme sujet, et aujourd'hui hors d'usage avec un nom de chose comme sujet :

Il a pensé s'évanouir à cette nouvelle.

6. Se penser. La construction pronominale *Je me suis pensé que ...* est d'un usage régional.

7. Tu penses !/penses-tu ! *Tu penses !* souligne familièrement une affirmation en la présentant comme naturelle :

Il a dévoré ce repas : tu penses, il n'avait rien mangé depuis trois jours !

● *Penses-tu !* est une exclamation familière de dénégation :

Est-ce qu'on a retrouvé les objets volés ? — Penses-tu ! Il y a longtemps *qu'ils sont passés à l'étranger !* (= bien sûr que non !).

On emploie de même au pluriel, avec une valeur moins familière, *Vous pensez !* et *Pensez-vous !*

personne

1. *Personne* + *ne.* Le plus souvent, *personne* s'emploie avec *ne* ou *ne plus*, *ne jamais* (mais non *ne pas*) :

Personne n'est venu. Il n'y a (plus, jamais) personne. Je ne veux voir personne (et non **Je ne veux pas voir personne*).

2. *Personne* sans *ne.* *Personne* peut aussi être utilisé sans *ne*, dans des phrases exprimant l'idée négative par d'autres moyens grammaticaux ou par le vocabulaire ; il peut alors être remplacé par *quelqu'un* ou *qui que ce soit*, *quiconque* :

*Je dis cela **sans** vouloir critiquer **personne**. Il est **trop** égoïste pour s'intéresser à **personne*** (= il ne peut, vu son égoïsme, s'intéresser à qui que ce soit). *Partez **avant** que personne s'en aperçoive. Il est **incapable** de nuire à **personne.** J'interdis que **personne** entre.*

● Dans une phrase comme *Je **ne** veux **pas** que **personne** le sache,* le pronom *personne* est bien employé sans *ne* dans sa proposition : c'est dans la principale que se trouve *ne pas.*

● *Personne* s'emploie aussi dans des phrases interrogatives ou exprimant un doute :

*Y a-t-il **personne** qui prétende le contraire ? (on dit plutôt : Y a-t-il quelqu'un). Il est **peu probable** que personne s'y trompe* (ou *que quelqu'un s'y trompe*).

● *Personne* s'emploie sans *ne* dans le deuxième terme d'un système comparatif :

*Il est **plus** rusé que **personne.** Cela me surprend **moins** que **personne.***

3. *Personne de* + **adj.** Un adjectif (ou un participe) qualifiant *personne* est précédé de la préposition *de* :

*Il n'y a personne **de satisfait** par cette décision.*

Devant *autre,* de est parfois omis :

*Personne **autre** que lui n'est au courant,* ou, plus ordinairement : *personne **d'autre** que lui.*

persuader

1. *Persuader qqn (de qqch),* ou *de* + **infin.,** ou *que* + **indic.** est la construction la plus usuelle :

*Tous ses arguments n'ont pas réussi à **me** persuader. Il a persuadé le jury **de** son innocence. On **l'**a persuadé **de renoncer** à son projet,* ou *que son projet **était** irréalisable.*

● *Persuader à qqn qqch,* ou *de* + infin., ou *que* + indic. est une construction beaucoup moins habituelle :

*Nous **lui** avons persuadé l'intérêt de l'opération,* ou *de renoncer à son projet,* ou *que son projet **était** irréalisable.*

2. *Se persuader (de) qqch / que* + **indic.** On dit

*Ils se sont persuadés **de** la justesse de ces prévisions,*

ou, plus rarement :

Ils se sont persuadé la justesse de ces prévisions. Ils se sont persuadés (ou *persuadé*) *que ces prévisions **étaient** justes.*

phrase, proposition

1. L'énoncé *Je viendrai quand on m'appellera* est une phrase, elle-même constituée de deux phrases : *Je viendrai,* et *quand on m'appellera.* Quand des phrases sont des parties de phrases plus grandes, on les appelle aussi des « propositions ». Ainsi la phrase *Je viendrai quand on m'appellera* est composée de deux propositions reliées entre elles par subordination (v. ce mot) : *Je viendrai* est la proposition principale, et *quand on m'appellera* est la proposition subordonnée.

2. Types et formes de phrases. Une phrase se présente sous un des quatre types suivants (appelés aussi modalités) :

- déclaratif : *Tu fais bien ton travail.*
- interrogatif : ***Est-ce que*** *tu fais bien ton travail ?*
- impératif : ***Fais*** *bien ton travail.*
- exclamatif : ***Comme*** *tu fais bien ton travail !*

● Dans tous les exemples précédents, les phrases sont à la forme active, affirmative et non-emphatique (c'est-à-dire sans mise en relief d'un terme). Mais une phrase peut être, au contraire.

- à la forme (ou voix) passive, ex. *Le travail **est fait** par les autres.*
- négative, ex. *Tu **ne** fais **pas** bien ton travail.*
- emphatique, ex. *Tu le fais bien, **ton travail*** (mise en relief de *ton travail*).

pire/pis

1. *Pire* équivaut le plus souvent à « plus mauvais, plus fâcheux » ; il s'emploie en particulier, mais non exclusivement, dans des tours locutionnels et comme nom :

Le remède est pire que le mal. Ce n'est pas très beau, mais j'ai vu pire. Nous étions dans les pires conditions. Le pire, c'est qu'on ne se doutait de rien. Il faut s'attendre au pire.

2. *Pis* n'a plus d'emploi que dans l'usage littéraire, comme adjectif attribut d'un pronom « neutre » (*ce, rien, quelque chose*, etc.), au sens de « plus mauvais » ou comme adverbe au sens de « plus mal ». Dans l'usage courant, il est remplacé par pire :

C'est bien pis que je ne pensais (usage courant : *C'est bien pire*). *Il n'y a rien de pis que cela (rien de pire). Dire pis que pendre de quelqu'un (pire que pendre). Tout va de mal en pis (de mal en pire). Qui pis est* [en incise] *(Ce qui est bien pire).*

3. *Tant pis* reste l'expression la plus courante ; **tant pire* est de l'usage populaire.

4. **Aussi pire, *moins pire, *plus pire.* Ces expressions sont exclues de l'usage surveillé. Au lieu de **C'est moins pire que je pensais,* on dira, par exemple :

C'est moins grave que je ne pensais, ou *Ce n'est pas aussi mauvais...*

plaire

1. *Il me (te, etc.) plaît de + infin.* est une construction de l'usage soutenu :

Vous plairait-il d'assister à ce spectacle ? (usage courant : *Est-ce que cela vous plairait de... ?* ou *Aimeriez-vous... ?*).

2. *Plaise à Dieu (au ciel) que, plût à Dieu (au ciel) que + subj.* Ces formules, de caractère très littéraire, expriment un souhait, un regret :

Plaise à Dieu que ce soit vrai ! (= pourvu que...). *Plût à Dieu qu'il n'eût rien dit !* (= ah, si seulement il n'avait rien dit !).

● *À Dieu ne plaise que... !* exprime littérairement un souhait négatif :

À Dieu ne plaise que vous lui ressembliez ! (= pourvu que vous ne lui ressembliez pas !)

3. *Plaise à la Cour, au tribunal + infin.* est une formule juridique de requête : *Plaise au tribunal déclarer que...*

4. *Se plaire à + infin.* est de l'usage soutenu :

Elle s'est toujours plu à mystifier son entourage (usage courant : *Elle a toujours aimé..., pris plaisir à...*).

5. *Ce qui (ou qu'il) me plaît,* v. QUI, 6.

pléonasme

Il y a pléonasme quand dans une même phrase on utilise un ou plusieurs mots faisant double emploi avec un autre.

Certains pléonasmes constituent des incorrections grammaticales caractérisées, comme dans les expressions *la maison où j'y habite, *c'est plus pire. D'autres apparaissent comme des maladresses en raison de l'inutilité absolue du mot superflu : *reculer en arrière, enfin finalement, un ongle incarné dans la chair.* Dans de nombreux cas, le pléonasme est passé dans l'usage courant et ne choque que des critiques vétilleux : *un petit nain.* Beaucoup de pléonasmes s'expliquent par le besoin d'ajouter à l'information logique une marque affective d'insistance. Dans la phrase *Il m'a écrit cela de sa propre main,* l'expression *de sa main* précise le sens du verbe *écrire :* la lettre n'était pas dactylographiée, ni écrite par quelqu'un d'autre sous la dictée — il n'y a pas vraiment pléonasme ; l'adjectif *propre* forme, si l'on veut, pléonasme avec le possessif, mais il insiste sur la responsabilité de la personne qui a écrit. Il y aurait un pléonasme difficilement défendable si on ajoutait : *dans une lettre manuscrite.*

(la) plupart

La plupart de sert de déterminant à un nom pluriel, sauf dans l'expression *la plupart du temps.* On ne dit pas *la plupart de l'assistance* mais, par exemple, *la plus grande partie de l'assistance.* Quand le groupe *la plupart de* + nom est sujet, le verbe est au pluriel :

> *La plupart des gens **ont compris.***

Même accord au pluriel si le nom n'est pas exprimé :

> *La plupart **ont compris.*** (V. COLLECTIF et ENTRE, 1.)

plus, moins, mieux

1. *Le plus/la (les) plus* + **adj.** Dans l'usage soutenu, on distingue :

> *C'est en hiver que les fleurs sont le plus chères* et *De toutes ces fleurs, les orchidées sont les plus chères.*

L'article défini s'accorde seulement quand il y a comparaison entre des êtres ou des choses, et non entre des qualités, des degrés d'un même être ou d'une même chose. Pratiquement, l'accord se fait quand on peut introduire avant le superlatif le nom avec lequel s'accorde l'adjectif ; on peut dire :

> *De toutes ces fleurs, les orchidées sont les fleurs **les plus chères,*** mais non *C'est en hiver que les fleurs sont les fleurs les plus chères.*

De même pour *le moins, le mieux :*

> *C'est dans cette robe que votre fille est **le mieux habillée,*** mais : *C'est de toutes les invitées **la mieux habillée.***

● Dans l'usage courant, on accorde toujours l'article :

> *C'est en hiver que les fleurs sont **les** plus chères. C'est dans cette robe qu'elle est **la** mieux habillée.*

2. *Des plus, des moins, des mieux* devant un adjectif ou un participe lui confèrent une valeur particulièrement élevée (ou particulièrement faible pour *des moins*) :

> *Ce cadeau est **des plus** originaux* (= particulièrement original). *Le plan était **des mieux conçus*** (= très bien conçu). *Le succès est **des moins** assurés* (= n'est pas du tout assuré). Ce sont donc des équivalents de superlatifs absolus.

● L'adjectif ou le participe se met normalement au pluriel, conformément à la formation de cette construction :

> *Ce cadeau est [un cadeau] des* (= *parmi les*) [*cadeaux les*] *plus* **originaux.**

Cependant, parfois si le sujet est singulier, l'adjectif ou le participe reste au singulier, parce qu'il est interprété comme un simple attribut du sujet au superlatif :

> *La situation est des plus **embarrassante.***

● Avec un sujet « neutre » comme *ce, cela, voilà qui,* l'adjectif reste au singulier :

*Voilà qui est des plus **normal**.*

3. *Des plus* s'emploie parfois avec un adverbe au sens de «très» (usage soutenu) :

J'ai trouvé la solution des plus facilement.

4. *Des mieux,* au sens de «très bien, on ne peut mieux», est de l'usage soutenu :

Voilà qui se présente des mieux.

5. On ne peut plus, on ne peut mieux, v. POUVOIR, 6.

6. Plus ..., (et) plus (ou **moins, mieux), etc.** On peut combiner diversement ces adverbes d'intensité pour exprimer par des propositions juxtaposées une corrélation d'augmentation ou de diminution :

***Plus** on le connaît, **plus** on apprécie ses qualités. **Plus** tu insisteras, et **moins** il t'écoutera. **Moins** je le vois, **mieux** je me porte.*

● Les formes *au plus..., au plus,* etc., *le plus... le plus...,* etc., *tant plus..., tant plus...* etc. sont exclues de l'usage surveillé : *Tant plus ils en ont, tant moins ils veulent partager.*

7. De plus/en plus. Ces expressions sont parfois à peu près équivalentes :

*Prenez les mesures, en ajoutant quelques centimètres **de plus,** ou **en plus.** En plus insiste davantage que de plus sur le caractère surajouté de quelque chose (= en outre, par-dessus le marché). Ces remarques s'appliquent à de moins et en moins, de trop et en trop.*

● On dit *Il y a cent francs de plus que prévu* ou *en plus de ce qui était prévu.*

● *De plus* en tête de phrase est un adverbe de liaison ; dans cet emploi il équivaut à «en outre» :

La nuit était noire. De plus, il pleuvait.

Dans l'usage familier, on utilise parfois *en plus* dans ce sens.

plusieurs

1. Plusieurs indique un nombre supérieur à l'unité, et qui peut commencer à deux :

Il faudra plusieurs voyages pour tout transporter (= deux, trois, quatre, etc.).

On dit cependant couramment :

Il faudra deux ou plusieurs voyages (= deux voyages ou plus).

2. Quand *plusieurs* employé pronominalement ne représente pas un nom ou un pronom exprimé avant ou après lui, il signifie «plusieurs personnes» ; cet emploi est de l'usage soutenu et ne se rencontre guère aujourd'hui que dans la fonction sujet :

Plusieurs croient que ce récit est une légende.

possession

On dit soit *L'expert **est en** possession du dossier* (ou *a le dossier **en sa** possession*), soit *Le dossier **est en la** possession de l'expert.* Le sens général de ces phrases est le même : « L'expert a entre ses mains le dossier » ou « Le dossier est entre les mains de l'expert ».

possible

1. Le plus (de) ... possible. *Possible* s'emploie comme élément d'un système de superlatif d'adjectif ou d'adverbe, en rapport avec *le plus, le moins, le mieux, le meilleur, le pire* ; dans cet emploi, on le laisse en règle générale invariable :

Veuillez agir dans les délais les plus brefs possible. Résumons les faits le plus clairement possible. Nous avons retenu les solutions les meilleures possible. Approchez-vous le plus possible.

● *Possible* sert aussi à compléter les expressions *le plus de, le moins de* + n., et il reste en principe invariable :

Faites le moins de bruit possible. Il

faut informer le plus de gens possible (ou *le plus possible de gens*).

● *Possible* s'emploie comme adjectif variable quand il se rapporte simplement au nom avec sa valeur habituelle :

On a examiné toutes les solutions possibles, les meilleures solutions possibles (= réalisables).

2. *Au possible* placé après un adjectif lui donne une valeur de superlatif absolu (usage familier) :

Il est paresseux au possible (= très paresseux, on ne peut plus paresseux).

3. *C'est pas possible !* Cette exclamation familière traduit l'incrédulité, la grande surprise :

C'est pas possible ! Tu as déjà fini ? (= c'est pas vrai !).

pour

1. *Pour (que)/afin (de, que).* *Pour, pour que* exprimant le but sont d'un usage plus ordinaire que *afin de, afin que,* de même sens, mais appartenant à un usage un peu plus soutenu. (V. BUT.)

2. **Pour ne pas que.* Ce tour, assez fréquent dans l'usage oral, est évité dans l'usage surveillé. Au lieu de **Cache-toi, pour (ne) pas qu'on te voie,* on dira et surtout on écrira :

Cache-toi, pour qu'on ne te voie pas (ou *pour éviter qu'on te voie,* ou *de peur qu'on* [*ne*] *te voie*).

3. *Pour causal. Pour* suivi d'un infinitif passé exprime la cause :

Pour avoir négligé ce détail, il risque d'échouer (= parce qu'il a négligé ce détail).

L'emploi de l'infinitif présent après *pour* au sens causal est archaïsant.

4. *Pour concessif. Pour* suivi d'un infinitif présent, aussi bien présent que passé, peut exprimer dans un usage soutenu un rapport d'opposition, de concession quand le verbe principal est négatif ou interrogatif :

Pour avoir passé une nuit blanche, il ne semblait pas trop fatigué (on dit plus couramment : *pour quelqu'un qui avait passé...*). *Pour être surprenante, cette histoire n'en est pas moins vraie* (ou *cette histoire en est-elle moins vraie ?*) [= bien qu'elle soit surprenante, ou : elle a beau être surprenante].

● *Pour* + **adj.** + *que* + **subj.** Cette expression concessive équivaut dans l'usage soutenu, à *si ... que ... :*

Pour surprenante que soit cette histoire, elle n'en est pas moins vraie.

La construction *pour si* + adj. + *que* + subj. *(Pour si surprenant que ce soit ...)* est assez répandue ; on y observe le cumul de *pour* et de *si,* alors que l'un ou l'autre de ces mots serait suffisant : *Si surprenant que ...*

● *Pour autant (que),* v. AUTANT, 2 et 3.

5. *Aller pour, être pour* + **infin.** expriment familièrement une action qu'on se dispose à faire quand survient un événement (= être sur le point de, aller) :

Comme il allait pour sortir (ou *comme il était pour sortir*), *il a reçu un coup de téléphone.*

● *Être pour* + **infin.** peut signifier aussi « être de nature à », particulièrement à la forme négative :

Cet échec n'est pas pour nous décourager.

● *Être pour* + **infin.**, *être pour que* + **subj.** se dit, surtout dans l'usage oral, au sens de « être partisan de, être d'avis que » :

Je suis pour engager des négociations, pour qu'on engage des négociations. (V. n° 10.)

6. *Pour après, pour quand. Pour* peut s'employer avec une valeur de but devant une préposition ou une conjonction de temps :

La réunion est prévue pour avant (ou *après*) *les vacances, pour dans un mois. Il fait des projets pour quand il sera à la retraite* (on préfère souvent dire *pour le jour, le moment où,* ou encore, plus simplement, *pour la retraite,* etc.).

7. Pour de bon, pour de vrai, pour de rire. *Pour de bon* (= vraiment, réellement) est la forme courante actuelle :

Je me demande s'il est malade pour de bon.

Pour tout de bon et surtout *tout de bon* sont archaïsants. *Pour de vrai* (même sens) est plus familier. *Pour de rire,* qui exprime une idée contraire, est très familier ; on dit plus couramment :

C'était pour rire, pour plaisanter, ou *Ce n'était pas sérieux.*

8. Pour sûr (que) est familier :

On aurait pu éviter cela, pour sûr. Pour sûr qu'il se trompe.

Dans un usage plus soutenu, on dit *sûrement, assurément, bien sûr, c'est sûr.*

9. Pour de mise en relief. *Pour* sert à mettre un mot en relief, en tête d'énoncé, au sens de « quant à » :

Pour le reste, on verra plus tard (on dit aussi *pour ce qui est de*).

On l'emploie bien, en particulier, devant les pronoms de la 1re personne du singulier ou du pluriel :

Pour moi, je saurai me défendre. Pour nous, nous n'y voyons pas d'inconvénient.

● *Pour moi,* non repris par un pronom, signifie, surtout dans l'usage oral, « à mon avis, selon moi » :

Pour moi, il ne va rien se passer.

● La construction du type *Pour une surprise, c'est une surprise* (= c'est vraiment une surprise) est courante, surtout dans l'usage oral.

● La mise en relief d'un adjectif attribut par *pour* (*Pour naïf, il l'était*) est de l'usage soutenu. (V. [MISE EN] RELIEF.)

10. Pour employé absolument. L'emploi de *pour* sans pronom complément (*lui, cela,* etc.) représentant ce qui a été exprimé est de l'usage familier :

Ce projet est intéressant : je suis pour, je vote pour. Il y a des arguments pour. Cette publicité a intrigué : elle était prévue pour.

pouvoir

1. Ce verbe ne reçoit pas de nom comme complément d'objet. Il s'emploie surtout comme auxiliaire d'un infinitif (parfois non exprimé : *Je fais comme je peux* [*faire*]) et indique

- la capacité, la possibilité d'accomplir quelque chose : *Pouvez-vous soulever cette caisse ?*

- ou l'autorisation : *Vous pouvez rentrer chez vous ;*

- ou l'éventualité : *Il pourrait bien pleuvoir ;*

- ou une approximation : *Il peut y avoir dix ans de cela.*

2. Je peux, je puis. *Je puis* est une variante littéraire de *je peux,* qui est la seule forme couramment utilisée. À la forme interrogative, **Peux-je* est inusité ; on dit *Puis-je ?* (usage soutenu) ou *Est-ce que je peux ?* (usage courant).

3. Pouvoir et la négation. À la différence de ce qui a lieu pour *vouloir, devoir, falloir* (v. NÉGATION, 10), la négation *ne ... pas* s'applique, selon sa place, soit à *pouvoir,* soit à l'infinitif qu'il introduit :

Je ne peux pas le dire/Je peux ne pas le dire.

Ces deux phrases ont des sens bien différents : « Je n'ai pas la possibilité de le dire » ou « J'ai la possibilité de ne pas le dire ».

4. Je ne puis + infin. [sans « pas »], v. NÉGATION, 5.

5. Il se peut que (usage soutenu) introduit une proposition dont le verbe est au subjonctif :

*Il se peut qu'une erreur **ait été** commise.*

On dit plus habituellement : *Il est possible que...* ou, très familièrement : *Ça se peut que...*

● *Ça se peut* est un équivalent familier de « c'est possible » :

> *Il paraît que cette histoire est vraie : ça se peut (bien). Je me demande des fois comment ça se peut.*

6. On ne peut plus, on ne peut mieux. Dans ces expressions le verbe reste toujours au présent.

● *On ne peut plus* + adj. ou adv. signifie « extrêmement, tout à fait » ; *on ne peut moins* signifie « pas du tout » :

> *La solution est on ne peut plus facile. Les circonstances étaient on ne peut moins favorables* (= très défavorables).

● *On ne peut mieux* signifie « très bien, parfaitement » :

> *Cette remarque s'applique on ne peut mieux à la situation actuelle.*

7. Puissé-je, etc. Le subjonctif présent de *pouvoir*, avec inversion du sujet, exprime un souhait (usage soutenu) :

> *Puissé-je me tromper ! Puissent de tels événements ne jamais se reproduire !*

8. Pouvoir + peut-être. Il y aurait scrupule excessif à craindre d'employer l'adverbe *peut-être* avec le verbe *pouvoir* sous prétexte qu'il contient déjà ce verbe. On dit très normalement : *Ce renseignement pourra peut-être vous aider.*

préférer

1. Préférer qqch à qqch. Si les termes mis en comparaison sont des noms ou des pronoms, ils sont reliés par *à* :

> *Nous préférons la discussion aux querelles.*

2. Préférer de + infin. est archaïsant. On dit : *Je préfère ignorer cela* plutôt que *Je préfère d'ignorer cela.*

3. Préférer + infin. plutôt que (de) + infin. Les infinitifs compléments de *préférer* sont en principe reliés par *plutôt que de* :

> *Nous préférons discuter plutôt que de nous quereller.*

La liaison par *à* (*Nous préférons discuter à nous quereller*) est plus rare.

Il est assez fréquent que le deuxième terme soit introduit simplement par *que (de)* :

> *Nous préférons discuter que (de) nous quereller. Je préfère être en avance qu'en retard* (dans ce cas, on emploie plutôt *aimer mieux* dans l'usage surveillé).

4. Préférer que + subj. (plutôt) que de + infin. Il n'est pas possible d'employer comme deuxième complément une subordonnée par *que* au subjonctif. On dit donc par exemple :

> *Nous préférons qu'on discute (plutôt) que de nous quereller* et non **Nous préférons qu'on discute (que) qu'on se quereille.*

préjuger

Ce verbe s'emploie le plus souvent dans une phrase négative. La construction directe (par ex. *préjuger un résultat*), autrefois courante, est bien moins usuelle aujourd'hui que la construction avec *de* :

> *On ne saurait préjuger de la décision avant le débat. Je constate les faits sans préjuger de la suite des événements.*

La construction directe est un peu plus courante avec le pronom complément *rien* :

> *Je ne peux rien préjuger sur cette question.*

prendre

1. Prendre qqn ou qqch pour (ou comme) + n. (sans déterminant), c'est l'utiliser comme tel :

> *On l'a pris pour modèle. Je prendrai pour exemple le cas suivant.*

On dit aussi, dans le même sens, *prendre comme* :

*Je prendrai **comme** exemple le cas suivant.*

2. ***Prendre qqn* ou *qqch* pour** **+ n.** (avec déterminant), c'est commettre une méprise en se trompant sur l'identité de quelqu'un ou la nature de quelque chose :

*On le prend souvent **pour** son frère. De loin, j'avais pris cette tour **pour** un clocher.*

3. On dit *Les douleurs **l'**ont pris dans la nuit*, ou ***lui** ont pris dans la nuit*, mais toujours *Qu'est-ce qui **lui** prend ?* (et non **Qu'est-ce qui le prend ?*).

4. ***Prendre* + n.** (abstrait) exprime souvent une action qui commence, qui se développe (aspect inchoatif) :

Le papier prend feu. Prenez courage. Il prend de l'âge, de l'autorité.

5. ***Se prendre à* + infin.** est un équivalent soutenu de *se mettre à* :

*Il se prit **à regretter** le temps passé.*

6. ***Se prendre de* + n.** (sentiment), c'est se laisser gagner par un sentiment :

*Ils s'étaient pris **de sympathie** l'un pour l'autre.*

7. **S'en prendre à qqn,** c'est l'attaquer, le critiquer :

Il s'en prenait à tous les fonctionnaires.

préposition

1. *À, de, par, pour, dans, en, sur, avec, outre,* etc. sont des prépositions, c'est-à-dire des mots invariables introduisant des mots le plus souvent compléments. Un complément introduit par une préposition est appelé complément prépositionnel.

● *À côté de, à l'exception de, en comparaison de, en plus de, par rapport à, par-dessus,* etc. sont des locutions prépositives, c'est-à-dire des prépositions composées de plusieurs mots.

2. **Emploi adverbial.** De nombreuses prépositions peuvent jouer un rôle d'adverbe, surtout dans l'usage familier, quand on les emploie absolument, c'est-à-dire sans le nom ou le pronom qu'on pourrait exprimer après elles :

*J'aperçois une maison, et un jardin **derrière** (= derrière elle). (V. AVEC, 4 ; SANS, 7 ; POUR, 10 ; CONTRE, 3 ; ENCONTRE.)*

3. **Répétition de la préposition.** Quand plusieurs compléments prépositionnels sont coordonnés, la préposition peut généralement être répétée avant chacun d'eux ; cependant, dans de nombreux cas on ne la répète pas :

*Recevez mes meilleurs vœux **pour** vous et (pour) votre famille.*

La non-répétition est usuelle en particulier avec *à, de, en* quand le groupe de compléments est une locution figée : *passer son temps **à** aller et venir, **en** mon âme et conscience,* ou désigne un ensemble : *les conseils **de** ses parents et amis,* ou encore quand ces compléments sont coordonnés par *ou* : *faire un travail **en** cinq ou six jours.*

● Après *autre (chose) que,* la préposition est tantôt répétée, tantôt non répétée :

*En disant cela, je pensais **à** tout autre que lui (ou qu'à lui). Il ne peut parler **d'**autre chose que (de) cela.*

V. UN, 6.

prêt, près

Prêt à/près de. *Prêt à* indique une disposition de quelqu'un ou de quelque chose à accomplir ou à subir une action :

Nous sommes prêts à partir, prêts au départ. L'appareil est prêt à fonctionner. Le contrat est prêt à être signé. Un costume prêt à porter.

● *Près de* peut indiquer la proximité dans le temps, le caractère imminent de quelque chose :

L'expérience était près de réussir quand cet incident est survenu

(= sur le point de réussir). *Je ne suis pas près de recommencer* (= je ne recommencerai pas de sitôt, c'est-à-dire : je ne recommencerai pas). [La phrase *Je ne suis pas prêt à recommencer* signifie plutôt : « je recommencerai, mais je n'y suis pas encore prêt. »]

● Dans certaines phrases, on peut employer à peu près indifféremment *près de* ou *prêt à :*

> La maison semblait **près de** s'écrouler, ou **prête à** s'écrouler.

prétendre

1. Prétendre que + **indic.** / *prétendre* + **infin.** Quand *prétendre* exprime une déclaration (« soutenir avec force »), la subordonnée conjonctive par *que* qui en dépend est à l'indicatif :

> Je prétends que c'**est** la seule solution raisonnable.

Toutefois, on peut avoir le subjonctif ou le conditionnel dans les mêmes conditions qu'après *croire* (v. ce mot).

● En cas d'identité de sujet entre *prétendre* et le verbe de la subordonnée, celle-ci peut prendre la forme infinitive :

> Je prétends **pouvoir** le faire (ou *que je* **peux** *le faire*).

2. Prétendre que + **subj.** / *prétendre* + **infin.** Quand *prétendre* exprime une volonté, la subordonnée conjonctive par *que* qui en dépend est au subjonctif (usage soutenu) :

> Je prétends simplement que chacun **reçoive** sa juste part.

● En cas d'identité de sujet entre *prétendre* et le verbe de la subordonnée qui en dépend, celle-ci est nécessairement de la forme infinitive :

> Je prétends **recevoir** la part qui me revient.

3. Prétendre à qqch, c'est y aspirer légitimement, le revendiquer (usage soutenu) :

> Il peut prétendre aux plus hautes fonctions.

Cette construction s'oppose à *prétendre qqch* (avec seulement un pronom ou le nom *chose* comme complément), « le déclarer fermement » (sens du n° 1) :

> Je n'ai jamais prétendu cela, ou *une chose pareille.*

primer

On dit **primer qqch** au sens de « l'emporter, prévaloir sur qqch » : *La force prime le droit,* ou, en emploi absolu : *Entre ces urgences, c'est celle-ci qui prime.*

La construction **primer sur qqch** tend aussi à se répandre :

> Cette considération prime sur toutes les autres.

prix

Au prix de s'emploie ordinairement, outre sa signification commerciale, au sens de « moyennant, en échange de » :

> Il a réussi à s'en tirer au prix d'un gros effort.

● L'emploi de cette locution dans l'expression d'une comparaison est un archaïsme littéraire :

> Vos difficultés ne sont rien au prix des nôtres (usage courant : *auprès des nôtres* ou *en comparaison des nôtres*).

prochain, dernier

1. Quand ces adjectifs sont placés après un complément de temps précédé de l'article défini ou désignant un jour de la semaine, ils indiquent ce qui est le plus rapproché, dans l'avenir ou dans le passé, du moment où l'on parle :

> J'irai le voir la semaine **prochaine,** lundi **prochain.** Je l'ai vu la semaine **dernière,** jeudi **dernier** (ou, plus rarement, *la semaine passée*).

● Pour indiquer le moment le plus rapproché par rapport à un autre moment que celui où l'on parle, on emploie après le nom les adjectifs *suivant* ou *précédent,* ou les expressions *d'avant, d'après :*

> *Je serai absent la semaine prochaine, mais la semaine* **suivante,** *le lundi* **suivant** *(ou la semaine, le lundi* **d'après),** *j'irai le voir. Cette année-là, il y a eu des inondations ; l'année* **précédente** *(ou l'année* **d'avant),** *c'était la sécheresse.*

2. Par rapport au moment où l'on parle, *prochain* et *dernier* peuvent être librement placés avant ou après quelques noms compléments de temps : *la prochaine, la dernière fois,* ou *la fois prochaine, la fois dernière ; le prochain, le dernier week-end* ou *le week-end prochain, le week-end dernier.*

profiter

1. *Profiter (de ce) que.* La construction *profiter que* + indic. est exclue de l'usage surveillé, où l'on dit :

> *Je profite* **de ce que** *vous êtes là pour vous poser la question,* et non **Je profite que vous êtes là.*

2. *Occasion à profiter.* Cette expression est usuelle dans la langue du commerce. Elle présente une anomalie du fait que *profiter de,* verbe transitif indirect, est construit comme un verbe transitif direct, par exemple *occasion à* **saisir.**

promener

1. La construction *aller promener* pour *aller* **se promener** est archaïsante ou régionale.

2. *Envoyer* **promener** *qqn,* **qqch,** v. (VERBE) PRONOMINAL, 2.

pronom

1. Les pronoms peuvent jouer le même rôle grammatical que des noms :

> *J'aperçois le* **gardien** *et je m'adresse à* **lui** *(= au gardien).*

Leur place dans la phrase est souvent différente de celle qu'aurait le nom qu'ils remplacent (v. PRONOM PERSONNEL). On distingue :

● les pronoms personnels : *je (me, moi), tu (te, toi), il (elle), se (soi, lui), nous, vous, ils (elles, eux), on ;*

● les pronoms démonstratifs : *ce, ceci, celui, celle, ceux, celles ;*

● les pronoms relatifs : *qui, que, quoi, dont, où, lequel, laquelle, lesquel(le)s, auquel, auxquel(le)s, duquel, desquel(le)s ;*

● les pronoms interrogatifs : *qui, que, quoi, auquel, auxquel(le)s, lequel, laquelle, lesquel(le)s ;*

● les possessifs employés pronominalement : *le mien, le tien, le sien, le nôtre, le vôtre, le leur ;*

● les indéfinis employés pronominalement : *certains, plusieurs, tout, rien, quelqu'un, quelque chose, personne, l'autre,* etc.

2. En règle générale, un pronom ne peut représenter un nom que si celui-ci est accompagné d'un déterminant (article, possessif, etc.). On dit donc normalement :

> *Il a perdu* **sa** *fortune ;* **elle** *était considérable,*

mais non : **Il a fait fortune ; elle* (ou *celle-ci) est considérable,* car, dans ce dernier exemple, *fortune* est employé sans déterminant.

pronom personnel

1. Le pronom omis en coordination. On peut ne pas répéter sous forme de pronom le sujet de plusieurs verbes coordonnés par *et, ou, ni, mais :*

> *Le commissaire s'assit, réfléchit un instant, prit une feuille et se mit à écrire. Il entend tout, mais ne répond rien.*

Dans le cas d'une accumulation de verbes, l'omission du pronom tend à souligner l'enchaînement des actions, alors que sa répétition tendrait plutôt à les distinguer l'une de l'autre.

● De même, le complément de plusieurs verbes coordonnés peut ne pas être répété sous forme de pronom personnel si ces verbes sont à des temps composés sans répétition de l'auxiliaire :

> *Je vous ai entendus et compris. Nous lui avons raconté et commenté l'incident.*

L'omission du pronom ne peut avoir lieu que si les différents verbes construisent leur complément de la même façon. On dit donc normalement : *Il nous a aperçus et nous a fait signe* et non **Il nous a aperçus et fait signe,* parce qu'on *aperçoit quelqu'un* et qu'on *fait signe à quelqu'un.* (V. COORDINATION, 4.)

2. Deux pronoms compléments d'un impératif. On dit normalement *Donne-le-moi, donnez-le-moi.* La construction *Donne (donnez)-moi-le* est jugée relâchée. *Donne (donnez)-le-nous* apparaît en général préférable à *Donne (donnez)-nous-le.*

● On dit *Tiens-toi-le pour dit* ou *Tiens-le-toi pour dit;* au pluriel, *Tenez-vous-le (Tenons-nous-le) pour dit* est plus usuel que *Tenez-le-vous (Tenons-le-nous) pour dit.*

● Si *en* ou *y* est associé à un pronom personnel, c'est *en* ou *y* qu'on place en second :

> *Donne-m'en quelques-uns. Allez-vous-en. Fiez-vous-y.* (La forme **Donne-moi(z)-en, parle-moi(z)-en* est de l'usage relâché.)

On évite ordinairement les séquences *m'y, t'y* après un impératif. Au lieu de **Conduis-m'y, *Fie-t'y,* on dit par exemple :

> *Tu vas m'y conduire. Fie-toi à cela,* ou *Tu peux t'y fier.*

3. *Je ne le puis croire.* Cette construction, qui place le pronom complément d'un infinitif avant le verbe introduisant cet infinitif, ne se rencontre plus que dans l'usage littéraire. L'usage normal est de placer le pronom avant l'infinitif, sauf si le verbe introducteur est *faire, laisser, voir, entendre* :

> *Je ne peux pas le croire,* mais *Je l'ai entendu nommer.*

4. Pronom d'«intérêt atténué». Dans l'usage familier, on ajoute parfois à un impératif ou à une expression équivalente le pronom *moi* ou *me* sans fonction grammaticale précise, qui donne un tour plus vif à la phrase :

> *Fichez-moi le camp! Regarde-moi ça! Vous allez tâcher de me nettoyer cette pièce!*

● Toujours dans l'usage familier, on emploie parfois les pronoms *te* ou *vous,* qui stimulent simplement l'intérêt de l'auditeur :

> *Il te* (ou *vous*) *l'a rembarré de la belle manière! Je vous lui ai dit ses quatre vérités.*

Ce cas est le seul où l'on puisse associer entre eux dans la fonction complément (l'un direct, l'autre indirect) les pronoms *me, te, se, nous, vous* ou les associer à *lui* (sans préposition), *leur.* Alors qu'on dit : *Je leur présenterai mes invités,* on dit : *Je vous présenterai à eux,* et non **Je vous leur présenterai.*

● Une phrase comme *Je vais me la manger, cette pêche,* où le pronom *me* souligne simplement l'intérêt du sujet à l'action, est d'un type assez usuel dans le Midi de la France. On l'évite dans l'usage écrit.

5. *Moi et mon frère.* Un usage grammatical reposant sur un principe de bienséance demande que le pronom *moi* soit placé en dernier quand il est coordonné à d'autres noms ou pronoms ; ainsi, dans l'usage soigné, on dit *mon frère et moi, vous et moi,* et non *moi et mon frère, moi et vous.*

V. aussi EN, LE, ON, SOI, Y.

(verbe) pronominal

1. Auxiliaire. Tout verbe de conjugaison pronominale (v. VERBE, 3) reçoit aux temps composés l'auxiliaire *être* :

> *L'oiseau s'est envolé* (verbe essentiellement pronominal *s'envoler*). *Je me suis procuré* (et non **Je m'ai procuré*) *le matériel* (verbe accidentellement pronominal *se procurer qqch*). Mais *je lui ai procuré le matériel*

(verbe non pronominal *procurer qqch à qqn*).

● Les formes surcomposées sont inusitées dans les verbes pronominaux ; on ne dit pas **quand je m'ai été aperçu que*, ni **quand je me suis eu aperçu que...* (verbe pronominal *s'apercevoir*) alors qu'on peut dire *quand j'ai eu constaté que* (verbe non pronominal *constater*).

2. Omission du pronom. Le pronom réfléchi est souvent omis à l'infinitif de verbes pronominaux introduits par le verbe *faire* :

Faites-les taire (plus usuel que *Faites-les se taire*). *On nous a fait asseoir* (ou ***nous** asseoir*). *Le bruit a fait envoler* (ou *s'envoler*) *les oiseaux. Il m'a fait apercevoir* (ou ***m'**apercevoir*) *de mon erreur. Cela me fait souvenir* (ou *me souvenir*) *d'une histoire.*

Toutefois cette omission est à peu près impossible avec un certain nombre de verbes comme *s'abstenir, s'arroger, s'emparer, s'obstiner, se prévaloir,* etc.

● L'omission du pronom réfléchi a lieu plus rarement après les verbes *laisser, envoyer, mener, emmener* :

Ne laisse pas éteindre (ou *s'éteindre*) *le feu. Il a laissé échapper* (ou *s'échapper*) *les poules. On avait envoyé coucher* (ou *se coucher*) *les enfants.*

● L'omission du pronom réfléchi n'est pas possible si l'infinitif est séparé, par un nom qui est son sujet, du verbe qui l'introduit. Alors qu'on peut dire *Ne laisse pas le feu s'éteindre, On avait envoyé les enfants se coucher,* on ne dit pas : **Ne laisse pas le feu éteindre, *On avait envoyé les enfants coucher.*

On dit, toujours familièrement, *envoyer promener qqn, qqch* (= s'en débarrasser), mais normalement : *envoyer qqn se promener, se baigner* (= l'envoyer en promenade, au bain).

3. Pronominal et intransitif. Dans un certain nombre de verbes, on peut employer à peu près indifféremment le pronominal ou l'intransitif :

Fais attention : la branche risque de se casser (ou *de casser*). *Il avança d'un pas* (ou *il s'avança*).

Ces équivalences ne jouent pas, en principe, pour tous les emplois de ces verbes. Le plus souvent le pronom réfléchi est nécessaire quand le sujet est de la classe des noms animés, ou en rapport avec cette classe, et on observe alors une différence de sens :

Le rôti brûle/Le cuisinier se brûle. Ces outils rouillent (ou *se rouillent*) *à l'humidité/L'esprit se rouille* (et non **rouille*) *dans l'inaction. Le café refroidit/Son ardeur se refroidit* (et non **refroidit*).

4. Pronominal-passif, v. PASSIF, 4.

propre

1. Avant le nom et après un possessif, *propre* souligne le lien entre « possesseur » et « possédé » :

*Vous ne pouvez pas renier **votre propre signature*** (c'est bien vous qui avez signé personnellement). ***Sa propre famille** l'avait abandonné* (même sa famille).

● Dans quelques cas, *son propre* peut lever une ambiguïté en renvoyant au sujet du verbe :

Pierre a dit à Paul qu'il allait s'occuper de ses propres affaires (= de ses affaires à lui, Pierre ; sans l'adjectif *propre*, il pourrait s'agir aussi des affaires de Paul).

2. Après le nom, outre le sens de « sans salissure » *(une chemise propre)*, l'adjectif *propre* souligne le fait que quelque chose est particulier à quelqu'un ou à quelque chose :

*Ces phénomènes économiques obéissent à des **lois propres*** (= spécifiques). *Chacun a ses **habitudes propres*** (= personnelles).

On peut noter que quand le nom est précédé d'un possessif, comme dans ce dernier exemple, la différence entre la valeur de *propre* postposé et celle de cet adjectif antéposé peut être faible :

*Chacun a ses **propres habitudes.***

La postposition insiste un peu plus sur les différences entres les habitudes des uns et des autres. (V. ADJECTIF, 4.)

3. ***Le mot propre/les propres mots.*** *Le mot propre,* c'est le mot qui convient exactement, le mot approprié, ou juste ; *les propres mots* de quelqu'un, ce sont les termes exacts qu'il a employés, les mots textuels.

q

qualifier

On emploie habituellement la préposition *de* devant l'attribut du complément d'objet de ce verbe (ou, au passif, devant l'attribut de son sujet) :

> *Je n'hésite pas à qualifier ce projet d'insensé. Cette attitude peut être qualifiée de fourberie.*

La construction directe (sans *de*) est plus rare :

> *Voilà une réponse que je qualifierai sage.*

quant à

1. Comme présentatif, *quant à* sert à mettre en relief un nom, un pronom, un infinitif :

> *Quant à cette affaire, je m'en occupe. Je suis, quant à moi, bien décidé à continuer* (= pour ma part, en ce qui me concerne). *Quant à savoir qui a raison, c'est une autre question* (= pour ce qui est de savoir).

● **Tant qu'à moi* au lieu de *quant à moi* est jugé populaire.

2. *Quant à* signifie aussi « au sujet de, relativement à » :

> *Je n'ai aucune information quant à l'origine de cette rumeur.*

quasi, quasiment

1. *Quasi* s'emploie parfois devant un adjectif :

> *C'est quasi certain, quasi impossible* (on dit plus ordinairement *presque, à peu près, pour ainsi dire*).

● Devant certains noms abstraits, *quasi* est assez courant :

> *J'en ai la quasi-certitude. Il a recueilli la quasi-totalité des suffra-*

ges (on dit aussi, parfois, *la presque totalité*).

2. *Quasiment* devant un adjectif est un peu plus familier que *quasi* :

> *C'est quasiment impossible.*

● Devant un infinitif, *quasiment* est archaïque : *On pourrait quasiment s'y tromper.*

que

1. La conjonction *que* introduit une proposition qui peut être complément, sujet ou attribut, à l'indicatif, au subjonctif ou au conditionnel :

> *Je crois que c'est vrai. Qu'il y ait des difficultés, c'est certain. Le malheur est qu'on l'ait su trop tard.*
> (V. CROIRE, DIRE, DEMANDER, etc., SUBJONCTIF, SUBORDINATION. Pour (*à ce*) *que*, (*de ce*) *que*, v. À, 5 ; DE, 10).

● *Que* peut remplacer n'importe quelle conjonction de subordination dans une subordonnée coordonnée à une autre :

> *Comme il était tard et que nous n'avions pas dîné, on a levé la séance.*

De même : *Quand... et que..., si... et que..., puisque... et que...,* etc.

2. *Que* = « au point que », « si bien que ». Cet emploi est ordinairement familier :

> *Il m'a couvert de compliments, que j'en étais gêné.*

3. *Que* = « puisque ». Dans cet emploi, *que* introduit une proposition qui exprime une explication logique d'un fait constaté :

> *Vous êtes donc bien pressé, que vous ne voulez pas rester cinq minutes ?*

4. *Que* de liaison. *Que* sert de lien entre ce qu'on dit de quelqu'un ou de quelque chose (le « prédicat ») et la désignation, venant ensuite dans la phrase, de la personne ou de la chose en question (le « thème » de la phrase) :

*C'est un escroc **que** cet individu. Drôles de gens **que** ces gens-là ! Quelle chance **que** cette rencontre ! C'est une erreur **que** de croire cela.*

Dans les constructions de ce type, *que* peut ne pas être exprimé ; on marque alors une pause avant le deuxième terme si celui-ci est un nom ou un pronom :

C'est un escroc, cet individu (ou *celui-là*). *C'est une erreur de croire cela.*

● *Que* s'emploie couramment après un adverbe exprimant une opinion, pour introduire une proposition à laquelle s'applique cette opinion :

Heureusement qu'il n'a rien dit ! Certainement (ou *sûrement*, ou *assurément*) *qu'on pouvait faire autrement. Probablement que ça n'aurait rien changé !*

● Dans un usage un peu plus soutenu, on peut ne pas exprimer *que* et marquer une pause (une virgule) entre l'adverbe et ce qui suit :

Heureusement, il n'a rien dit. Certainement, on pouvait faire autrement.

● Avec *sans doute, peut-être*, le pronom personnel sujet est inversé dans l'usage soutenu :

Peut-être avait-il raison (usage courant : *peut-être qu'il avait raison*, ou, plus familièrement : *peut-être il avait raison*).

5. *Le jour où, le jour que.* La proposition qui développe un complément de temps (*le jour, le mois, un matin, la fois*, etc.) est introduite le plus souvent par *où*, parfois aussi par *que*, qui paraît en général plus familier :

*Ça s'est passé le jour **qu'**il a fait si chaud* (usage plus courant : *le jour **où** il a fait si chaud*). *Un matin **qu'**il pleuvait* (**où** il pleuvait). *La*

fois **que** je suis tombé en panne (**où** je suis tombé en panne).

On dit à peu près indifféremment *la première (la dernière, la seule) fois que je l'ai vu,* ou *où je l'ai vu.*

6. *Que si...* Cette expression de l'hypothèse en tête de phrase est un archaïsme littéraire :

Que si d'aucuns s'indignent, ils n'ont pas tort (usage courant : *si certains s'indignent*).

7. **Que que.* La combinaison d'une subordonnée complétive et d'une circonstancielle de comparaison (v. SUBORDINATION, 3) peut amener la rencontre de deux *que* ; dans ce cas l'un des deux disparaît obligatoirement : **J'aime mieux ne rien dire que qu'on puisse me reprocher une erreur* devient, par exemple :

*J'aime mieux ne rien dire **que de** risquer de m'entendre reprocher une erreur,* ou **que si** *on pouvait me reprocher une erreur.* (V. SI, 5. V. aussi MANQUER, 6.)

8. *Que... que.* Les phrases *ce **que** tu prétends **que** tu as fait, ce qu'on croit qu'il a dit* ont une construction régulière : le premier *que* est un pronom relatif complément de *tu as fait, il a dit* (cf. *ce dont tu dis que tu t'es occupé*), et le deuxième est la conjonction *que*. On préfère souvent éviter cette répétition de *que* (par exemple : *ce que tu prétends avoir fait, ce que, croit-on, il a dit*).

9. *Que... qui...* La construction *un récit que nous croyons qui est vrai* est archaïsante dans l'usage écrit mais se rencontre dans l'usage oral. On l'évite en général par divers procédés, par exemple : *un récit que nous croyons vrai, un récit dont nous croyons qu'il est vrai.*

10. *Que oui ! Que non ! Que si !* Ces formes exclamatives de réponse sont de l'usage familier :

Vous ne le connaissiez pas ? — Oh, que si ! (= certes si, bien sûr que si.)

11. Que/qu'est-ce que/quoi. Le mot interrogatif *que* appartient à l'usage soutenu :

Que puis-je faire pour vous ? (usage courant : *Qu'est-ce que je peux faire pour vous ?*). *Je ne sais que penser de tout cela* (usage familier : *Je ne sais pas quoi penser de tout ça*). *Que vous servirait un nouveau délai ?* (usage courant : *À quoi vous servirait ... ?*). *Que vous importe ?* (usage familier : *Qu'est-ce que ça peut vous faire ?*).

12. Que ne... ? (ou !). Cet emploi adverbial est nettement littéraire :

Que ne le disiez-vous plus tôt ? (= *pourquoi ne le disiez-vous pas plus tôt ?*). *Que ne m'a-t-on consulté !* (= *pourquoi ne m'a-t-on pas consulté !*).

13. Que = « sans que », « avant que », v. NÉGATION, 5. *À peine... que..., il me le jurerait que...,* v. SUBORDINATION, 2. *C'est... que,* v. C'EST.

quel

1. Quel adjectif interrogatif peut s'employer comme déterminant du nom (épithète), ou comme attribut ; quand il ne détermine pas le sujet, le sujet est inversé (inversion simple ou complexe) :

Quel âge avez-vous ? À quelle heure commence la séance ? (ou *À quelle heure la séance commence-t-elle ?*). *Quel est votre âge ?*

● *Quel* ne peut pas être attribut de *ce, cela, ça* : alors qu'on dit *Quel est cet objet !* on ne dit pas **Quel est cela ?*, mais *Qu'est-ce que (c'est que) cela ?*

2. Quel déterminant un sujet. Dans ce cas, le sujet n'est pas inversé :

Quelle autre solution s'offrait à nous ? Quel jour vous conviendrait ?

● On observe la tendance à pratiquer dans ce cas l'inversion complexe, surtout quand la phrase est négative :

Quelle autre solution s'offrait-elle à nous ? Quel jour vous conviendrait-il ? Quel homme raisonnable n'approuverait-il pas cet accord ?

● On dit très souvent *Quel est le... qui... ? :*

Quel est le jour qui vous conviendrait ?

Ainsi est ordinairement évitée l'ambiguïté qui apparaîtrait dans une phrase telle que *Quel adversaire a battu notre champion ?* (*adversaire* peut être sujet ou complément d'objet : *Quel est l'adversaire qui a battu notre champion ?* ou *Quel est l'adversaire que notre champion a battu ?*)

3. Quel épithète/quel attribut. *Quel homme est-ce ?* signifie souvent « quelle sorte d'homme est-ce ? » l'interrogation portant sur la personnalité, le caractère, c'est-à-dire les « qualités » de quelqu'un ; exemple de réponse : *C'est un homme courtois, très compétent dans son domaine.* La question *Quel est cet homme ?* appelle plutôt une information sur l'identité ; exemple de réponse : *C'est M. Dupont ; c'est le nouveau directeur.*

4. Quel/qui (attributs). *Qui* étant réservé à l'interrogation sur des personnes, on emploie seulement *quel* (ou *lequel,* v. ce mot) pour les animaux et les choses :

Quel est cet oiseau ? Quelle est votre décision ?

● *Quel est cet homme ? Qui est cet homme ?* On emploie à peu près indifféremment ces deux formes d'interrogation pour s'informer sur l'identité de quelqu'un ; dans l'interrogation indirecte, on emploie plus couramment *qui* : *Je vous demande qui est cet homme.* On dit toujours *Qui es-tu ? Qui êtes-vous ?* et non **Quel es-tu ? *Quel êtes-vous ?*

L'interrogation *Quel est-il ?* suppose en principe comme réponse un nom de chose ou d'animal ; pour une personne, on dit *Qui est-il ?* (l'emploi de *quel* comme attribut pour interroger sur les qualités de quelqu'un est archaïque).

5. *Quel que* + subj. (à bien distinguer de *quelque... que*) est un système concessif dans lequel *quel* est un adjectif attribut, le verbe de la proposition étant en principe être :

> *Quels que **soient** ses motifs, son choix est regrettable. Quelles qu'**aient pu** être ses intentions, son attitude est inacceptable.*

● Le sujet du verbe de la proposition commençant par *quel que* ne peut pas être *ce, cela, ça* : au lieu de **Quel que soit ce qui vous inquiète,* on dit, par exemple :

> *Quelle que soit la chose qui vous inquiète,* ou *Quoi que ce soit qui vous inquiète..*

quelconque

1. Au sens indéfini (« n'importe quel, tel ou tel »), ce mot se place le plus souvent après un nom précédé de l'article indéfini :

> *Si pour une **raison quelconque** vous deviez vous absenter, prévenez-moi.*

● Il est parfois placé avant le nom, avec une valeur plus ou moins péjorative :

> *Il habitait dans une **quelconque maison** préfabriquée* (= banale).

● Dans l'usage scientifique, il est toujours placé après le nom ou après un mot numéral employé pronominalement :

> *Abaissons une perpendiculaire à ce diamètre d'un **point quelconque** du cercle. Considérons trois **quelconques** de ces nombres.*

2. Il s'emploie comme adjectif qualificatif au sens de « médiocre » ; il peut alors être modifié par des adverbes de quantité :

> *Son dernier film est quelconque. C'est un personnage assez quelconque.*

quelque

1. Au singulier, *quelque* devant un nom comptable signifie « tel ou tel » :

> *Il a dû avoir **quelque empêchement.***

Devant un nom non comptable, il indique une certaine quantité, une certaine importance :

> *Il est resté là-bas **quelque temps.** Il a accepté, non sans **quelque hésitation*** (= une certaine hésitation, plus ou moins d'hésitation).

2. Au pluriel, *quelques* indique un petit nombre :

> *Je reviendrai dans **quelques jours.***

● *Et **quelques*** indique, familièrement, l'addition d'un petit nombre d'unités :

> *Ça m'a coûté cent et quelques francs,* ou *cent francs et quelques.*

3. *Quelque(s)* + n. + *que* + subj. indique dans l'usage soutenu la concession, l'opposition et signifie « quel que soit le ... que ... » ; dans cet emploi, *quelque* est adjectif et s'accorde avec le nom qui suit :

> ***Quelque soin, quelques précautions** qu'on **prenne,** une maladresse est toujours possible.*

● ***Quelque* + adj. attribut + *que* + subj.** équivaut, dans l'usage soutenu, à « si... que... » ou « tout... que... » indiquant la concession ; dans cet emploi, *quelque* est adverbe et invariable :

> ***Quelque inquiétantes que soient** ces nouvelles, tout espoir n'est pas perdu* (usage courant : *Si inquiétantes que...*).

Devant un adverbe, cet emploi adverbial de *quelque* est encore plus marqué littérairement :

> ***Quelque adroitement** qu'on s'y **prenne,** on s'expose à un échec* (usage courant : *Si adroitement que ...*).

4. *Quelque* devant un mot numéral est un adverbe invariable d'un niveau plus soutenu que « environ », dont il a le sens :

> Il y a **quelque vingt-cinq** ans que j'ai quitté ce pays.

5. **Quelque chose** est une locution pronominale ; les adjectifs qui s'y rapportent sont au masculin ; s'ils sont épithètes, ils sont introduits par la préposition de :

> Quelque chose me paraissait surprenant. J'ai appris quelque chose de nouveau. Y a-t-il quelque chose d'autre ?

La construction quelque chose autre se rencontre parfois dans l'usage littéraire.

● L'emploi de chose comme nom autonome immédiatement après quelque est rare :

> Il a toujours quelque **chose** urgente à faire (on dit ordinairement quelque chose d'urgent).

● **Quelque chose comme** exprime familièrement une approximation :

> Il y a quelque chose comme vingt ans de cela (= environ).

6. **Quel que**, v. QUEL, 5.

quelqu'un

2. **Quelqu'un/quelques-uns.** Dans l'usage courant, quelques-uns ne fonctionne pas exactement comme le pluriel de quelqu'un.

● Quelqu'un (au masculin singulier) s'emploie sans complément et ne représente pas un nom exprimé antérieurement ; il désigne une personne non définie (homme ou femme) :

> Quelqu'un est venu.

● Quelques-uns, quelques-unes s'emploie avec un complément partitif (ou le pronom en), ou bien il représente un nom déjà exprimé ; il peut ainsi désigner des êtres animés ou des choses :

> Quelques-uns des invités sont arrivés. J'en connais quelques-uns. Vingt personnes sont invitées ; quelques-unes sont arrivées. J'ai lu quelques-uns de ces livres.

● Dans un usage plus ou moins littéraire, on donne parfois un complément partitif à quelqu'un, quelqu'une (au singulier) : Il vous racontera quelqu'une de ses aventures (= l'une ou l'autre, telle ou telle), et on emploie parfois quelques-uns (au masculin), sans complément, au sens de « certains, certaines personnes » : Quelques-uns ont prétendu le contraire.

2. **Quelqu'un de** + **adj.** Un adjectif (ou un participe) qualifiant quelqu'un est précédé de la préposition de :

> Il faut quelqu'un de sérieux pour cet emploi.

La construction quelqu'un autre se rencontre parfois dans l'usage littéraire.

3. **Quelqu'un/personne,** v. PERSONNE, 2.

qui

1. **Qui** représentant des personnes ou des choses, v. LEQUEL, 1 et 2 ; DONT, 1.

2. Dans une proposition relative ayant pour sujet qui, les accords en personne, en nombre et en genre du verbe et des adjectifs attributs se font normalement avec le mot représenté par qui (son antécédent) :

> **Moi** qui **suis frileuse,** j'ai trop chaud ici (et non *moi qui est). C'est **toi** qui **parleras** (et non *qui parlera). Un **garçon** et une **fille** qui **sont** très **actifs.**

3. Si l'antécédent est un mot mis en apostrophe, le verbe est à la 2e personne :

> **Amis** qui m'écoutez, comprenez-moi.

4. Si l'antécédent est attribut d'un pronom de la 1re ou de la 2e personne, l'accord se fait le plus souvent avec cet attribut — c'est-à-dire à la 3e personne :

> Vous êtes la **personne** qui **peut** le mieux nous aider. Nous sommes **ceux** qui **prennent** les décisions. Je suis **celui** qui **a reçu** cette mission.

● Cependant l'accord se fait parfois avec le pronom auquel se rapporte l'attribut, en particulier quand cet attribut est un indéfini ou est précédé de l'article indéfini, ou comporte un mot comme *le premier, le seul,* etc., ou un terme exprimant la quantité (*deux, trois, plusieurs, beaucoup,* etc.) :

*Vous êtes **quelqu'un** qui **peut*** (ou *qui **pouvez**) nous aider. Nous sommes **les seuls** qui **sachent*** (ou *qui **sachions**) manœuvrer cet appareil. Nous sommes **deux** qui **enquêtons** sur cette affaire. Nous sommes **deux détectives** qui **enquêtons*** (ou *qui **enquêtent**) sur cette affaire.* (V. ENTRE, 1.)

5. *Un des... qui...* Si l'antécédent est de la forme *un des..., un de ceux...,* l'accord se fait le plus souvent au pluriel :

*C'est **une des raisons** qui m'ont décidé.*

● Cependant l'accord peut être au singulier si *qui* ne représente que *un* :

*On a coupé **un des arbres** qui nuisait aux autres.*

6. *Qui* sans antécédent. L'emploi de *qui* sans antécédent (= celui qui, toute personne qui, ce qui) a un caractère sentencieux ou locutionnel, notamment après *voici, voilà* :

Qui vivra verra. Il raconte cela à qui veut l'entendre. Comprenne qui pourra. Bien malin qui s'en serait douté. J'ai rencontré qui vous savez (= quelqu'un que je ne nomme pas, mais à qui vous pensez). *C'est coûteux et, qui plus est, inutile. Voilà qui n'arrange pas les choses.*

● Dans l'usage littéraire, cet emploi n'a pas ce caractère locutionnel :

C'est assez simple pour qui veut bien faire un effort de réflexion.

7. *Qui... qui...* Dans l'usage littéraire, *qui* ainsi répété et non suivi d'un verbe équivaut à «l'un..., l'autre...» développant un sujet exprimé auparavant :

*Ils s'en retournèrent bientôt **qui** à ses affaires, **qui** à ses loisirs.*

8. *Qui/qu'il.* Ces deux formes sont confondues dans la prononciation familière (sauf en général devant une voyelle). Il convient cependant de distinguer leurs emplois, en particulier devant certains verbes ou certaines expressions admettant la construction impersonnelle (*qu'il...*) ou la construction personnelle (*qui...*).

● De nombreux adjectifs peuvent entrer dans une construction impersonnelle, mais uniquement s'ils sont suivis d'un infinitif ou d'une subordonnée par *que,* selon le modèle *Il est* + adj. *de* + infin. (ou *que* + subj.). On dira donc *ce **qu'il** sera nécessaire de faire* (ou *que vous fassiez*), *ce **qu'il** est utile de savoir* (ou *que vous sachiez*); mais *ce **qui** sera nécessaire, ce **qui** est utile* (et non **ce qui sera nécessaire de faire* [ou *que vous fassiez*], **ce qui est utile de savoir* [ou *que vous sachiez*]).

● On peut citer comme exemples d'adjectifs ou de locutions admettant ces constructions : *important, nécessaire, avantageux, pratique, urgent, interdit, légitime, prudent, sage, préférable, à propos, hors de question,* etc. Il faut noter que certains de ces adjectifs peuvent être suivis, en construction personnelle, de *à* + infin. ; on peut donc dire aussi *ce qui est utile à savoir,* etc.

● Le même principe s'applique à des verbes comme *importer* et *convenir* :

*C'est ce **qu'il** importe* (ou **qu'il** convient) de savoir (ou *qu'on sache*), ou *C'est ce **qui** importe, ce **qui** convient* (et non **C'est ce qui importe, ce qui convient de savoir,* ou *qu'on sache*).

● Enfin, il y a quelques verbes qui peuvent être employés personnellement ou impersonnellement même sans être suivis d'un infinitif ou d'une subordonnée par *que.* On peut dire :

*Je ne sais pas ce **qui** m'arrive, ou ce **qu'il** m'arrive, ce **qui*** (ou *ce **qu'il**) se passe, ce **qui*** (ou *ce **qu'il**) lui prend. Je fais ce **qui*** (ou *ce **qu'il**) me plaît. Qu'est-ce **qui*** (ou **qu'il**) *reste ? Qu'est-ce **qui** (ou **qu'il**) manque ?*

● On dit toujours *Ce qu'il faut.* (V. FALLOIR, 7.)

9. *Qui que* + *être* (subj.) Cette locution a une valeur indéfinie :

***Qui que** vous **soyez**, vous êtes le bienvenu.*

Dans l'usage soutenu on la fait parfois précéder d'une préposition, avec d'autres verbes que *être :*

A qui que vous vous adressiez, vous obtiendrez la même réponse.

● *Qui (ou quoi) que ce soit qui (ou que)* signifie «quelle que soit la personne ou la chose qui (ou que)» :

***Qui que ce soit qui** vous l'ait dit, c'est une erreur. **Quoi que ce soit qui** se produise, nous sommes parés.* On évite souvent, quand c'est possible, ces locutions lourdes, par ex. *quoi qu'il se produise, quoi qu'on fasse*, mais le tour *qui qui vous l'ait dit* n'est plus usuel.

10. *Qui ... qui.* Dans l'usage littéraire, le relatif *qui* peut avoir pour antécédent l'interrogatif *qui ;* le verbe est alors au subjonctif :

Qui croyez-vous qui s'en souvienne ?

***Quoi qui, quoi que,** v. QUOI, 5.*
***Que... qui...,** v. QUE, 9.*

quiconque

Ce mot s'emploie dans l'usage soutenu, souvent dans des phrases sentencieuses ou de portée générale.

1. Dans son emploi le plus traditionnel, *quiconque* appartient à la fois à deux propositions (il est sujet de l'une et sujet ou complément de l'autre), et il peut se traduire par «toute personne qui» :

Quiconque est honnête sait reconnaître ses torts. La conclusion est évidente pour quiconque juge sans parti pris.

2. *Quiconque* s'emploie aussi, plus largement, comme un simple pronom indéfini, là où dans l'usage courant on utilise plutôt « n'importe qui, tout le monde, personne », et particulièrement dans des comparaisons après *plus que, moins que, mieux que, autant que, aussi... que :*

Je défie quiconque de prouver le contraire. Je le sais autant que quiconque.

3. Il n'y a pas lieu de reprendre *quiconque* par *qui*, même s'il est séparé du verbe dont il est le sujet : **La conclusion est évidente pour quiconque, parmi les lecteurs du rapport, qui juge sans parti pris.*

quoi

I. *QUOI*, PRONOM INTERROGATIF OU INTERJECTION.

1. Quand *quoi* interrogatif n'est pas introduit par une préposition, il est ordinairement d'un usage plus familier que les pronoms *qu'est-ce que* ou *que :*

Tu fais quoi ? (usage courant : *Qu'est-ce que tu fais ?*, soutenu : *Que fais-tu ?*). *Je ne sais pas quoi faire* (usage soutenu : *Je ne sais que faire*). *Quoi de neuf ?* (usage soutenu : *Qu'y a-t-il de neuf ?*).

2. *Quoi ?* s'emploie familièrement pour demander à quelqu'un de répéter quelque chose : *J'arrive. — Quoi ?* Les mots *comment ?* ou *pardon ?* sont jugés plus polis ; *plaît-il ?* est archaïsant.

● *Quoi ?* peut même, familièrement, être substitué à tel ou tel mot d'une phrase qu'on a mal compris, sur lequel on demande une explication :

C'est un animal de la famille des myrmécophagidés. — Des quoi ?
Il voit dans l'obscurité, il est nyctalope. — Il est quoi ?

Si on veut éviter la familiarité de cet emploi, on peut dire, par exemple : *Comment dites-vous ?*

3. *Quoi !* employé comme interjection au début d'une phrase n'a rien de familier : *Quoi ! c'est donc vrai ?*

● À la fin d'une phrase, *quoi !* souligne parfois familièrement ce qui a été dit :

> *Ça n'est pas bien grave, quoi !* (= allons !). *C'est arrivé par hasard, un coup de chance, quoi !* (= en somme).

II. *QUOI,* PRONOM RELATIF.

1. *Quoi* s'emploie avec une préposition pour représenter un pronom « neutre » comme *ce, cela, quelque chose, rien :*

> *Il s'est produit **ce à quoi** on pouvait s'attendre. Il a ajouté **quelque chose sur quoi** je n'insisterai pas. Il n'y a là **rien de quoi** on doive s'inquiéter* (on dit plus ordinairement *rien dont*).

2. *Quoi* s'emploie sans antécédent après *voici, voilà :*

> **Voilà** à **quoi** *il passe ses journées.*

3. *Quoi* peut représenter une proposition entière, après une pause :

> *Il croit que c'est facile, **en quoi** il se trompe* (ou **ce en quoi** *il se trompe*). *Commence par là, **après quoi** nous verrons.*

De même : *à quoi* (ou *ce à quoi*), *sans quoi, grâce à quoi, faute de quoi, moyennant quoi, à la suite de quoi, en conséquence de quoi,* etc. Dans ce cas, on peut remplacer *quoi* par *cela.*

4. *Quoi* se rencontre encore, dans l'usage littéraire, pour représenter, comme autrefois, un nom de chose bien déterminé :

> *Il tient un **raisonnement** par **quoi** il prétend se justifier* (usage courant : *par lequel*).

5. **Quoi que** (à distinguer de *quoique,* v. ce mot) est un relatif indéfini introduisant une subordonnée de concession au subjonctif ; il signifie « quelle que soit la chose que, n'importe quoi que » et a une fonction dans la proposition (complément d'objet, attribut en particulier) :

> *Quoi qu'il **fasse,** il ne peut pas s'en tirer. Je m'interdis de toucher à quoi que ce **soit.***

● **Quoi que ce soit** signifie « une chose quelconque, n'importe quoi » :

> *Si vous avez besoin de quoi que ce soit, demandez-le.*

Dans l'usage littéraire, on emploie éventuellement l'imparfait du subjonctif :

> *Quand il avait besoin de quoi que ce fût...*

● **Quoi qu'il en soit** signifie « bref, en tout état de cause, de toute façon ».

● **Quoi qu'il (qu'on) en ait** est une variante de *malgré qu'il (qu'on) en ait ;* elle est encore plus affectée que cette expression archaïque.

● **Quoi qui** + **subj.** est rare. Au lieu de *Quoi qui vous tracasse, il y a une solution,* on peut dire, par exemple, *Quoi que ce soit qui vous tracasse,* ou *Quelle que soit la question qui vous tracasse.* On dit couramment *quoi qui vous arrive,* qui se confond dans la prononciation avec *quoi qu'il vous arrive ;* de même avec de nombreux verbes impersonnels. V. QUI, 8.

6. **Comme quoi,** v. COMME, 3.

quoique

1. Mode. On emploie normalement le subjonctif avec la conjonction de concession *quoique,* comme avec *bien que, encore que, malgré que :*

> *Quoiqu'il **soit** riche, il vit très simplement.*

Cependant il arrive que le verbe soit à l'indicatif ou au conditionnel, en particulier dans un usage familier où la conjonction joue à peu près le même rôle qu'un adverbe tel que *toutefois :*

> *Avec tous ces événements, il y a de quoi s'inquiéter, **quoique** personnellement ça m'**est** égal. On pourrait faire un détour par les vieux quartiers, **quoique** ça **riquerait** de nous mettre en retard. Essaie si tu veux, **bien que** tu **pourrais** le regretter.*

2. *Quoique, bien que, encore que* peuvent s'employer devant un adjectif, une locution adverbiale ou circonstancielle avec ellipse du verbe :

La maison, **quoique ancienne,** *est confortable. J'arrive à comprendre,* **quoique avec difficulté.**

3. **Quoique ça** appartient à un usage très familier, avec le sens de « et pourtant, malgré ça, néanmoins » : *Tout s'est bien passé ; quoique ça il y a eu un petit ennui.*

4. V. QUOI, 5, (QUOI QUE), et CONCESSION.

r

raison

- **En raison de** exprime la cause :
  En raison du mauvais temps, la séance a eu lieu dans la salle municipale.
- **À raison de** exprime la base à laquelle on se rapporte pour l'évaluation d'un prix, d'une durée, etc. :
  Acheter un lot de livres d'occasion à raison de dix francs le livre. À raison de six heures par pièce, il faut une semaine de travail pour repeindre la maison.
- L'emploi de *à raison de* pour exprimer la cause est de l'usage littéraire :
  On se méfiait de lui à raison même de son zèle excessif.

se rappeler

1. Se rappeler (de) qqch ou (de) qqn. Dans l'usage surveillé, la seule construction admise est la construction directe *se rappeler quelque chose, quelqu'un,* et non *de quelque chose, de quelqu'un.* On dit donc :

Je me rappelle cette histoire. Je me la rappelle. C'est tout ce que je me rappelle.

Cependant la construction indirecte, avec *de,* est très largement répandue, surtout dans l'usage oral :

Je me rappelle de cette histoire. Je m'en rappelle. C'est tout ce dont je me rappelle.

Cette construction est analogique de *se souvenir de qqch* ou *de qqn,* qu'on pourra toujours substituer à *se rappeler de qqch* ou *de qqn* :

Je m'en souviens très bien.

- Quand le complément d'objet de *se rappeler* est un pronom de la 1re ou de la 2e personne, la construction directe

est impossible. On ne peut pas dire **Tu te me rappelles ? * Je me vous rappelle,* etc. ; on dit très couramment *Tu te rappelles de moi ? Je me rappelle de vous,* à moins qu'on ne préfère dire *Tu te souviens de moi ? Je me souviens de vous,* etc.

- Bien entendu, on dit très normalement dans l'usage surveillé :
  Je m'en rappelle tous les détails. C'est une journée dont je me rappelle tous les instants,

parce que dans ces phrases *en* et *dont* sont compléments de noms *(détails, instants)* et non du verbe *se rappeler.*

2. Se rappeler (de) + infin. Quand le complément de *se rappeler* est un infinitif, la construction indirecte est admise dans l'usage surveillé : *Je me rappelle d'avoir dit le contraire,* mais on dit plus couramment *Je me rappelle avoir dit le contraire,* ou *que j'ai dit le contraire.*

- La construction indirecte de l'infinitif est la seule possible quand *se rappeler est* employé au sens de «penser (à), ne pas oublier (de)» :
  Rappelez-vous d'aller l'attendre à la gare demain soir.

rapport

1. Rapport à (ce que) est une locution prépositive ou conjonctive de l'usage populaire :

J'ai du mal à me baisser, rapport à mes rhumatismes. On est vite rentrés, rapport à ce qu'il commençait à pleuvoir.

Dans l'usage courant, on dit *à cause de, en raison de,* ou *parce que.*

2. Sous le rapport de qqch signifie «en ce qui concerne qqch, pour ce qui est de qqch» :

Sous le rapport de la consommation, cette voiture est très intéressante.

La construction *Sous le rapport consommation* est familière.

rarement

Une analogie de sens avec *jamais* entraîne parfois la présence de *ne* avec *rarement* : **Rarement** *une aussi belle occasion* **ne** *s'était présentée.* Dans l'usage surveillé, on évite ce *ne* superflu.

relatif

1. Un pronom relatif est un mot qui d'une part remplace normalement un mot appelé son « antécédent », et d'autre part sert de lien de subordination entre deux propositions. Dans la phrase

Le train qui entre en gare vient de Marseille,

le pronom relatif *qui* remplace son antécédent *train,* et il est sujet de *entre ;* en outre, il relie la proposition relative *qui entre en gare* à la proposition principale *Le train vient de Marseille.*

Les diverses formes de pronoms relatifs sont *qui, que, quoi, dont, où, lequel, laquelle, lesquels, lesquelles, auquel, auxquels, auxquelles, duquel, desquels, desquelles.*

2. Place. Le plus souvent, le pronom relatif suit immédiatement le mot qu'il représente (son antécédent); il n'y a alors aucun risque d'ambiguïté. Il en est parfois séparé :

● Quand le relatif est complément d'un nom introduit par une préposition :

On voit la fusée, **à la partie supérieure de laquelle** *se trouvent les astronautes.*

Cette disjonction du relatif appartient surtout à l'usage écrit ; on peut souvent l'éviter pour alléger la phrase (par exemple : *On voit la fusée ; les astronautes se trouvent à sa* (ou *à la*) *partie supérieure,* etc.). On ne dit pas dans

l'usage surveillé : *On voit la fusée où les astronautes se trouvent à sa partie supérieure.* (V. OÙ, 1.)

● Quand l'antécédent est le premier élément d'un groupe de mots indissociables :

Le départ du bateau, qui était fixé à 10 heures, a été retardé.

Dans la phrase

Le départ du bateau, qui avait subi des avaries, a été retardé,

le contexte ferait comprendre que l'antécédent de *qui* n'est pas *départ,* mais *bateau.* On veillera à éviter tout risque d'incertitude sur le repérage de l'antécédent, ou de cocasserie, comme dans la phrase *Voilà le chien du garde-champêtre qui a volé un gigot.* (V. LEQUEL, 1.)

● Parfois dans l'usage littéraire en vue d'un effet de style, quand la disjonction ne crée pas de risque d'ambiguïté :

Les petits oiseaux *étaient venus,* **qui** *avaient mangé tout le grain.*

3. L'antécédent peut être une phrase entière ; le relatif est alors de la forme *ce qui (ce que, ce à quoi, ce dont,* etc.) après une pause :

L'accord a été signé, **ce dont** *nous nous réjouissons.* (V. QUOI, 3.)

4. Où, qui, quoi sans antécédent, v. OÙ, QUI, QUOI.

relative

1. Une proposition relative est une subordonnée introduite par un pronom relatif :

J'ai reçu une lettre **qui me surprend.** *C'est un homme* **que je ne connais pas.** *L'affaire* **dont je m'occupe** *est importante.*

Une proposition relative joue par rapport à l'antécédent un rôle analogue à celui d'un adjectif, ce qui explique qu'elle puisse être coordonnée à un adjectif. (V. COORDINATION, 2.)

2. Il y a lieu de distinguer deux sortes de relatives :

● Les relatives déterminatives, qui restreignent le sens de l'antécédent et ne peuvent pas être supprimées sans modifier radicalement le sens de la phrase :

> *Les accidentés qui n'avaient que de légères contusions ont regagné leur domicile* (seulement ceux des accidentés qui n'avaient que de légères contusions).

● Les relatives explicatives (ou appositives), qui ajoutent une précision non indispensable et peuvent être supprimées sans altérer gravement le sens :

> *Les accidentés, qui n'avaient que de légères contusions, ont regagné leur domicile* (tous les accidentés).

C'est la présence ou l'absence de virgules dans l'écriture (de pauses dans la phrase orale) qui distingue ces deux sortes de relatives : on voit que la ponctuation peut jouer un rôle important dans l'interprétation de telles phrases.

3. Relatives sans antécédent, v. OÙ, 3 ; QUI, 6 ; QUOI, 2.

4. Relatives au subjonctif. Une relative peut être au subjonctif :

a) Quand elle exprime une intention : *Je cherche une maison qui ait un jardin* (je ne la connais pas encore, mais je ne suis acheteur qu'à cette condition : je veux qu'elle ait un jardin). Au contraire, *Je cherche une maison qui a un jardin* (je sais qu'elle existe ; je cherche à retrouver une maison que je connais et qui a un jardin).

b) Quand le terme complété par la relative (antécédent) comporte un adjectif au superlatif relatif ou un mot analogue exprimant un degré extrême, comme *le seul, l'unique, le premier, le dernier* :

> *C'est le texte le plus ancien qu'on connaisse en cette langue. Il est le seul qui ait proposé de m'aider.*

(On dit aussi : *le texte le plus ancien qu'on connaît, le seul qui a proposé ;* l'accent est alors mis sur le texte en question, qui est connu, sur la servia-

bilité de cet homme qui a proposé son aide, et non sur l'absence d'autres textes plus anciens, d'autres propositions d'aide, que le subjonctif tend à souligner.)

c) Quand la principale exprime une négation ou une interrogation totale, ou une condition, et que l'antécédent est un indéfini ou est précédé d'un déterminant indéfini :

> *Je ne connais pas un homme qui puisse en faire autant. Connaissez-vous un homme qui puisse en faire autant ? Si vous connaissez un homme qui puisse en faire autant, amenez-le moi. Il a tout écouté sans un geste qui manifestât son émotion.*

● L'indicatif ou le conditionnel s'emploient couramment aussi, en général sans grande différence de sens, après une principale interrogative ou conditionnelle :

> *Connaissez-vous un homme qui peut (ou qui pourrait) en faire autant ? Si vous connaissez un homme qui peut en faire autant...*

Il est moins fréquent, quoique possible, après une principale négative contenant un antécédent indéfini.

d) Souvent quand la proposition qui contient l'antécédent est elle-même au subjonctif :

> *Je doute qu'il y ait quelqu'un qui le sache. Pourvu qu'il y ait quelqu'un qui le sache !*

5. Relative à l'infinitif. Une relative peut être à l'infinitif quand elle exprime l'idée de possibilité, de convenance :

> *Je ne connais personne à qui m'adresser* (= à qui je puisse m'adresser). *Il m'a indiqué l'endroit où déposer le paquet.*

(mise en) relief

La mise en relief grammaticale (ou emphase) d'un terme de phrase s'obtient le plus souvent par le détachement de ce terme en tête, qui insiste sur son rôle de thème de l'énoncé.

Cette construction expressive s'accompagne souvent d'une valeur particulière, par exemple solennité, ou surtout familiarité.

1. Mise en relief d'un sujet, d'un complément d'objet, d'un attribut. Le terme mis en relief est suivi d'une pause (une virgule à l'écrit) et repris par un pronom personnel :

Son histoire, elle est incroyable. Pierre, il est malade (familier). *Moi, je veux bien. Son histoire, je la connais.*

● L'adjectif attribut mis en relief est repris par le pronom *le,* qui reste invariable (usage soutenu) :

Naïve, elle le sera toujours. Joyeuses, elles ne l'avaient jamais été autant.

2. Mise en relief d'un complément prépositionnel. On le met ordinairement en tête sans sa préposition, qui est placée devant le pronom personnel de reprise :

Ce garçon, je m'intéresse à lui. Le reste, je n'en dirai rien [en = de cela]. *Ceux qui m'ont écrit, je leur répondrai* [leur = à eux].

Parfois le complément est mis en tête avec sa préposition, mais alors on évite, dans l'usage surveillé, de le reprendre par un pronom, et on ne marque généralement pas de pause : *Du reste je ne dirai rien* (usage soutenu). La construction *Du reste, je n'en dirai rien* est jugée relâchée (la préposition *de* y figure deux fois : dans *du* et dans *en* = de cela).

● On peut aussi reprendre un nom mis en relief au moyen d'une préposition employée absolument ou d'un adverbe :

Cet outil, je ne peux rien faire avec. Mon chapeau, tu es assis dessus.

3. Mise en relief par des présentatifs, par *pour,* v. C'EST... QUI, C'EST... QUE ; VOILÀ, 2 ; POUR, 9 ; QUANT À.

4. Mise en relief d'un verbe, v. IMPERSONNEL et INVERSION DU SUJET, 1.

résoudre

1. *Résoudre de* + infin., *que* + indic. On dit :

J'ai résolu de continuer, qu'il fallait continuer (= j'ai décidé).

2. *Résoudre qqn à* + infin., *à qqch.* On dit :

Je l'ai résolu à accepter un compromis, à un compromis (= je l'ai amené à cela).

3. Se résoudre (ou être résolu) à + infin., *à ce que* + subj., *à qqch.* On dit :

Je me suis résolu à tenter l'expérience (= j'ai accepté de prendre cette décision). *Je suis résolu à aller jusqu'au bout* (= j'en ai la ferme intention). *Je suis bien résolu à ce que cela ne se renouvelle pas.*

retour

Retour de est courant dans l'usage écrit, au lieu de *de retour de, à mon* (*ton, son,* etc.) *retour de ;* cette locution s'emploie presque uniquement après le nom ou le pronom auquel elle se rapporte :

C'est un journaliste, retour du lieu de l'accident, qui m'a donné ce détail.

rêver

1. *Rêver de qqn, de qqch,* c'est en avoir la représentation mentale pendant son sommeil :

La nuit dernière, j'ai rêvé de toi. J'ai rêvé de la dernière guerre.

2. *Rêver de qqch, de* + infin. signifie aussi « en former le projet séduisant, le désirer » :

Ils rêvaient d'un monde meilleur. Nous rêvions d'accomplir des exploits.

● *Rêver à qqch* s'emploie aussi dans ce sens, ou au sens de « penser vaguement à qqch » :

Il rêvait déjà à la gloire. Elle rêvait à son avenir. À quoi rêvez-vous ?

3. Rêver qqch s'emploie rarement au sens du n° 1 : *J'ai rêvé un accident,* mais plus souvent au sens du n° 2 : *On peut toujours rêver un miracle. J'ai souvent rêvé ce bonheur.*

rien

1. Rien s'emploie le plus souvent dans des phrases contenant la négation *ne* (ou *n'*) :

*Je **ne** vois **rien**. **Rien** n'est plus facile. On n'a **rien** compris.*

● Toutefois, dans un certain nombre de cas, *rien* s'emploie sans *ne*, notamment :

- quand l'idée négative est exprimée par d'autres moyens grammaticaux ou par le vocabulaire :

*Il m'a regardé **sans rien** dire. Il est **impossible** de **rien** savoir. On nous **défend** de **rien** dire.*

- quand la phrase est interrogative ou dubitative, ou hypothétique par *si* :

*Y a-t-il **rien** de plus banal ? Il est **douteux** qu'on puisse **rien** obtenir. **Si rien** de tel se produisait, j'en serais averti.*

- dans de nombreuses expressions :

C'est tout ou rien. Tout cela se réduit à rien. Tout ce travail pour rien !

2. Ne... pas + rien. Le mot *pas* est exclu du système négatif *ne... rien ;* on dit *Il ne veut rien faire* et non **Il ne veut pas rien faire* (v. NÉGATION, 3).

● Cependant *(ne) rien* peut se combiner avec *ne... pas* pour donner un sens affirmatif à la phrase :

*On **ne** peut **pas ne rien** faire* (= il est indispensable de faire quelque chose). *Ce **n'**est **pas** pour **rien** que...* (= il y a une raison au fait que...). Fam. *Ce **n'**est **pas rien*** (= ce n'est pas négligeable, c'est quelque chose). Fam. *Ça **ne** coûte **pas rien*** (= c'est assez coûteux).

3. Place de rien. Quand *rien* est complément d'objet direct d'un infinitif ou d'un verbe à une forme composée, il se place avant l'infinitif ou avant le participe passé :

Je ne peux rien dire. Sans rien faire. Je n'ai rien dit (mais : *Il ne veut s'intéresser à rien,* complément d'objet indirect).

● Toutefois, si *rien* est suivi d'un complément ou d'une proposition relative, il peut parfois être placé après l'infinitif ou le participe dont il est le complément d'objet :

Je n'oserais affirmer rien de tel (ou *rien affirmer de tel*). *Je n'ai trouvé rien qui soit digne d'intérêt* (ou plutôt : *Je n'ai rien trouvé qui soit digne...*).

4. Rien de + adj. Un adjectif (ou un participe) qualifiant *rien* est précédé de la préposition *de* :

*Cela n'a rien **de** répréhensible. Rien **d'**étonnant à cela.*

L'usage littéraire utilise parfois la construction *rien autre* ou *rien autre chose* :

Il ne possédait rien autre chose au monde que ces pauvres objets.

5. Rien de moins que/rien moins que. Ces deux expressions sont en principe de sens opposé.

a) *rien de moins que* signifie «très exactement, bel et bien, tout à fait» :

Il ne s'agit de rien de moins que d'un renversement d'alliances, que de changer radicalement d'orientation.

b) *rien moins que* signifie «nullement, pas du tout» :

Ces propos ne sont rien moins que flatteurs (= il n'y a aucune qualité que ces propos possèdent moins que celle d'être flatteurs, donc : ces propos n'ont rien de flatteur). *Ces propos ne sont rien moins qu'un compliment* (= il n'y a rien que ces propos soient moins qu'un compliment, donc ils sont bel et bien une critique).

● En fait, *rien moins que* est souvent employé avec le même sens intensif («tout à fait, bel et bien») que *rien de moins que,* parfois même sans *ne :*

> *Au lieu de se montrer conciliant, il ne parlait de rien moins que de procès et de représailles. Il a eu l'impudence de se déclarer rien moins que l'inventeur de la méthode.*

Il est donc prudent d'être très attentif au contexte pour interpréter ces expressions, les cas de véritable incertitude sur les intentions de l'auteur de l'énoncé étant en réalité très rares. Si on veut éviter tout risque d'être mal compris, on n'emploiera pas *rien moins que,* qui a d'ailleurs un caractère littéraire.

6. *Rien de rien* est un renforcement familier de *rien,* qui s'emploie surtout comme complément d'objet ou attribut :

> *Je n'y comprends rien de rien. Il ne s'intéresse à rien de rien. Il n'est rien de rien dans cette affaire.*

7. *Rien du tout,* v. TOUT, 11.

8. *N'être (de) rien à qqn.* Cette *personne ne m'est rien* signifie «je n'ai pas de lien de parenté avec cette personne; elle ne me touche ni de près ni de loin». La construction vieillie *n'être de rien à qqn* a le même sens et peut aussi se dire de qqch au sens de «être indifférent à qqn».

9. *Comme si de rien n'était* signifie «comme si rien ne s'était passé, de la façon la plus naturelle» :

> *Aussitôt après l'incident, il a repris le fil de son discours comme si de rien n'était.*

10. *Rien que* (sans *ne*) marque l'exclusivité au sens de «seulement» :

> *Laissez-moi essayer, rien qu'une fois. Rien que pour recopier le texte, il faut au moins deux heures.*

● ***Ne... rien que*** est un renforcement de *ne... que :*

> *Ceci n'est rien qu'un aperçu du projet. Il ne faisait rien que de m'interrompre* (= il m'interrompait continuellement). (V. FAIRE, 2, et NE, III.)

11. *Ne servir à rien, de rien,* v. SERVIR, 2.

12. *Un rien (de).* Un *rien* signifie «un tout petit peu» :

> *Il faut donner un coup de lime : la pièce est un rien trop épaisse. Ajoutez un rien de sel à la sauce.*

● ***En (un) rien de temps*** signifie «très rapidement».

13. *Rien* adverbe. Dans l'usage très familier ou populaire, *rien* devant un adjectif a la valeur d'un adverbe d'intensité (= fameusement) :

> *Elle est rien chouette, cette maison !*

S

1. Sans/ne (pas). La préposition *sans*, exprimant une idée négative, donne lieu à des constructions grammaticales semblables à celles de l'adverbe *ne*, ou de *ne... pas*.

● **Sans/ne.** On dit *sans plus* (ou *guère, jamais, rien, personne, aucun, nul*) + infin., ou *sans plus* (*guère, jamais, aucun...*) *de* + n., comme on dit *ne plus* + infin. ou, par exemple, *il n'y a plus* (ou *guère, jamais, rien, personne, aucun...*) *de* :

> *Il a continué sans plus s'inquiéter. Tout s'est achevé sans plus de difficultés, sans guère de difficultés. Travailler sans jamais de repos, sans aucun jour de repos, sans voir personne, sans rien d'intéressant.*

● **Sans/ne pas.** On dit *sans* + infin. + *de, sans presque de* comme on dit, par exemple, *ne pas* + infin. + *de, il n'y a presque pas de* :

> *Travailler sans prendre de repos* (cf. *Il ne prend pas de repos*). *Réussir sans presque d'efforts* (cf. *Il ne fait presque pas d'efforts*).

● On ne dit pas **sans pas* + infin., **sans pas de* + n. (**Continuez sans pas vous inquiéter, *sans pas d'inquiétude*).

● **Sans du, *sans de la, *sans des* sont inusités ; on dit *sans travail, sans fatigue* et non **sans du travail, *sans de la fatigue, *sans des frais*.

2. Sans enfant(s), etc. Le complément introduit par *sans* est au singulier ou au pluriel dans les mêmes conditions que s'il était introduit par *avec* ; on observe simplement que l'article indéfini ou le partitif est plus usuel après la préposition *avec* qu'après *sans* :

> *Elle est sortie sans chapeau, sans gants* (mais *avec un chapeau, avec des gants*).

3. Sans que + subj./*sans* + **infin.** Au lieu de *sans que* + subj., on emploie couramment *sans* + infin. quand les verbes des deux propositions ont le même sujet :

> *On ne peut pas le condamner sans l'entendre* (et non *sans qu'on l'entende*).

● Dans les mêmes conditions (identité de sujet), l'équivalent affirmatif de *sans* + infin. employé comme complément de manière est le gérondif :

> *Il a dit cela sans rire/Il a dit cela en riant.*

On dit normalement : *Il a cassé le vase sans le faire exprès* (et non *en ne le faisant pas exprès*). *Il est parti sans rien dire* (et non *en ne disant rien*).

Mais on dit : *Il a commis une faute professionnelle en ne transmettant pas cette information* (et non *sans transmettre...*), car ici le gérondif a une valeur causale, explicative. (V. GÉRONDIF.)

4. Non sans (que), n'être pas sans (+ infin.), ne pas aller sans (+ infin.). Ces combinaisons de deux éléments négatifs équivalent à des affirmations insistantes :

> *J'ai réussi, **non sans peine**, à débrouiller cette affaire* (= avec assez de peine). *Le projet a été adopté, **non sans que** l'opposition **ait** protesté. Ce choix **n'est pas** (ou **ne va pas**) **sans** inconvénients. Cela **ne va pas sans poser** des problèmes. Vous **n'êtes pas sans avoir remarqué** ce détail* (= vous l'avez remarqué sans aucun doute).

L'expression *Vous n'êtes pas sans l'ignorer,* que l'on dit par manque de réflexion au sens de «vous le savez certainement», résulte d'une confusion entre *Vous ne l'ignorez pas* et *Vous n'êtes pas sans le savoir.*

5. *Sans que* + *ne,* v. NE, II, 6.

6. *Sans ça,* v. ÇA, 5.

7. *Sans* **employé absolument.** Cet emploi est moins étendu et plus familier que l'emploi absolu de *avec :*

> *Ma voiture n'était pas encore réparée, j'ai dû repartir* **sans.** *Vous mangez vos fraises avec du sucre ou* **sans ?**

sauf

1. Si l'exception indiquée par *sauf* porte sur un complément prépositionnel, on répète ordinairement la préposition :

> *Il est en bons termes* **avec** *tout le monde* **sauf (avec)** *ses voisins. Je me souviens* **de** *tout,* **sauf de** *ce détail.*

2. *Sauf que* + **indic. ou condit.** exprime une réserve :

> *Tout va bien sauf que nous commençons à avoir faim, sauf que nous voudrions bien avoir fini* (= excepté que, si ce n'est que, mis à part que).

3. *Sauf à* + **infin.,** signifiant «au risque de, sans exclure l'éventualité de» est de l'usage littéraire :

> *Il promet tout ce qu'on veut,* **sauf à** *ne pas* **tenir** *parole* (= ce qui ne l'empêche pas de manquer de parole).

● On emploie couramment cette expression au sens de «à moins de, sauf + gérondif» :

> *On ne peut pas agir ainsi,* **sauf à renier** *ses engagements* (= à moins de renier, sauf en reniant).

savoir

1. *Je ne sais* [sans *pas*], v. NÉGATION, 5.

2. *Je ne saurais* + **infin.** Dans cet emploi de l'usage soutenu, *savoir* équivaut à *pouvoir :*

> *Nous ne saurions affirmer que tous les détails soient exacts. Il ne saurait y avoir de discussion sur ce point.*

3. *Que je sache, que l'on sache* (usage soutenu) s'emploie surtout dans une phrase négative comme proposition incise au sens de «à ma (ou notre) connaissance» :

> *Il n'y a pas, que je sache, d'éléments nouveaux dans l'enquête.* (On dit aussi : *pour autant que je sache.*)

Cette expression a souvent une valeur ironique ou d'argumentation, appliquée à une phrase qui exprime une évidence :

> *On n'a pas, que je sache, changé Paris de place. Tout cela est parfaitement légal, que je sache.*

4. *Je ne sache pas que* + **subj.** est une tournure littéraire signifiant «à ma connaissance, ne... pas» (sens analogue à celui de «que je sache») :

> *Je ne sache pas qu'aucun élément nouveau* **soit intervenu.** *Je ne sache pas qu'on* **ait changé** *Paris de place.* (On emploie plus rarement *On ne sache pas que..., Nous ne sachons pas que...*)

5. *Savoir* + **infinitif,** v. INFINITIF, II, 2.

6. *Savoir, savoir si, savoir comment,* etc. expriment familièrement un doute ou une interrogation marquée de perplexité :

> *Il prétend qu'il a fait tout ce qu'il fallait... Savoir ? Savoir si tout cela est bien utile ?* (= est-ce que c'est vraiment bien utile ?). *Savoir comment tout ça finira ?* (= qui peut savoir... ?)

● *Va savoir, allez savoir* exprime la même valeur avec un peu plus d'insistance sur l'ignorance :

> *Allez savoir pourquoi il a brusquement changé d'avis ! Peut-être que ça aurait mieux valu ? Va savoir !*

7. *(À) savoir* annonce, comme « c'est-à-dire », une précision, une énumération détaillant ce qui vient d'être dit :

> *Les pays scandinaves, à savoir la Suède, la Norvège, le Danemark et la Finlande. Il a vendu tout son cheptel, savoir quatre vaches et douze brebis. Il a une bonne excuse, à savoir qu'il n'avait pas été mis au courant.*

8. *On ne sait qui, quoi*, etc. Dans ces expressions à valeur indéfinie, le verbe reste généralement au présent :

> *Il invoquait on ne sait quel ancien usage.*

9. *Dieu sait que..., si..., pourquoi..., quand...*, etc. exprime avec insistance, sur un ton exclamatif, une affirmation ou l'ignorance d'une cause, d'une date, etc. :

> *Dieu sait pourtant que je l'avais prévenu ! Dieu (seul) sait quand il reviendra !*

sembler

1. *Il semble que* exprime une impression, une apparence. Le verbe qui suit est fréquemment au subjonctif :

> *Il semble qu'on ne **puisse** pas faire autrement. **Il semblait que** tout **dût** lui réussir* (usage soutenu).

● Toutefois, on peut employer aussi l'indicatif ; c'est souvent le cas, dans l'usage courant, quand le verbe subordonné est à l'imparfait :

> *Il semble qu'on ne **pouvait** pas faire autrement,*

et surtout quand *il semble que* est accompagné d'un complément (en général un pronom) :

> *Il me semble que je le **connais*** (et non *que je le connaisse). *Il leur semblait que c'**était** facile* (ou, littérairement, *que ce fût facile*).

● *Il ne (me, te,* etc.*) semble pas que* est suivi du subjonctif :

> *Il ne me semble pas que ce soit suffisant.* (On dit plus habituel-

lement : *Je ne pense pas, je n'ai pas l'impression que ce soit suffisant.*)

● On peut souvent alléger la phrase au moyen de la construction infinitive ou de la tournure personnelle avec un adjectif attribut :

> *Il me semble le connaître. Cela leur semblait [être] facile. Cela ne me semble pas [être] suffisant.*

On peut aussi employer en construction incise *semble-t-il, (à ce qu')il me semble* :

> *On ne pouvait pas, semble-t-il (ou **il me semble**), faire autrement.*

Ce me semble en construction incise est archaïque.

2. *Il semble* + adj. + *que* est suivi de l'indicatif ou du subjonctif selon que l'adjectif indique soit certitude, vraisemblance, soit doute, hypothèse, négation :

> *Il semble **prouvé** qu'ils **sont** innocents. Il semble **douteux** que cela **réussisse.*** (V. PARAÎTRE, 2.)

servir

1. On dit *Servir à qqn, à qqch*, lui être utile, et *Servir de qqch*, en tenir lieu :

> *Sa règle à calcul lui sert constamment. Cette boîte (lui) sert de classeur.*

2. *Ne servir à rien, ne servir de rien.* De ces deux constructions signifiant « être inutile », seule la première est courante ; *ne servir de rien* est plus littéraire ; de même on dit :

> *À quoi cela lui a-t-il servi ?* ou, plus littérairement : *De quoi lui servira sa fortune s'il ruine sa santé ?*

si

I. SI, CONJONCTION DE CONDITION.

1. *Si* s'élide en *s'* devant *il* et *ils* :
> *S'il dort, ne le réveillez pas.*

La subordonnée de condition introduite par *si* est en principe à l'indicatif ; les temps employés sont le présent, l'imparfait ou le plus-que-parfait.

2. *Si* + indic. imparf. ou plus-que-parf., ou subj. plus-que-parf./*si* + condit. Quand la principale est au mode conditionnel, la subordonnée introduite par *si* est à l'indicatif imparfait :

*Je le ferais si je **pouvais**,*

ou plus-que-parfait :

*Je l'aurais fait si j'**avais pu*** (et non **Je le ferais si je pourrais, *Je l'aurais fait si j'aurais pu*).

● Dans l'usage littéraire, le subjonctif plus-que-parfait peut remplacer après *si* l'indicatif plus-que-parfait :

*Je l'**eusse** (ou je l'aurais) fait si j'**eusse pu**.*

● Le mode conditionnel s'emploie normalement après *si* quand cette conjonction exprime une concession, une opposition et signifie « s'il est vrai que » (tournure plus usuelle) :

*Si nous **aurions préféré** gagner la finale du championnat, nos résultats sont tout de même très honorables.*

● Dans la phrase *Je ne savais pas s'il viendrait*, on a un «futur dans le passé» en interrogation indirecte, et non un conditionnel. (V. INTERROGATION, 4, et CONCORDANCE DES TEMPS, 2.)

3. *Si* + indic. présent/*si* + indic. futur. Quand la principale est à l'indicatif, à l'impératif, au subjonctif, la subordonnée introduite par *si* est au présent ou au passé composé :

*Si vous n'**avez** plus besoin de moi, je me retire. Si vous **avez compris**, pourquoi insistez-vous ? Je reviendrai si c'**est** nécessaire. Si vous **êtes** libre, restez avec nous. Si cet appareil **est** inutilisable, qu'on s'en débarrasse.*

● Le futur ne s'emploie après *si* que quand cette conjonction exprime une concession, une opposition et signifie « s'il est vrai que » (qui est plus usuel) :

*Si cette entreprise **exigera** de gros investissements, elle doit être en*

revanche *très rentable* (= cette entreprise exigera sans doute..., mais...).

4. *Si ce n'est*. Dans cette expression qui indique l'exception, le verbe est ordinairement invariable :

*Il n'y avait rien à craindre, si ce n'**est** les accidents imprévisibles* (= sinon, excepté, sauf).

5. (*Plus, mieux, autant*) *que si...* Dans des phrases exprimant une comparaison, la deuxième proposition est parfois introduite par *que si* :

*Il vaut mieux qu'il arrête les frais tout de suite **que s'il** risque de tout perdre* (on dit plus couramment : **que de risquer** de tout perdre). *Autant vaut que je vous avertisse **que si** vous appreniez la chose par d'autres.*

II. *SI*, INTERROGATIF, v. INTERROGATION, 4.

III. *SI*, ADVERBE D'INTENSITÉ, DE COMPARAISON, v. AUSSI, 5 et 7.

soi, soi-même

1. *Soi(-même)* représente le sujet indéterminé ou non exprimé du verbe : *on, chacun, tout homme, tout le monde, quiconque*, etc. (emploi réfléchi) :

*Dans ces cas-là, **chacun** pense d'abord à **soi**. **On** n'est jamais si bien servi que par **soi-même**. Il faut être lucide sur **soi**. **Soi-même**, **on** ne peut pas tout faire.*

2. Dans des textes littéraires, *soi* représente parfois un sujet bien déterminé. C'est un archaïsme, surtout si ce sujet est pluriel :

*Ces auteurs parlent trop complaisamment de **soi*** (usage courant : *d'eux-mêmes*).

● Les expressions *à part soi, content de soi* sont assez couramment appliquées à des sujets bien déterminés :

*Il formait **à part soi** de beaux projets. **Elle** paraissait assez contente de **soi**.*

3. *En soi* s'emploie le plus couramment pour représenter *ce, cela* ou un pronom indéfini tel que *tout, rien, quelque chose ;* avec tout autre sujet il peut aussi s'employer à la place de *en lui-même, en elle-même,* etc. :

> **Cela** *est* **en soi** *très facile.* **Rien en soi** *ne s'y oppose. L'opération est* **en soi** *(ou* **en elle-même***) très simple.*

4. Aller de soi. Dans cette expression, le pronom reste toujours de la forme *soi,* quel que soit le sujet :

> *Cela va de soi. La conclusion va de soi.*

soi-disant

Cette expression est invariable.

1. De soi-disant experts, ce sont des gens qui se disent experts, mais dont on met en doute la qualité. *Il a agi* **soi-disant** *dans notre intérêt :* C'est lui qui dit qu'il a agi dans notre intérêt. En vertu de cette interprétation de *soi-disant,* la phrase : *Le soi-disant coupable proclamait son innocence* peut paraître illogique ; ce genre d'emploi est cependant courant du fait que *soi-disant,* expression figée formée sur un modèle syntaxique aujourd'hui hors d'usage, est compris en un sens plus général («à ce que l'on dit»). Le mot *prétendu* au lieu de *soi-disant* permet d'éviter facilement cette critique :

> *Le prétendu coupable...*

2. *Un soi-disant succès, un exercice soi-disant facile,* c'est ce que quelqu'un prétend être un succès, un exercice que quelqu'un dit facile. Au lieu de cet emploi de *soi-disant* rapporté à un nom de chose, largement répandu mais parfois critiqué, on peut dire : *un prétendu succès, un exercice prétendu(ment) facile.*

3. *Soi-disant qu'il ne l'a pas fait exprès !* Dans l'usage surveillé, on évite cette construction ; on dit, par exemple :

> *Il prétend* (ou *il paraît*) *qu'il ne l'a pas fait exprès.*

soit

1. Soi(en)t deux triangles semblables. Dans l'exposé d'une hypothèse, surtout dans un raisonnement mathématique, tantôt on accorde graphiquement *soit* avec le nom pluriel qui suit, tantôt on le laisse invariable :

> *Soient deux cercles concentriques. Soit deux droites parallèles.*

2. Quand *soit* signifie «c'est-à-dire» ou «en d'autres termes», on le laisse en principe invariable :

> *Une tonne et demie,* **soit** *mille cinq cents kilos.*

3. Soit..., soit... Les éléments coordonnés par *soit..., soit...,* sont en principe deux membres de phrase (deux compléments, deux adjectifs, deux adverbes, parfois deux sujets — dans ce dernier cas, le verbe peut être au singulier ou au pluriel) :

> *Le menu comporte soit du fromage, soit un dessert. Je viendrai soit ce soir, soit demain. Soit le directeur, soit son secrétaire vous recevra. Soit un oubli, soit une maladresse peuvent causer un accident.*

● *Soit...,* soit est parfois employé pour coordonner deux propositions, mais dans l'usage surveillé on préfère employer *ou..., ou...* :

> *Soit vous faites le travail dans la semaine, soit je m'adresse à un autre* (usage surveillé : *Ou vous faites..., ou je m'adresse...*).

4. Soit... ou... Cette construction est une variante archaïsante de *soit... soit...* :

> *Il est resté muet, soit par prudence ou par ignorance* (usage courant : *soit par prudence, soit par ignorance,* ou simplement [plus soutenu] *soit prudence, soit ignorance*).

5. Soit que..., soit que... Les verbes introduits par cette locution sont au subjonctif :

> *Soit qu'il fasse beau, soit qu'il pleuve, il fait chaque jour sa promenade.*

On préfère souvent la forme plus simple *que... ou que... : **Qu'il fasse beau ou qu'il pleuve...***

● On peut aussi avoir les combinaisons *soit que... soit...,* ou *soit que... ou... :*

*Soit qu'il ignorât la chose, **soit** (ou **ou**) par indifférence, il est resté impassible.*

souhaiter

1. Souhaiter que + subj./souhaiter (de) + infin. Selon que le sujet du verbe de la proposition dépendant de *souhaiter* est différent ou non du sujet de *souhaiter,* cette proposition est une complétive par *que* au subjonctif ou prend la forme d'un infinitif précédé ou non (à volonté) de *de :*

*Je souhaite **que** tout **aille** bien. Je souhaite **de pouvoir** vous aider,* ou *Je souhaite **pouvoir** vous aider.*

2. Souhaiter à qqn de + infin. La préposition *de* est nécessaire devant l'infinitif si *souhaiter* a un complément indirect qui est aussi sujet de l'infinitif :

*Je souhaite à chacun de pouvoir en dire autant. Je **leur** souhaite **de** réussir.*

souvenir

Je me souviens/il me souvient de qqch. La construction impersonnelle *il me (te, lui,* etc.) *souvient de* est littéraire :

Il lui souvenait des rêves de son enfance (usage courant : *Il se souvenait des rêves de son enfance*).

● Quand le complément de ce verbe est un infinitif, il est en général précédé de *de,* mais parfois aussi construit directement :

Je ne me souviens pas d'avoir dit cela, ou *Je ne me souviens pas avoir dit cela.*

subjonctif

1. Subjonctif et indicatif. Dans certaines propositions subordonnées

on peut choisir soit l'indicatif, soit le subjonctif, sans modification du reste de la phrase :

*Je cherche une maison qui **a** un jardin/Je cherche une maison qui **ait** un jardin.* (V. RELATIVE, 4.)

On voit par ces exemples que le subjonctif exprime ce qui est envisagé, souhaité, voulu, alors que l'indicatif exprime un fait déclaré comme certain.

● Le subjonctif souligne souvent l'idée que celui qui parle ne prend pas à son compte le contenu de la proposition où figure ce mode :

*Il **n'est** pas évident que ce **soit** une erreur* (le subjonctif souligne le doute émis dans la proposition principale ; comparer : *Il **est** évident que c'est une erreur*).

● On trouve ainsi le subjonctif dans des subordonnées dépendant d'un verbe principal d'opinion ou de déclaration aux formes négative ou interrogative. (V. CROIRE, 3, et DIRE, 1.)

● Dans de nombreux cas, la différence de valeur entre l'indicatif et le subjonctif se réduit à une nuance :

Je n'ai pas l'impression que c'est nécessaire, ou *que ce **soit** nécessaire.*

2. Le subjonctif seul possible. Dans la majorité des subordonnées dont le verbe est au subjonctif, son remplacement par l'indicatif est impossible :

*Il faut qu'on le **sache*** (et non **qu'on le sait*). *Je crains qu'il ne **soit** trop tard* (et non **qu'il n'est trop tard*). Dans ces cas, on dit que le subjonctif est une servitude grammaticale. L'emploi du subjonctif est systématique, notamment :

a) dans les subordonnées dépendant d'un verbe qui marque l'obligation, la volonté, la possibilité ou l'impossibilité, le désir ou le regret, la crainte, le doute : *il faut, je veux, il se peut, je souhaite, je déplore, je crains, je doute,* etc.

b) dans des subordonnées sujets introduites par *que :*

*Qu'il n'**ait** rien **dit** ne me surprend pas.*

c) dans des subordonnées de but (v. BUT).

d) dans les subordonnées de temps exprimant l'antériorité :

*Je vous préviendrai avant qu'il ne **soit** trop tard.*

e) dans de nombreuses subordonnées de concession (v. CONCESSION).

f) dans certaines subordonnées relatives (v. RELATIVE, 4).

3. Imparfait et plus-que-parfait du subjonctif. Dans l'usage oral le plus général on n'utilise que le présent du subjonctif ou, pour exprimer l'antériorité, le « passé » du subjonctif :

*J'ai peur (ou j'avais peur, j'ai eu peur) qu'on s'en **aperçoive**. J'ai peur qu'on s'en **soit aperçu**.*

Dans l'usage soutenu, l'imparfait et le plus-que-parfait du subjonctif s'emploient, surtout à la 3ᵉ personne du singulier, en concordance avec un temps passé dans la principale (v. CONCORDANCE DES TEMPS, 3). Pour les verbes *avoir* et *être,* toutes les personnes de ces deux temps sont relativement fréquentes dans l'usage soutenu :

*Je craignais que vous ne **fussiez** en difficulté, que vous n'**eussiez été** en difficulté* (mais on évite des formes telles que *Je craignais que vous ne vous en aperçussiez*).

● Le subjonctif plus-que-parfait s'emploie, dans l'usage littéraire, au lieu de l'indicatif plus-que-parfait pour exprimer une hypothèse non réalisée (« irréel du passé ») :

*Si vous l'**eussiez voulu,** c'était facile* (usage courant : *si vous l'aviez voulu*).

● **Subjonctif et conditionnel** (*il eût fallu,* etc.), v. CONDITIONNEL, 4.

subordination

1. Une proposition est subordonnée à une autre, dite sa « principale », quand elle en dépend grammaticalement et lui est reliée :

- par une conjonction ou une locution conjonctive de subordination : *que, lorsque, pour que, de peur que, puisque, comme, quand, si,* etc. (subordonnées conjonctives) ;

- par un mot relatif ou interrogatif : *qui, où, quel, dont,* etc. (subordonnées relatives ou interrogatives) ;

- ou encore par la construction infinitive, ex. : *J'entends **siffler le train**,* ou participiale, ex. : *Le **soir venu**, ils repartirent* (subordonnées infinitives ou participiales).

● La maîtrise de l'usage écrit se marque en particulier par la sûreté dans l'emploi de la subordination : celle-ci met en évidence les relations entre les éléments de la pensée, mais, mal contrôlée, elle donne lieu à des phrases embarrassées ou confuses.

2. Subordination inverse. On peut dire à peu près indifféremment soit *Dès* (ou *aussitôt*) *qu'il eut dit cela, il commença à le regretter,* soit *Il n'avait pas plus tôt dit cela* (ou *À peine avait-il dit cela*) *qu'il commençait à le regretter.* Dans le deuxième cas, on dit qu'il y a « subordination inverse », car la proposition qui était la principale dans le cas précédent est introduite par une locution conjonctive, sans que le rapport entre les idées exprimées par les deux propositions ait changé.

● Ce type de construction se trouve dans la subordination de temps, comme dans les exemples donnés, ou dans la subordination de condition-concession :

Il me le jurerait que je ne le croirais pas (= même s'il me le jurait, je ne le croirais pas) [v. CONDITIONNEL, 3].

3. Fonctions des subordonnées. Une subordonnée peut être :

- sujet : *Qu'il ait dit cela prouve sa bonne foi.*

- complément d'objet : *Je sais que c'est vrai. J'ignore pourquoi il est absent.*

- attribut : *Notre but est que le client soit satisfait* (v. QUE, 1).

- complément circonstanciel de temps, de but, de cause, de conséquence, de concession, de condition, de comparaison (v. ces mots).

On appelle parfois subordonnées « complétives » les subordonnées conjonctives, interrogatives ou infinitives ayant la fonction de sujet, complément d'objet ou d'attribut, et subordonnées « circonstancielles » les autres subordonnées conjonctives ou participiales.

suite

1. De suite/tout de suite. La locution *de suite* signifie « successivement, sans interruption, d'affilée » dans une phrase qui contient un mot numéral ou un indéfini :

*Il a gagné **trois** fois de suite à la loterie. Il a neigé **plusieurs** jours de suite.*

● *De suite* s'emploie aussi, familièrement, au sens de « tout de suite, immédiatement » :

Je reviens de suite. Il faut commencer de suite.

2. Suite à + nom est une locution surtout usuelle dans la langue administrative ou commerciale :

Suite à votre demande du 15 courant, j'ai l'honneur de vous informer que... L'électricité a été coupée suite à de violents orages (usage courant : *à la suite de violents orages*).

suppléer

1. Suppléer qqn, c'est le remplacer momentanément ou partiellement dans ses fonctions (langue administrative) :

Un maître auxiliaire supplée le professeur absent.

2. Suppléer qqch, c'est l'ajouter comme complément ou comme compensation (usage soutenu) :

Si vous êtes à court d'argent, je pourrai suppléer la somme manquante. Suppléer un mot sous-entendu ;

ou en constituer une compensation, le remplacer :

Sa bonne volonté supplée son inexpérience.

3. Suppléer à qqch (nom abstrait), c'est y apporter une compensation, y remédier (usage soutenu) :

On a dû suppléer à l'insuffisance des moyens par un redoublement d'ingéniosité ;

ou, avec un nom de chose comme sujet, en constituer une compensation, le remplacer (variante de *suppléer qqch*) :

Sa bonne volonté supplée à son inexpérience. Les aveugles, chez qui le toucher supplée à la vue.

supposer

1. Supposer que + indic. ou condit. Le verbe de la subordonnée dépendant de *supposer* est à l'indicatif ou au conditionnel quand *supposer* signifie « admettre comme vrai, sous réserve de confirmation » :

*Je **suppose** qu'il **est arrivé** à l'heure qu'il est. Je **suppose** que vous ne **voudriez** pas recommencer.*

2. Supposer que + subj. Le verbe de la subordonnée dépendant de *supposer* est au subjonctif quand *supposer* signifie « poser comme hypothèse » (la proposition qui suit exprime alors souvent un argument opposé, une objection). C'est souvent le cas, en particulier, aux formes *supposons, supposez, en supposant que*, et toujours pour *à supposer que* :

*Supposons qu'il **soit** sincère, il a tout de même pu se tromper. À supposer que ce projet **soit** réalisable, où trouverez-vous l'argent ?*

3. Supposé que + subj., expression littéraire, équivaut à *à supposer que*.

V. CROIRE, 6 et 8.

sur

Outre son emploi pour introduire un complément de lieu, la préposition *sur* entre dans de nombreuses locutions ou constructions verbales ; elle est parfois en concurrence avec d'autres prépositions.

1. Sur - sous. On emploie tantôt l'une, tantôt l'autre de ces prépositions dans des expressions qui indiquent la cause, l'origine d'une action. On dit *sur le conseil*, *sur les instances*, *sur l'insistance*, *sur la recommandation de quelqu'un*, mais *sous l'action*, *sous l'effet*, *sous l'empire*, *sous l'impulsion*, *sous l'influence*, *sous la pression de quelque chose* (ou *de quelqu'un*).

2. Sur - dans. On dit *lire quelque chose dans le journal* ou *sur le journal*, *dans un catalogue* ou *sur un catalogue*.

3. Sur - à. On dit *Sur le plan juridique*, *sur le plan des principes*, etc., *vous avez raison*, ou *Au plan juridique*, *au plan des principes*, etc., *vous avez raison*.

● On dit *agir sur l'initiative* ou *à l'initiative de quelqu'un*.

4. Sur - de. On dit ordinairement *être d'accord sur qqch* :
Je suis d'accord sur toutes ces propositions.

L'emploi de la préposition *de* est de l'usage littéraire :
Je suis d'accord de tout cela.

On utilise surtout le pronom *en* : *J'en suis, j'en demeure d'accord*, ou un infinitif : *Il était d'accord de ne rien brusquer* (usage plus courant : *pour ne rien brusquer*).

5. Sur - vers. Pour exprimer une heure approximative, on dit :
Je viendrai sur les huit heures, ou *vers (les) huit heures*.

symétrie

Dans l'usage surveillé, on a soin de respecter les symétries, en particulier dans les systèmes de coordination ou de comparaison utilisant des termes qui se correspondent. Une phrase comme *Je suis non seulement surpris, mais je trouve que c'est un scandale* manque de symétrie. Pour la rendre régulière, il faudrait faire suivre les deux termes *non seulement* et *mais* des mots qui se correspondent, par exemple :

Non seulement je suis surpris, mais je trouve que c'est un scandale, ou *Je suis non seulement surpris, mais scandalisé.*

De même, au lieu de :
C'est impossible aussi bien (ou *tant*) *pour des raisons théoriques que pratiques,*

on dira par exemple :
C'est impossible aussi bien (ou *tant*) *pour des raisons théoriques que pour des raisons pratiques* ou, plus légèrement, *pour des raisons aussi bien* (ou *tant*) *théoriques que pratiques.*

Au lieu de
C'est impossible à la fois (ou *en même temps*) *pour des raisons théoriques, mais aussi pour des raisons pratiques,*

on peut dire :
C'est impossible pour des raisons théoriques, mais aussi pour des raisons pratiques, ou *C'est impossible à la fois pour des raisons théoriques et pour des raisons pratiques,* ou *pour des raisons à la fois théoriques et pratiques.*

V. COORDINATION.

t

tâcher

1. Tâcher de (tâcher à) + infin.
La construction avec *de* est la seule courante :
Tâchons d'arriver avant la nuit.

● La construction avec *à* est un archaïsme littéraire : *Tâchez à vous faire oublier.*

2. Tâcher que + subj. est une construction plus rapide que *tâcher de faire (en sorte) que :*
Je tâcherai que tout soit prêt, ou Je tâcherai de faire que tout soit prêt.

● **Tâcher à ce que + subj.** est archaïsant :
Il tâchait à ce que chacun fût satisfait.

3. Tâcher moyen de + infin., que + subj. est de l'usage populaire :
Il faudrait tâcher moyen de ne pas vous tromper. Tâche moyen qu'il en reste pour les autres.

tant

1. Tant/tellement/si. Comme adverbe d'intensité, avec un verbe on emploie en principe *tant* ou *tellement :*
Je regrette tant (ou tellement) qu'il ne soit pas là !

Avec un verbe d'une seule syllabe, on a tendance à préférer *tellement* à *tant ;* on dit plutôt :
Il rit tellement que..., Il ment tellement que... que Il rit tant que..., Il ment tant que...

Le choix de *tellement* permet en outre d'éviter parfois le risque de confusion avec *tant que* conjonction de temps :
Il travaille tellement qu'il est épuisé (Il travaille tant qu'il est épuisé pourrait être compris, bizarrement

sans doute : «pendant qu'il est épuisé».)

● Pour modifier un adjectif ou un adverbe, on emploie *tellement* ou *si,* et non *tant :*
C'est tellement (ou si) facile ! Il y a tellement (ou si) longtemps !

● Pour modifier un participe passé, on peut employer *tant, tellement* ou *si,* en particulier en phrase exclamative :
C'est donc là ce lieu tant (ou tellement ou si) vanté par les poètes ! Voici le moment tant attendu.

2. Tant... que... Dans le système comparatif *tant... que...* (= aussi bien... que...), *tant* peut se trouver devant un adjectif :
Des entreprises tant publiques que privées.

3. Tant qu'à faire, tant qu'à faire (que) de + infin., tant qu'à + infin. Ces locutions expriment, dans l'usage familier, ce qu'il est préférable de faire en de telles circonstances, arrivé à un certain point :
Tant qu'à faire, j'ai choisi la meilleure qualité. Tant qu'à faire que de ne pas dormir, occupons-nous utilement. Tant qu'à voyager, j'aime mieux le train. On peut dire aussi, dans un usage très soutenu, *à tant faire que de + infin.*

4. Tant/autant, v. AUSSI, 5. **Tant pis (pire),** v. PIRE, 3. **Tant plus, tant moins,** v. PLUS, 6. **Tous tant que...,** v. AUTANT, 6. **Tant qu'à,** v. QUANT À, 1.

tantôt

1. Tantôt s'emploie couramment au sens de «cet après-midi» :
Allons déjeuner, nous finirons ce tra-

vail tantôt. Il est passé me voir tantôt. Il faut attendre jusqu'à tantôt.

● L'emploi de *tantôt* comme nom est surtout régional :

Je vous verrai ce tantôt. J'ai dormi tout le tantôt. Il est arrivé sur le tantôt.

● Le sens plus vague de « dans peu de temps », ou « peu auparavant, il y a peu » est vieilli.

2. Tantôt... tantôt exprime l'alternative, la diversité d'actions successives :

C'est tantôt l'un, tantôt l'autre qui préside la séance. Tantôt il pleuvait, tantôt le ciel était clair.

tarder

1. Tarder à + infin. est la construction normale :

Le facteur tarde à passer. Les secours ont beaucoup tardé, ont trop tardé à venir.

La construction *tarder de* + infin. est archaïque : *Des progrès ne tardèrent pas de se manifester.*

2. Il me (te, etc.) tarde de + infin./que + subj. On dit

Il me tarde d'arriver ou *Il me tarde que vous arriviez, que nous soyons arrivés.*

taxer

On dit *taxer quelqu'un de naïveté, de négligence, taxer une entreprise de folie.*

L'analogie de verbes comme *traiter* ou *qualifier* entraîne parfois l'emploi d'un adjectif au lieu d'un nom après *de : taxer quelqu'un de naïf, de négligent, taxer une entreprise de folle.* Cet emploi s'écarte de l'usage soutenu auquel ce mot appartient dans ce sens.

tel

1. À telle heure. *Tel* suivi d'un nom désigne abstraitement un être ou une chose indéterminée et se substitue, dans une phrase qui ne se rapporte pas à une réalité définie, à une précision qu'on donnerait dans un énoncé en situation :

La convocation lui enjoignait de se présenter tel jour à telle heure. Je vous rencontrerai en tel lieu qui vous conviendra. Tel enfant est plus primesautier, tel autre plus réservé. Il m'a expliqué que cela s'était produit en telle et telle circonstance. On peut s'y prendre de telle ou telle façon.

2. Tel(le) une anguille. Cette forme de comparaison a un caractère littéraire :

Il se faufilait, telle une anguille (ou *tel une anguille*)*. On dit plus couramment : comme une anguille.*

3. Tel (que)..., tel... La juxtaposition de deux phrases introduites par *tel* et séparées par une pause exprime avec insistance la ressemblance ou l'identité, sur un ton sentencieux ou avec une certaine recherche littéraire ; la subordination par *tel que* sans effet d'insistance présenterait les deux termes de la comparaison dans l'ordre inverse :

Tel père, tel fils (= le fils est tel que le père)*. Tel (que) je l'ai quitté, tel je le retrouve* (= je le retrouve tel que je l'ai quitté)*.*

4. Tel quel, tel que. *Tel quel* signifie « dans l'état où il est, sans y rien changer » :

Cette voiture est usagée, mais telle quelle, elle rend encore bien des services.

La forme *tel que,* fréquente dans l'usage courant (*J'ai tout laissé tel que*), est évitée dans l'usage surveillé.

5. Tel que + participe passé. Dans cette construction concise, qu'on peut rencontrer surtout dans des textes administratifs, il y a ellipse du verbe *être* :

Ce mobilier, tel que décrit dans l'inventaire (= tel qu'il est décrit...), *sera mis en vente aux enchères.*

6. Tel que... (conséquence). Pour le choix du mode, v. CONSÉQUENCE, 1.

7. Tel pronom. Comme pronom, au sens indéterminé de « celui-ci ou celui-là, plus d'un », *tel* est d'un emploi littéraire ; il est le plus souvent antécédent d'un pronom relatif :

Tel qui ne disait rien n'en pensait pas moins. Tel se déclarait ravi, qui s'était mortellement ennuyé.

8. Un Tel, untel, un tel sont des façons de désigner une personne quelconque :

Un tel a dit ceci, un tel a fait cela. Adressez-vous à Madame Une Telle.

témoigner

1. Témoigner que + indic./témoigner + infin. On dit :

Je témoigne que je l'ai vu hier ou *Je témoigne l'avoir vu hier.*

2. Témoigner que (combien, à quel point)/témoigner (de) qqch. Plus spécialement avec un sujet nom de chose, on peut dire :

Ce geste témoigne qu'il est sincère ou *Ce geste témoigne de sa sincérité,* ou (moins couramment) *Ce geste témoigne sa sincérité.*

3. Témoigner qqch (sentiment) à qqn, c'est lui en donner la preuve, le lui manifester :

Je voudrais lui témoigner ma gratitude.

temps

L'expression du temps se fait par des moyens divers :

1. Subordination par des conjonctions ou des locutions conjonctives :

- à l'indicatif ou au conditionnel : *quand, lorsque, comme, dès que, (aus)sitôt que, depuis que, une fois que, après que* (v. cependant ce mot), *maintenant que, tandis que, en même temps que, tant que, aussi longtemps que, chaque fois que.*

- au subjonctif : *avant que, en attendant que, jusqu'à ce que, jusqu'à tant que* (fam.).

2. Emploi de prépositions devant un infinitif ou un nom : *avant (de), après, pendant, depuis, dès, à, vers,* etc.

3. Emploi du gérondif : *En arrivant, il s'est mis au lit.*

4. Emploi d'une construction participiale : *Le repas terminé, on se mit au travail.*

5. Emploi d'un adjectif détaché (apposé) en tête de phrase : *Jeune, il était très timide.*

6. Emploi d'adverbes ou de compléments de temps sans préposition : *bientôt, demain, toujours,* etc., *le matin, l'an dernier, toute la journée,* etc.

tenir

1. Être tenu de + infin./à + n. On dit *être tenu de se taire,* mais *être tenu au silence.*

2. Tenir qqn ou qqch (pour) + adj. ou n. Dans l'usage le plus courant, on emploie *pour* dans cette construction qui introduit un attribut du complément d'objet :

Je tiens cette information pour vraie. On le tenait pour un fantaisiste.

L'omission de *pour,* usuelle à l'époque classique, a aujourd'hui un caractère littéraire : *Nous tenons cette explication satisfaisante.*
Tenir comme au lieu de *tenir pour* est analogique de *considérer comme,* mais peu usité.

3. Tenir qqch à honneur, tenir à honneur de + infin. Cette expression est archaïsante ; on dit ordinairement *considérer quelque chose comme un honneur, considérer comme un honneur de + infin.*

terre

Par terre, à terre. On n'observe pas de nette différence de sens entre ces deux expressions ; *par terre* est plus usuel, *à terre* d'un usage légèrement plus soutenu :

> *S'asseoir par terre ou à terre. Tomber par terre. Laisser choir à terre un vase.*

Dans quelques locutions, le choix n'est pas libre ; on dit *mettre pied à terre, courir ventre à terre, ficher quelque chose par terre* (fam.).

toucher

Toucher qqch/à qqch. On dit à peu près indifféremment :

> *En levant le bras, il touche le plafond,* ou *il touche au plafond* (= il l'atteint ou y atteint). *Nous touchons le but* ou (plutôt) *nous touchons au but. Sa maison touche la mienne* ou *touche à la mienne.*

● *Toucher une somme,* c'est la percevoir ; *toucher à une somme,* c'est l'utiliser en partie ou en totalité.

toujours

1. ***Toujours*** peut indiquer notamment la répétition indéfinie (= chaque fois, chaque jour, etc.) :

> *Il se lève toujours à sept heures,*

ou la continuation (= encore, jusqu'à ce moment) :

> *Il dort toujours.*

2. ***Ne... pas toujours/ne... toujours pas/ne... jamais.*** Dans une phrase contenant l'adverbe de négation *ne... pas,* le sens de *toujours* dépend de sa place :

a) *Il ne travaille **pas toujours*** signifie «il y a des fois, des moments où il ne travaille pas» (négation restrictive).

b) *Il ne travaille **toujours pas*** signifie «il continue à ne pas travailler, il ne travaille pas encore (V. ENCORE, 2.)

● La négation absolue de *il travaille toujours* est, selon le sens de *toujours* dans la phrase affirmative :

> *Il ne travaille **jamais,*** ou *Il ne travaille **plus.***

tour

C'est mon tour, c'est à mon tour. On emploie couramment l'une ou l'autre de ces constructions :

> *C'est à mon tour d'être surpris.*
> *C'est mon tour d'être surpris.*

tout

1. ***À toute la ville*** (= la ville entière) s'opposent nettement, pour le sens, les deux constructions ***toute ville*** (= chaque ville, n'importe quelle ville) et ***toutes les villes.*** La construction ***toute ville, tout homme,*** etc., s'emploie souvent dans des phrases ayant un caractère sentencieux ou du moins une portée générale :

> *Toute peine mérite salaire. Toute vérité n'est pas bonne à dire. Tout abonné qui en fera la demande recevra une facture détaillée.*

● On dit *en tous cas* (ou *en tout cas*), ou *dans tous les cas, de tous côtés* (ou *de tout côté*), ou *de tous les côtés, en toute(s) circonstance(s)* ou *dans toutes les circonstances,* etc.

2. ***Tous (les) deux.*** *Tous les* suivi d'un mot numéral et d'un nom marque la périodicité :

> *On remonte cette pendule tous les sept jours.*

● *Tous les* devant un mot numéral non suivi d'un nom (donc employé pronominalement) exprime l'association :

> *Nous viendrons **tous les deux, tous les dix.***

On dit aussi, soit régionalement, soit dans une langue un peu plus littéraire, *tous deux, tous trois,* plus rarement *tous quatre* (au-delà, l'article défini est de règle) :

> *Vous êtes **tous deux** les plus qualifiés. Ils ont déclaré **tous trois** la même chose.*

Ordinairement, *tous deux, tous trois, tous quatre* ne se placent pas en fin de phrase.

3. ***Tout*** récapitulatif. À la fin d'une énumération, on peut reprendre l'ensemble des termes exprimés par un nom en apposition de sens plus général précédé de l'adjectif *tout* et sans article :

> *Le courage, la lucidité, l'autorité,* **toutes qualités** *nécessaires à un chef.*

4. Tout, tout le monde + ne... pas, v. NÉGATION, 10.

5. Place de *tout* pronom. Quand le pronom *tout* est complément d'objet direct d'un infinitif ou d'un verbe à une forme composée, il est le plus souvent placé avant l'infinitif ou le participe :

> *Je peux tout vous expliquer. Vous n'avez pas tout vu.*

Cependant, on peut placer *tout* après l'infinitif ou le participe, avec un effet d'insistance :

> *Je peux vous expliquer tout. Vous n'avez pas vu tout.*

6. Tout ce qu'il y a de. Cette expression devant un nom pluriel est un renforcement plus ou moins littéraire de *tous, toutes* ; quand elle est devant un sujet, le verbe et éventuellement l'attribut sont soit au singulier, soit plus rarement au pluriel :

> *Tout ce qu'il y a de spécialistes au monde est* (ou *sont*) *intrigué(s) par ce problème.*

Même liberté d'accord pour une phrase comme :

> *Tout ce que la France compte de spécialistes est* (ou *sont*) *intrigué(s).*

• Devant un adjectif, *tout ce qu'il y a de (plus)* est un équivalent familier de *très* ; l'adjectif est tantôt au masculin singulier (accordé avec *tout*), tantôt accordé avec le nom auquel il se rapporte réellement pour le sens :

> *Elle est tout ce qu'il y a de plus* **naïf***. Cette personne est tout ce qu'il y a de* **sérieuse***. J'ai une preuve tout ce qu'il y a de plus* **convaincante***.*

7. Tout adverbe. On distingue *Ils sont* **tous** *surpris* (= tous sont surpris)

et *Ils sont* **tout** *surpris* (= ils sont très surpris, tout à fait surpris). Dans la 2e phrase, *tout* est adverbe, et cependant il prend la forme *toute(s)*, uniquement devant un adjectif commençant par une consonne (y compris h aspiré) :

> *Elle est* **toute** *surprise. Elles sont* **toutes** **honteuses** (mais *Elle est tout étonnée, tout heureuse*). V. *Larousse de l'orthographe.*

8. Être tout feu tout flamme. Dans cette locution et dans quelques autres du même modèle, exprimant la plénitude, *tout* reste invariable :

> *Elle était* **tout** *yeux,* **tout** *oreilles. Elle est* **tout** *sourires.*

Dans des cas moins stéréotypés, surtout de la langue littéraire, *tout* est parfois accordé avec le nom qui suit : *Il était* **toute** *douceur.*

9. Tout d'une pièce, tout de travers. Dans *tout d'une pièce*, on laisse le plus souvent *tout* invariable :

> *Elle se retourna* **tout** *d'une pièce.*

Dans *tout de travers*, on observe tantôt l'invariabilité, tantôt l'accord de *tout* au féminin :

> *Les piquets étaient* **tout** *de travers. Les chaises sont* **tout(es)** *de travers. Une tige* **toute** *de travers.*

10. La toute jeunesse, la toute enfance. Le tout début. On dit très normalement *être tout jeune, tout enfant* (*tout* est alors adverbe et modifie un adjectif ou un mot employé adjectivement). Cette construction a entraîné la création des expressions *la toute jeunesse, la toute enfance* :

> *Dès sa toute jeunesse, il avait manifesté ce talent* (on dit plus couramment : *Dès sa première jeunesse,* ou *sa toute première jeunesse - ou enfance*).

De façon analogue, pour indiquer les tout premiers instants, l'expression *le tout début de qqch* s'est largement répandue dans l'usage courant :

> *Regardez attentivement les images du* **tout début** *du film. J'arriverai*

au **tout début** de la matinée (= tout au début de).

11. Du tout. Cette expression s'ajoute souvent à (ne)... pas, (ne)... plus, (ne)... rien comme élément de renforcement :

> Je ne suis **pas du tout** surpris, ou **pas** surpris **du tout.** Il n'y a **pas du tout** de différence, ou **pas de** différence **du tout.** Je ne vois là **rien du tout** d'inquiétant. Il n'a **rien** fait **du tout.** C'est un petit détail de **rien du tout.** Ça t'étonne ? — **Pas du tout,** ou simplement **Du tout** (fam.).

● L'emploi de du tout sans négation devant un adjectif au sens de « totalement » (Cela est du tout inattendu) est archaïsant.

12. Tout à coup, tout d'un coup, v. COUP, 1.

13. Tout + attribut + **que...** Cette expression, qui marque la concession, l'opposition, équivaut à peu près à « si... que..., quelque... que..., bien que... ». Le verbe de la proposition est soit à l'indicatif ou au conditionnel, soit au subjonctif. Dans ces emplois, le mot tout, quoique adverbe, est variable :

> **Tout** malin **qu'il est,** il s'est laissé prendre. **Toute** naïve, **tout** écervelée **qu'**elle **soit,** elle a deviné le piège (= si naïve [écervelée] qu'elle soit, bien qu'elle soit naïve...). **Tout** ministre **qu'il est** (ou **qu'il soit),** il n'est pas au-dessus des lois. **Tout** contrariant **que** ce **serait,** il faudrait bien s'en accommoder.

travers

A travers (qqch), au travers (de qqch). Ces deux constructions s'emploient à peu près indifféremment, la première étant plus usuelle :

> Le liquide passe **à travers le** filtre ou **au travers du** filtre. La toile est fine, on voit **à** travers, ou **au** travers.

très

1. Très, fort, extrêmement, tout à fait, tout. Très se place devant un adjectif ou un participe passé, ou devant un adverbe ; fort appartient à une langue plus soutenue ; extrêmement, tout à fait ont une plus grande force d'insistance ; tout (v. ce mot) s'emploie avec un nombre limité d'adjectifs, de participes ou d'adverbes :

> Cet appareil est très (ou tout à fait, extrêmement) pratique. Il était très (ou tout) intimidé. Il est très tard. À très bientôt (emploi familier). C'est très (ou fort) regrettable. C'est très (ou tout) simple. Je vous l'avoue très (ou tout) simplement.

● Très peut aussi se placer devant une locution adjectivale ou adverbiale, ou devant certaines prépositions : être très en colère, très en retard, très au courant, très sur ses gardes, très au-dessus de la moyenne.

2. Très faim, etc. On emploie souvent très devant un nom sans article appartenant à une locution verbale, le plus souvent avec les verbes avoir et faire (emploi jugé familier) :

> J'ai **très faim, très soif.** Il a eu **très peur.** Faites **très attention.** Cela nous fait **très plaisir.** J'en ai **très envie.**

On peut souvent utiliser aussi bien :

> J'ai **bien peur** de m'être trompé. Faites **bien attention.** J'ai **bien envie** d'essayer.

L'adjectif grand peut parfois être substitué à très (usage plus soutenu) :

> J'ai **grande** envie d'essayer. Nous avons (un) **grand** besoin de cela. J'ai **grand** peur que cela ne serve à rien. Cela nous fait (un) **grand** plaisir.

3. Ça m'a très surpris. Dans l'usage oral, on emploie parfois très devant le participe d'une forme composée de la voix active. Dans l'usage surveillé, on utilise beaucoup (ou fort, extrêmement, énormément) :

> Cela m'a beaucoup surpris. son attitude m'a beaucoup (ou fort) déplu.

u

un

1. Un intensif. Dans une phrase exclamative, *un* peut souligner l'importance de quelque chose :

> *Vous nous avez fait* **une peur** *!* (= une grande peur). *Il a* **une chance** *!* (On dit aussi, familièrement, *une de ces peurs, une de ces chances.*)

● Avec un adjectif employé comme nom, on dit familièrement :

> *C'est* **d'un** *sale ! C'est* **d'un** *triste !* (= c'est très sale, très triste).

2. Un chacun, v. CHACUN, 5. *Un de ces,* v. CE, I, 2.

3. (L')un de(s)... On dit couramment *un de mes amis* ou, dans un usage un peu plus soutenu, *l'un de mes amis.* On dit *c'est un des points fondamentaux,* ou *c'est un point fondamental, c'est une des raisons pour lesquelles* ou *c'est une raison pour laquelle,* mais non **c'est un des points fondamental, *c'est une des raisons pour laquelle.*

4. (L')un des... qui... (accord du verbe), v. QUI, 5.

5. L'un et l'autre, l'un ou l'autre. Ces expressions peuvent s'employer adjectivement, dans l'usage soutenu : *dans l'un et l'autre cas, dans l'un ou l'autre cas* (usage courant : *dans les deux cas, dans un cas ou dans l'autre*).

Quand ces expressions déterminent un sujet, le verbe est soit au pluriel, soit au singulier (en général au singulier pour *l'un ou l'autre*) :

> *L'une et l'autre question* **sont** *intéressantes* ou **est** *intéressante. L'un ou l'autre cas* **peut** *se présenter.*

● L'emploi pronominal est plus usuel ; quand il s'agit de sujets, le verbe est le plus souvent au pluriel, parfois au singulier : *L'un et l'autre des témoins ont confirmé les déclarations de l'inculpé. L'un et l'autre* **sont venus** *ou* **est venu.**

6. L'un l'autre. Cette expression traduit la réciprocité :

> *Ils se félicitent l'un l'autre* (il y a deux personnes), ou *les uns les autres* (il y a plusieurs groupes). *Ils se méfiaient l'un de l'autre, les uns des autres. Ils se battent l'un contre l'autre, les uns contre les autres. Ils s'acharnent l'un sur l'autre.*

● Quand le verbe est de ceux qui reçoivent un complément introduit par *à,* la préposition *à* est parfois omise entre *l'un* et *l'autre* :

> *Ils se prêtent l'un l'autre leur matériel* (ou plus habituellement *l'un à l'autre*). *Ils se plaisent l'un à l'autre,* ou *l'un l'autre.*

● Quand on emploie une locution prépositive terminée par *de,* on intercale entre *l'un* et *l'autre* soit la locution entière, soit seulement *de :*

> *Ils sont assis l'un à côté de l'autre,* ou *à côté l'un de l'autre. Elles étaient placées les unes en face des autres* (ou *en face les unes des autres*).

De même pour *près* (ou *auprès*) *de, à l'opposé de, vis-à-vis de, au-dessus de, au-dessous de, loin de, à la suite de,* etc.

7. D'un - de un. Devant un mot numéral, on peut élider ou non *de :*

> *Une table* **d'un** *mètre vingt de long,* ou **de un** *mètre vingt. Une pièce* **d'un** *franc,* ou **de un** *franc.*

8. Sur (ou vers) les une heure. Cet emploi de l'article pluriel devant *une* est analogue de la désignation des autres heures : *sur* (ou *vers*) *les quatre heures,* etc. On peut dire simplement *vers une heure.*

V

venir

1. *Venir à* **+ infin.** exprime le caractère éventuel, fortuit d'un événement :

> *Les vivres vinrent à manquer. S'il venait à s'en apercevoir, ce serait désastreux.*

2. *En venir à* **+ infin.** indique un point d'aboutissement, un degré extrême :

> *De fil en aiguille, on en est venu à évoquer cette affaire. Il en était venu à se méfier de ses amis les plus proches.*

3. *Venir de* **+ infin.,** v. ASPECT, 4.

4. *S'en venir,* au sens de « venir », est régional :

> *Vas-tu bien t'en venir ?*

5. *Vienne...,* v. INVERSION DU SUJET, 7.

verbe

1. Conjugaison. V. *Larousse de la conjugaison.*

2. Transitivité. On appelle « transitifs directs » les verbes qui peuvent recevoir un complément d'objet direct (c'est-à-dire construit sans préposition), comme *rencontrer, surpasser, manger,* etc. :

> *J'ai rencontré un ami. Le chien mange sa pâtée.*

● On appelle « transitifs indirects » les verbes qui peuvent recevoir un complément d'objet indirect (c'est-à-dire introduit par une préposition), comme *obéir, douter :*

> *Nous obéissons à des ordres. Je doute de sa sincérité.*

● Certains verbes reçoivent à la fois un complément d'objet direct et un complément d'objet indirect introduit par *à* (appelé souvent « complément d'attribution ») :

> *Pierre donne la pâtée au chien.*

● On appelle « intransitifs » les verbes qui ne peuvent pas recevoir de complément d'objet direct ou indirect, comme *planer, briller,* etc.

● On appelle « verbe employé absolument » un verbe transitif qui se trouve employé sans complément d'objet : *Le chien mange.* L'expression « employé absolument » s'applique d'ailleurs plus généralement à tout élément de phrase employé sans le complément qu'il peut avoir en d'autres circonstances.

● Pour le cas de verbes coordonnés ayant un même complément, v. COORDINATION, 4, et PRONOM PERSONNEL, 1.

3. Les voix. Seuls les verbes transitifs directs peuvent être employés à la voix active ou à la voix passive :

> *Pierre surpasse les autres* (voix active). *Les autres sont surpassés par Pierre* (voix passive). (V. PASSIF.)

● Un verbe est à la voix pronominale quand il est accompagné d'un pronom complément de la même personne que son sujet, et de la forme *se* à la 3e personne :

> *Nous nous connaissons. Il se plaint. Les oiseaux s'envolent.* (V. PRONOMINAL.)

4. Les verbes attributifs. Certains verbes, dits « attributifs », peuvent servir de lien entre leur sujet et un adjectif ou un nom qui est l'attribut de ce sujet et en indique l'état ou la manière d'être. Ce sont surtout les verbes *être* (dit « copule »), *sembler, paraître, devenir, rester, passer pour :*

> *La maison est grande. Son frère est médecin. L'affaire passe pour délicate.*

● Certains verbes peuvent servir de lien entre leur complément d'objet et un adjectif ou un nom qui est l'attribut de ce complément d'objet, par exemple *croire, juger, estimer, nommer, trouver, considérer comme* :

Je crois cette **précaution utile.** Nous considérons ce **résultat** comme **un succès.**

5. Les verbes perfectifs. Les verbes comme *comprendre, arriver, naître, mourir, commencer, achever* expriment une action qui aboutit à un certain point où elle cesse : quand on est arrivé, on ne peut plus continuer à arriver. On les appelle des verbes « perfectifs ».

● Au passé composé, on peut leur adjoindre l'adverbe *maintenant* : *Maintenant j'ai compris,* ce qui n'est pas le cas pour les verbes non-perfectifs : **Maintenant j'ai su la réponse. *Maintenant j'ai hésité. *J'ai maintenant habité ici.*

● Au présent passif, ils expriment l'état plutôt que l'action en cours : *La séance est commencée* (= elle est en cours ; différent de *On commence la séance*). (V. PASSIF, 2.)

● Les verbes qui se conjuguent à l'actif avec l'auxiliaire *être* sont des verbes perfectifs intransitifs : *naître, mourir, partir, arriver, tomber,* etc.

V. COMMENCER, 3 ; PASSER, 1.

6. Accord du verbe, v. ACCORD.

vitupérer

La construction directe *(vitupérer qqn, qqch),* autrefois courante, est aujourd'hui moins usuelle que la construction avec *contre* (analogie de *pester, fulminer, déblatérer,* etc.) :

Il vitupérait contre ses adversaires, contre le règlement.

voilà, voici

1. *Voilà/voici.* Dans l'usage surveillé, on réserve *voici* à la désignation de quelqu'un ou de quelque chose

qui est proche, ou dont on va parler, par opposition à *voilà* qui désigne quelqu'un ou quelque chose qui est moins proche ou dont on a parlé (même opposition qu'entre *cela* et *ceci, celui-là* et *celui-ci*) :

Voici mon bureau, et voilà mon horizon. Me voici. Voilà mes observations, et maintenant voici mes conclusions.

● Dans l'usage oral courant, on n'emploie guère que *voilà,* sans se préoccuper de cette distinction :

Voilà le facteur. Me voilà.

2. *Voilà* + n. *qui..., que...,* etc. *Voilà* (ou *voici*), en corrélation avec un relatif, est un présentatif servant à mettre en relief un nom ou un pronom :

Voilà la part qui te revient. Voilà la personne dont je vous parlais. Voilà ce que je voulais dire. Voici ce dont il s'agit. Le voilà qui passe, et non **Le voilà qu'il passe.* (V. QUI, 8.)

● *Voilà qui...,* v. QUI, 6.

3. *Voilà que* (ou *voici que*) soulignent le caractère soudain, inattendu ou saugrenu d'un événement :

Tiens, voilà qu'il pleut ! Voilà qu'il s'est mis en tête de chercher des trésors.

● *(Ne) voilà-t-il pas que...* (fam.) exprime la même valeur, avec plus d'insistance encore :

Voilà-t-il pas qu'on parle maintenant d'arrêter tous les travaux ?

4. *Voilà* (+ compl. de temps) *que...* équivaut à *il y a... que...* :

Voilà un mois qu'il n'a pas plu.

5. *Voici venir* + n. Dans cette construction de l'usage soutenu, on ne peut pas substituer *voilà* à *voici* : *Voici venir les beaux jours.* On dit plus ordinairement *Voilà les beaux jours qui viennent.* Dans l'usage littéraire seulement, un autre verbe de sens voisin peut remplacer *venir* dans cette construction infinitive.

voire

1. *Voire* exprime, dans l'usage litté-raire, une réponse ou une réflexion ironique marquant un doute :

Il prétend que c'est involontaire : voire !

2. *Voire* ou *voire même,* dans l'usage soutenu, introduit un terme qui exprime un renforcement :

C'est inutile, voire dangereux. On pourrait hésiter, voire même s'y tromper.

vouloir

1. *Vouloir bien, bien vouloir.* Dans l'usage courant, ces deux cons-tructions s'emploient indifféremment à l'infinitif dans des formules exprimant une demande ou une invitation plus ou moins insistante :

Je vous prie de vouloir bien (ou de bien vouloir) accepter mes excuses, me faire connaître vos intentions, assister à la réunion.

Une certaine tradition administrative et militaire réserve *bien vouloir* à l'expression de la demande à un supé-rieur et *vouloir bien* à l'expression de l'ordre.

2. *Vouloir que* (mode). Le mode normalement employé après *vouloir* est le subjonctif (ou l'infinitif en cas d'identité de sujet avec le verbe dépen-dant de *vouloir*) :

*Je veux que tu **viennes**. Je veux **venir**.*

● Toutefois, l'indicatif peut se rencon-trer dans des expressions telles que *le hasard (le sort, le destin, le ciel,* etc.) *a voulu que,* présentant la constatation d'un fait réel :

*Le hasard a voulu que je me **suis trouvé** là (ou que je me **sois trouvé** là).*

3. On dit *Ne m'en **veuille** pas,* ou *Ne m'en **veux** pas, Ne m'en **veuillez** pas* ou *Ne m'en **voulez** pas.* V. *Larousse de la conjugaison.*

y

y

1. Y/lui. *Y* représente ordinairement des choses, des notions abstraites. Pour des êtres animés, on emploie en principe *(à) lui, leur, à eux, à elles :*

> *La **situation** est sérieuse, mais on peut **y** remédier. Il a appris à réfréner ses **instincts** au lieu d'**y** obéir. Ce sont des **chefs**, il faut bien **leur** obéir. Je connais ce **bureau**, je m'**y** suis déjà adressé. Je connais cette **personne**, je me suis déjà adressé **à elle**.*

● *Y* s'emploie parfois pour des êtres animés, en particulier avec des verbes comme *penser à, songer à, se fier à, s'intéresser à,* qui n'admettent pas d'être immédiatement précédés de *lui* ou *leur* compléments :

> *Depuis que **son fils** est parti, elle n'arrête pas d'**y** penser* (usage plus soutenu : *de penser à lui*).

● *Y* correspond souvent à une prononciation populaire de *lui* avec des verbes comme *donner, dire, deman-* der, etc. : *Comme vous n'étiez pas là, j'**y** ai dit de repasser.*

● *Lui, leur* avant le verbe représentent très normalement des choses, notamment avec *donner, devoir, préférer :*

> *Les **meubles** sont poussiéreux, il faut **leur donner** un coup de chiffon* (et non **y donner*). *Cette **cravate** ne me plaît pas, je **lui** préfère l'autre* (et non **j'y préfère*). *Est-ce que cette **voiture** n'est pas la vôtre? Elle **lui** ressemble* (ou *elle **y** ressemble*).

2. Y/le. *Y* peut s'employer comme attribut, surtout dans l'usage familier, pour représenter un adjectif ou une locution adjectivale (*en avance, en colère, au courant,* etc.) :

> *Tu es content! — Oh! oui, j'**y** suis!* (usage courant : *je le suis*). *Je me croyais en retard, mais je n'**y** étais pas* (ou *je ne l'étais pas*).

3. Où + *y*, v. OÙ, 1. **J'(y)** irai, v. ALLER, 12.

II. Tolérances grammaticales ou orthographiques

(Arrêté ministériel du 28 décembre 1976)

Dans les examens ou concours dépendant du ministère de l'éducation et sanctionnant les étapes de la scolarité élémentaire et de la scolarité secondaire, qu'il s'agisse ou non d'épreuves spéciales d'orthographe, il ne sera pas compté de fautes aux candidats dans les cas visés ci-dessous.

Chaque rubrique comporte un, deux ou trois articles affectés d'un numéro d'ordre. Chaque article comprend un ou plusieurs exemples et un commentaire.
Les exemples et les commentaires se présentent sous des formes différentes selon leur objet.

Premier type

Dans l'emploi de certaines expressions, l'usage admet deux possibilités sans distinguer entre elles des nuances appréciables de sens.
Il a paru utile de mentionner quelques-unes de ces expressions. Chaque exemple est alors composé de deux phrases placées l'une sous l'autre en parallèle. Le commentaire se borne à rappeler les deux possibilités offertes par la langue.

Deuxième type

Pour d'autres expressions, l'usage admet une dualité de tournures, mais distingue entre elles des nuances de sens ; le locuteur ou le scripteur averti accorde sa préférence à l'une ou à l'autre selon ce qu'il veut faire entendre ou suggérer.
Les rubriques qui traitent de ce genre d'expressions conservent, pour chaque exemple, deux phrases parallèles, mais le commentaire se modèle sur un schéma particulier. Dans un premier temps, il rappelle les deux possibilités en précisant que le choix, entre elles, relève d'une intention ; dans un second temps, il invite les correcteurs à ne pas exiger des candidats la parfaite perception de tonalités parfois délicates de la pensée ou du style. La tolérance est introduite par la succession des deux formules : « L'usage admet, selon l'intention, ... » et : « On admettra... dans tous les cas ».

Troisième type

La dernière catégorie est celle des expressions auxquelles la grammaire, dans son état actuel, impose des formes ou des accords strictement définis, sans qu'on doive nécessairement considérer tout manquement à ces normes comme l'indice d'une défaillance du jugement ; dans certains cas, ce sont les normes elles-mêmes qu'il serait difficile de justifier avec rigueur, tandis que les transgressions peuvent procéder d'un souci de cohérence analogique ou logique.
Dans les rubriques qui illustrent ces cas, chaque exemple est constitué par une seule phrase, à l'intérieur de laquelle s'inscrit entre parenthèses la graphie qu'il est conseillé de ne pas sanctionner. Selon la nature de la question évoquée, le commentaire énonce simplement la tolérance ou l'explicite en rappelant la règle.

Parmi les indications qui figurent ci-après, il convient de distinguer celles qui précisent l'usage et celles qui proposent des tolérances. Les premières doivent être enseignées. Les secondes ne seront prises en considération que pour la correction des examens ou concours ; elles n'ont pas à être étudiées dans les classes et encore moins à se substituer aux connaissances grammaticales et orthographiques que l'enseignement du français doit s'attacher à développer.

I. — Le verbe

1. Accord du verbe précédé de plusieurs sujets à peu près synonymes à la troisième personne du singulier juxtaposés :

La joie, l'allégresse s'empara (s'emparèrent) *de tous les spectateurs.*

L'usage veut que, dans ce cas, le verbe soit au singulier. On admettra l'accord au pluriel.

2.

2 a. Accord du verbe précédé de plusieurs sujets à la troisième personne du singulier unis par *comme, ainsi que* et autres locutions d'emploi équivalent :

Le père comme le fils mangeaient *de bon appétit.*
Le père comme le fils mangeait *de bon appétit.*

L'usage admet, selon l'intention, l'accord au pluriel ou au singulier.
On admettra l'un et l'autre accord dans tous les cas.

2 b. Accord du verbe précédé de plusieurs sujets à la troisième personne du singulier unis par *ou* ou par *ni* :

Ni l'heure ni la saison ne conviennent *pour cette excursion.*
Ni l'heure ni la saison ne convient *pour cette excursion.*

L'usage admet, selon l'intention, l'accord au pluriel ou au singulier.
On admettra l'un et l'autre accord dans tous les cas.

3. Accord du verbe quand le sujet est un mot collectif accompagné d'un complément au pluriel :

> À mon approche, une bande de moineaux s'envola.
> À mon approche, une bande de moineaux s'envolèrent.

L'usage admet, selon l'intention, l'accord avec le mot collectif ou avec le complément.
On admettra l'un et l'autre accord dans tous les cas.

4. Accord du verbe quand le sujet est *plus d'un* accompagné ou non d'un complément au pluriel :

> Plus d'un de ces hommes m'était inconnu.
> Plus d'un de ces hommes m'étaient inconnus.

L'usage admet, selon l'intention, l'accord au pluriel ou au singulier.
On admettra l'un et l'autre accord dans tous les cas.

5. Accord du verbe précédé de *un des qui, un de ceux que, une des... que, une de celles qui,* etc. :

> La Belle au bois dormant est un des contes qui charment les enfants.
> La Belle au bois dormant est un des contes qui charme les enfants.

L'usage admet, selon l'intention, l'accord au pluriel ou au singulier.
On admettra l'un et l'autre accord dans tous les cas.

6. Accord du présentatif *c'est* suivi d'un nom (ou d'un pronom de la troisième personne) au pluriel :

> Ce sont *là de beaux résultats.*
> C'est *là de beaux résultats.*
> C'étaient *ceux que nous attendions.*
> C'était *ceux que nous attendions.*

L'usage admet l'accord au pluriel ou au singulier.

7. Concordance des temps :

> J'avais souhaité qu'il vînt (qu'il vienne) *sans tarder.*
> Je ne pensais pas qu'il eût oublié (qu'il ait oublié) *le rendez-vous.*
> J'aimerais qu'il fût (qu'il soit) *avec moi.*
> J'aurais aimé qu'il eût été (qu'il ait été) *avec moi.*

Dans une proposition subordonnée au subjonctif dépendant d'une proposition dont le verbe est à un temps du passé ou au conditionnel, on admettra que le verbe de la subordonnée soit au présent quand la concordance stricte demanderait l'imparfait, au passé quand elle demanderait le plus-que-parfait.

8. Participe présent et adjectif verbal suivis d'un complément d'object indirect ou d'un complément circonstanciel :

> La fillette, obéissant *à sa mère, alla se coucher.*
> La fillette, obéissante *à sa mère, alla se coucher.*
> J'ai recueilli *cette chienne* errant *dans le quartier.*
> J'ai recueilli *cette chienne* errante *dans le quartier.*

L'usage admet que, selon l'intention, la forme en -*ant* puisse être employée sans accord comme forme du participe ou avec accord comme forme de l'adjectif qui lui correspond.
On admettra l'un et l'autre emploi dans tous les cas.

9. Participe passé conjugué avec *être* dans une forme verbale ayant pour sujet *on* :

> On est resté (restés) *bons amis.*

L'usage veut que le participe passé se rapportant au pronom *on* se mette au masculin singulier.
On admettra que ce participe prenne la marque du genre et du nombre lorsque *on* désigne une femme ou plusieurs personnes.

10. Participe passé conjugué avec *avoir* et suivi d'un infinitif :

> Les musiciens que j'ai entendus (entendu) *jouer.*
> Les airs que j'ai entendu (entendus) *jouer.*

L'usage veut que le participe s'accorde lorsque le complément d'objet direct se rapporte à la forme conjuguée et qu'il reste invariable lorsque le complément d'objet direct se rapporte à l'infinitif.
On admettra l'absence d'accord dans le premier cas. On admettra l'accord dans le second, sauf en ce qui concerne le participe passé du verbe *faire.*

11. Accord du participe passé conjugué avec *avoir* dans une forme verbale précédée de *en* complément de cette forme verbale :

> J'ai laissé sur l'arbre plus de cerises que je n'en ai cueilli.
> J'ai laissé sur l'arbre plus de cerises que je n'en ai cueillies.

L'usage admet l'un et l'autre accord.

12. Participe passé des verbes tels que : *coûter, valoir, courir, vivre,* etc., lorsque ce participe est placé après un complément :

Je ne parle pas des sommes que ces travaux m'ont coûté (coûtées).
J'oublierai vite les peines que ce travail m'a coûtées (coûté).

L'usage admet que ces verbes normalement intransitifs (sans accord du participe passé) puissent s'employer transitivement (avec accord) dans certains cas.
On admettra l'un et l'autre emploi dans tous les cas.

13. Participes et locutions tels que *compris (y compris, non compris), excepté, ôté, étant donné, ci-inclus, ci-joint :*

13 *a. Compris (y compris, non compris), excepté, ôté :*

> *J'aime tous les sports, excepté la boxe* (exceptée la boxe).
> *J'aime tous les sports, la boxe exceptée* (la boxe excepté).

L'usage veut que ces participes et locutions restent invariables quand ils sont placés avant le nom avec lequel ils sont en relation et qu'ils varient quand ils sont placés après le nom.
On admettra l'accord dans le premier cas et l'absence d'accord dans le second.

13 *b. Étant donné :*

> *Étant données les circonstances...*
> *Étant donné les circonstances...*

L'usage admet l'accord aussi bien que l'absence d'accord.

13 *c. Ci-inclus, ci-joint :*

> *Ci-inclus* (ci-incluse) *la pièce demandée.*
> *Vous trouverez ci-inclus* (ci-incluse) *copie de la pièce demandée.*
> *Vous trouverez cette lettre ci-incluse.*
> *Vous trouverez cette lettre ci-inclus.*

L'usage veut que *ci-inclus, ci-joint* soient :
— invariables en tête d'une phrase ou s'ils précèdent un nom sans déterminant ;
— variables ou invariables, selon l'intention, dans les autres cas.
On admettra l'accord ou l'absence d'accord dans tous les cas.

II. — Le nom

14. Liberté du nombre.

14 *a :*

> *De la gelée de groseille.*
> *De la gelée de groseilles.*
> *Des pommiers en fleur.*
> *Des pommiers en fleurs.*

L'usage admet le singulier et le pluriel.

14 *b :*

> *Ils ont ôté leur chapeau.*
> *Ils ont ôté leurs chapeaux.*

L'usage admet selon l'intention le singulier et le pluriel.

On admettra l'un et l'autre nombre dans tous les cas.

15. Double genre :

> *Instruits* (instruites) *par l'expérience, les vieilles gens sont très prudents* (prudentes) : *ils* (elles) *ont vu trop de choses.*

L'usage donne au mot *gens* le genre masculin, sauf dans des expressions telles que : *les bonnes gens, les vieilles gens, les petites gens.*
Lorsqu'un adjectif ou un participe se rapporte à l'une de ces expressions ou lorsqu'un pronom la reprend, on admettra que cet adjectif, ce participe, ce pronom soient, eux aussi, au féminin.

16. Noms masculins de titres ou de professions appliqués à des femmes :

> *Le français nous est enseigné par une dame. Nous aimons beaucoup ce professeur. Mais il* (elle) *va nous quitter.*

Précédés ou non de *Madame*, ces noms conservent le genre masculin ainsi que leurs déterminants et les adjectifs qui les accompagnent.
Quand ils sont repris par un pronom, on admettra pour ce pronom le genre féminin.

17. Pluriel des noms :

17 *a.* Noms propres de personnes :

> *Les Dupont* (Duponts). *Les Maréchal* (Maréchals).

On admettra que les noms propres de personnes prennent la marque du pluriel.

17 *b.* Noms empruntés à d'autres langues :

> *Des maxima* (des maximums). *Des sandwiches* (des sandwichs).

On admettra que, dans tous les cas, le pluriel de ces noms soit formé selon la règle générale du français.

III. — L'article

18. Article devant *plus, moins, mieux.*

> *Les idées qui paraissent les plus justes sont souvent discutables.*
> *Les idées qui paraissent le plus justes sont souvent discutables.*

Dans les groupes formés d'un article défini suivi de *plus, moins, mieux* et d'un adjectif ou d'un participe, l'usage admet que, selon l'intention, l'article varie ou reste invariable.
On admettra que l'article varie ou reste invariable dans tous les cas.

IV. — L'adjectif numéral

19. *Vingt* et *cent* :

> *Quatre-vingt-dix* (quatre vingts dix) ans.
> *Six cent trente-quatre* (six cents trente quatre) hommes.

En mil neuf cent soixar...
(mille neuf cents soixante di...

On admettra que *vingt* et *cent*...
d'un adjectif numéral à valeur...
cateur, prennent la marque du pl...
lorsqu'ils sont suivis d'un aut...
numéral.
Dans la désignation d'un millésime,...
admettra la graphie *mille* dans tous les cas...
N. B. — L'usage place un trait d'union
entre les éléments d'un adjectif numéral
qui forment un ensemble inférieur à cent.
On admettra l'omission du trait d'union.

V. — L'adjectif qualificatif

20. *Nu, demi* précédant un nom :
    Elle courait nu-pieds (nus pieds).
    Une demi-heure (demie heure) *s'écoula.*

L'usage veut que *nu, demi* restent invariables quand ils précèdent un nom auquel
ils sont reliés par un trait d'union.
On admettra l'accord.

21. Pluriel de *grand-mère, grand-
tante,* etc. :
    Des grand-mères.
    Des grands-mères.

L'usage admet l'une et l'autre graphie.

22. *Se faire fort de...* :
    Elles se font fort (fortes) *de réussir.*

On admettra l'accord de l'adjectif.

23. *Avoir l'air :*
    Elle a l'air doux.
    Elle a l'air douce.

L'usage admet que, selon l'intention, l'adjectif s'accorde avec le mot *air* ou avec le
sujet du verbe *avoir.*
On admettra l'un et l'autre accord dans
tous les cas.

VI. — Les indéfinis

24. *L'un et l'autre :*

24 a. *L'un et l'autre* employé comme
adjectif :
    J'ai consulté l'un et l'autre document.
    J'ai consulté l'un et l'autre documents.
    L'un et l'autre document m'a *paru inté-
ressant.*
    L'un et l'autre document m'ont *paru
intéressants.*

1. L'usage admet que, selon l'intention, le
nom précédé de *l'un et l'autre* se mette au
singulier ou au pluriel.
On admettra l'un et l'autre nombre dans
tous les cas.

2. Avec le nom au singulier, l'usage admet
que le verbe se mette au singulier ou au
pluriel.

l'autre employé com...
...e se taisait.
...se taisaient.
...e, selon l'intention, le
...tte *l'autre* employé
...tte au singulier ou au
25. L'... un et *l'autre* nombre dans

25 a. *L'un* ... *l'autre* nombre dans
employés comm...
    L'un ou l'autre pri... l'autre ;
    L'un ou l'autre proje... ni l'autre
    Ni l'une ni l'autre idée ne vient.
    Ni l'une ni l'autre idée ne m'...iennent.

L'usage veut que le nom précédé de *l'un
ou l'autre* ou de *ni l'un ni l'autre* se mette
au singulier ; il admet que, selon l'intention,
le verbe se mette au singulier ou au pluriel.
On admettra, pour le verbe, l'un et l'autre
accord dans tous les cas.

25 b. *L'un ou l'autre, ni l'un ni l'autre*
employés comme pronoms :
    *De ces deux projets, l'un ou l'autre me
convient.*
    *De ces deux projets, l'un ou l'autre me
conviennent.*
    *De ces deux idées, ni l'une ni l'autre ne
m'inquiète.*
    *De ces deux idées, ni l'une ni l'autre ne
m'inquiètent.*

L'usage admet que, selon l'intention, le
verbe précédé de *l'un ou l'autre* ou de *ni
l'un ni l'autre* employés comme pronoms
se mette au singulier ou au pluriel.
On admettra l'un et l'autre nombre dans
tous les cas.

26. *Chacun :*
    Remets ces livres chacun à sa place.
    Remets ces livres chacun à leur place.

Lorsque *chacun,* reprenant un nom (ou un
pronom de la troisième personne) au pluriel, est suivi d'un possessif, l'usage admet
que, selon l'intention, le possessif renvoie
à *chacun* ou au mot repris par *chacun.*
On admettra l'un et l'autre tour dans tous
les cas.

VII. — « Même » et « tout »

27. *Même :*
    *Dans les fables, les bêtes mêmes
parlent.*
    Dans les fables, les bêtes même parlent.

Après un nom ou un pronom au pluriel,
l'usage admet que *même,* selon l'intention,
prenne ou non l'accord.
On admettra l'une ou l'autre graphie dan...
tous les cas.

28. Tout :

28 a.

Les proverb... et de
tout pays..., le singu-
Les prover...
tous pays...
L'usage adm... sa lecture.
lier ou le pl...

28 b.

Elle es... tout à..., on admettra que l'ex...portant à un mot féminin, rest...
Dans l'ex...
nin, que...

28 c.

Elle ... montra tout (toute) étonnée.

L'usa... veut que *tout*, employé comme
adverbe, prenne la marque du genre et du
nombre devant un mot féminin commençant par une consonne ou un *h* aspiré et
reste invariable dans les autres cas.
On admettra qu'il prenne la marque du
genre et du nombre devant un nom féminin
commençant par une voyelle ou un *h* muet.

VIII. — L'adverbe « ne » dit explétif

29.

Je crains qu'il ne pleuve.
Je crains qu'il pleuve.
*L'année a été meilleure qu'on ne l'espé-
rait.*
L'année a été meilleure qu'on l'espérait.

L'usage n'impose pas l'emploi de *ne* dit
explétif.

IX. — Accents

30. Accent aigu :

Assener (asséner); *referendum* (réfé-
rendum).

Dans certains mots, la lettre *e*, sans accent
aigu, est prononcée [é] à la fin d'une
syllabe.
On admettra qu'elle prenne cet accent —
même s'il s'agit de mots d'origine étrangère — sauf dans les noms propres.

31. Accent grave :

Événement (évènement); *je céderai* (je
cèderai).

Dans certains mots, la lettre *e*, avec un
accent aigu est généralement prononcée
[é] à la fin d'une syllabe.
On admettra l'emploi de l'accent grave à la
place de l'accent aigu.

32. Accent circonflexe :

Crâne (crane); *épître* (épitre); *crûment*
(crument).

On admettra l'omission de l'accent circonflexe sur les voyelles *a, e, i, o, u* dans les
mots où ces voyelles comportent normalement cet accent, sauf lorsque cette tolérance entraînerait une confusion entre deux
mots en les rendant homographes (par
exemple : *tâche/tache*; *forêt/foret*; *vous
dîtes/vous dites*; *rôder/roder*; *qu'il fût/qu'il
fut*).

X. — Trait d'union

33. *Arc-en-ciel* (arc en ciel); *nouveau-né*
(nouveau né); *crois-tu ?* (crois tu ?); *est-ce
vrai ?* (est ce vrai ?); *dit-on* (dit on); *dix-
huit* (dix huit); *dix-huitième* (dix huitième);
par-ci, par-là (par ci, par là).

Dans tous les cas, on admettra l'omission
du trait d'union, sauf lorsque sa présence
évite une ambiguïté *(petite-fille/petite fille)*
ou lorsqu'il doit être placé avant et après le
t euphonique intercalé à la troisième personne du singulier entre une forme verbale
et un pronom sujet postposé *(viendra-t-
il ?)*.

III. Index

a

abaque → GENRE, 7

abbé, abbesse → GENRE, 2

aboutir à + infin./à ce que + subj. → à, 5

abside → GENRE, 7

absolument : *employé absolument* → VERBE, 2

s'abstenir de + infin. → INFINITIF, II, 2; (VERBE) PRONOMINAL, 2

abstrait : *nom abstrait* → NOM, 1

abuser de qqch/de ce que + indic. → DE, 10

accepter de + infin. → INFINITIF, II, 2

accompli → ASPECT, 1

accord v. ce mot; avec *nous* « de modestie » → NOUS ; dans une proposition ayant pour sujet le relatif *qui* → QUI, 2 à 5 ; avec *tout ce qu'il y a de* → TOUT, 6

d'accord : *être d'accord sur qqch, de qqch* → SUR, 4

accourir + infin. → INFINITIF, II, 2

(s')accoutumer à + infin./à ce que + subj. → à, 5

s'acharner *après (contre) qqn, qqch* → APRÈS, 3 ; *s'acharner à* + infin. → INFINITIF, II, 2

achever → FINIR, 2 ; *achever de* + infin. → INFINITIF, II, 2

actuel → ASPECT, 2

acrostiche → GENRE, 7

actif : *forme active* → PHRASE, 2 ; *voix active* → VERBE, 3

action : *sous l'action de* → SUR, 1

adage → GENRE, 7

adjectif v. ce mot; *adjectif verbal* → PARTICIPE, I, 1 et 2

admettre : *être admis auprès de qqn* → AUPRÈS, 2

s'adonner à + infin. → INFINITIF, II, 2

affecter de + infin. → INFINITIF, II, 2

affirmatif : *forme affirmative* → PHRASE, 2

affirmer *que (mode)* → CROIRE, 6

s'affliger *de ce que/de* + infin. → DE, 10

afin de, que → BUT ; POUR, 1 ; CONJONCTION, 1

agrume → GENRE, 7

aider à + infin./à ce que + subj. → à, 5

aigle → GENRE, 8

ainsi (adv. de liaison) → INVERSION DU SUJET, 1, b ; *ainsi que* reliant deux sujets → ACCORD, I, 5

air v. ce mot; *un air faux jeton* → DE, 12

albâtre → GENRE, 7

algèbre → GENRE, 7

aller v. ce mot; *ne pas aller sans* (+ infin.) → SANS, 4 ; *aller de soi* → SOI, 4

allier *avec/à* → AVEC, 1

allure : *une allure vieille fille* → DE, 12

alluvion → GENRE, 7

alvéole → GENRE, 7

amalgame → GENRE, 7

ambitionner de + infin. → INFINITIF, II, 2

ambre → GENRE, 7

amiante → GENRE, 7

amour → GENRE, 8

s'amuser à + infin. → INFINITIF, II, 2

an : *deux fois l'an* → FOIS, 2

anagramme → GENRE, 7

anathème → GENRE, 7

âne, ânesse → GENRE, 2

anévrisme → GENRE, 7

anicroche → GENRE, 7

animé : *nom animé* → NOM, 1

antécédent → RELATIF, 1 ; QUI, 1 à 6

antéposition : *antéposition de l'adjectif* → ADJECTIF, 4, A

antérieur : *passé antérieur* → PASSÉ, 3

antidote → GENRE, 7

antre → GENRE, 7

apogée → GENRE, 7

appartenance → à, 2

s'applaudir *de ce que/de* + infin. → DE, 10

s'appliquer à + infin./à ce que + subj. → INFINITIF, II, 2 ; à, 5

apposition → ADJECTIF, 1

appréhender de + infin. → INFINITIF, II, 2 ; *appréhender que (ne)* → NE, II, 1

apprendre à + infin. → INFINITIF, II, 2

s'apprêter à + infin. → INFINITIF, II, 2

après v. ce mot; *la semaine d'après* → PROCHAIN, DERNIER, 1

après-guerre → GENRE, 7

après-midi → GENRE, 7

à propos : *ce qu'il est à propos de* + infin./que + subj. → QUI, 8

arabesque → GENRE, 7

argile → GENRE, 7

Arles : *en Arles* → EN, II, 3

armistice → GENRE, 7

aromate → GENRE, 7

arpège → GENRE, 7

arrhes → GENRE, 7

arriver à + infin./à ce que + subj. → à, 5 ; DEMANDER, 2 ; *ce qui m'arrive/ce qu'il m'arrive* → QUI, 8

s'arroger → (VERBE) PRONOMINAL, 2

ascendant → GENRE, 6

aspect : *son aspect clochard* → DE, 12

asphalte → GENRE, 7

aspirer à + infin. → INFINITIF, II, 2

assez : *assez de* (accord) → ACCORD, A, 2 ; BEAUCOUP, 2 ; *assez ... pour que* → CONSÉQUENCE, 1

associer *avec/à* → AVEC, 1

assurément *(que)* → QUE, 4

assurer *que (mode)* → CROIRE, 6 ; *assurer* + infin. → INFINITIF, II, 2

astérisque → GENRE, 7
s'astreindre à + infin. → INFINITIF, II, 2
s'attacher à + infin./à ce que + subj. →
À, 5
attendre v. ce mot ; *attendre de* + infin.
→ INFINITIF, II, 2 ; *en attendant que* (mode)
→ CONJONCTION, 1
attention : *faire très attention* → TRÈS, 2
attribut → ADJECTIF, 1 ; VERBE, 4
attributif : *verbe attributif* → VERBE, 4
augure → GENRE, 7
auspice → GENRE, 7
autographe → GENRE, 7
automne → GENRE, 7
autoroute → GENRE, 7
autre(ment) *que (ne)* → NE, II, 4
(s')avancer → (VERBE) PRONOMINAL, 3
avant-guerre → GENRE, 7
avant v. ce mot ; *l'année d'avant* → PRO-
CHAIN, DERNIER, 1 ; *avant que* (mode)
→ CONJONCTION, 1
avantageux : *ce qu'il est avantageux de* +
infin./*que* + subj. → QUI, 8
avant-scène → GENRE, 7
l'avant-veille → MATIN, SOIR, MIDI, 1
avec v. ce mot ; *avec* = étant donné
→ CAUSE, 2 ; *avec* = malgré, en dépit de
→ CONCESSION, OPPOSITION, 3 ; *avec* exprimant la condition → CONDITION, 2
Avignon : *en Avignon* → EN, II, 3
s'aviser de + infin. → INFINITIF, II, 2
avoir à + infin. → INFINITIF, II, 2 ; *avoir beau*
+ infin. → INFINITIF, II, 2 ; CONCESSION, OPPOSI-
TION, 4 ; *auxiliaire « avoir »* → AUXILIAIRE, 1
avouer *que* (mode) → CROIRE, 6 ; *avouer* +
infin., → INFINITIF, II, 2
azalée → GENRE, 7

b

bailleur, -eresse → GENRE, 2
bande : *une bande de* → COLLECTIF, 1
bateaux : noms de bateaux → GENRE, 10
beau : *avoir beau* + infin. → INFINITIF, II, 2 ;
CONCESSION, OPPOSITION, 4
bénéficier de qqch/de ce que + indic.
→ DE, 10
bicyclette : *à ou en bicyclette* → À, 3
bien → BEAUCOUP, 1 ; *vouloir bien/bien vouloir* → VOULOIR, 1
bien que (mode) → CONJONCTION, 2 ; CONCES-
SION, 1 ; QUOIQUE, 1, 2
bélier, brebis → GENRE, 3
blâmer de, pour → DE, 5
bon v. ce mot ; *il fait bon (de)* + infin.
→ FAIRE, 10 ; *pour (tout) de bon* → POUR, 7
bondir après qqn, qqch → APRÈS, 1
se borner à + infin. → INFINITIF, II, 2

bouc, chèvre → GENRE, 3
brûler de + infin. → INFINITIF, II, 2 ; *(se)
brûler* → (VERBE) PRONOMINAL, 3

c

camée → GENRE, 7
campanile → GENRE, 7
campanule → GENRE, 7
câpre → GENRE, 7
cardinal → NUMÉRAUX, 3
(se) casser → (VERBE) PRONOMINAL, 3
ce v. ce mot ; *ce dont* → DONT, 1 ; *ce que*
exclamatif → COMBIEN, 1 ; *ce qui, ce que
dans l'interr. indirecte* → INTERROGATION, 4 ;
ce me semble → SEMBLER, 1
cela → ÇA, CECI ; *cela dont* → DONT, 1
c'en est fait de ... → FAIRE, 9
cent : *cent fois* → NUMÉRAUX, 8
cerf, biche → GENRE, 3
certifier *que* (mode) → CROIRE, 6
cesser de + infin. → INFINITIF, II, 2, et
ARRÊTER, 1 ; *ne (pas) cesser de* → NÉGATION,
5
c'est : *c'est/ce sont* → CE (C') ÇA, 3 ; *c'est
à vous a (ou de)* + infin. → À 4 ; *c'est ...
qui (que)* → à cet ordre.
chanoine, -esse → GENRE, 2
se charger de + infin. → INFINITIF, II, 2
chasseur, -eresse → GENRE, 2
chausse-trape → GENRE, 7
chercher à + infin./à ce que + subj. → À,
5 ; *chercher après qqn, qqch* → APRÈS, 2
choisir de + infin. → INFINITIF, II, 2
chose : *quelque chose* → QUELQUE, 5
chromo → GENRE, 7
chrysanthème → GENRE, 7
circonstancielle : *subordonnée circonstancielle* → SUBORDINATION, 3
clair employé adverbialement → ADVERBE, 3
clairement → ADVERBE, 3
clovisse → GENRE, 7
colchique → GENRE, 7
colère : *être en colère après (contre)
qqn/qqch* → APRÈS, 3
combien v. ce mot ; → INTERROGATION, 6 ;
combien de (accord) → BEAUCOUP, 2
combientième → COMBIEN, 2
comme v. ce mot ; *comme reliant deux
sujets* → ACCORD, I, 5 ; *considérer
(comme) responsable* → CONSIDÉRER ;
prendre comme exemple, pour exemple
→ PRENDRE, 1
comment → COMME, 1 ; *comment ?* →
QUOI, 1
commerçant : *une rue commerçante*
→ PARTICIPE, I, 2
commun : *nom commun* → NOM, 1

comparaison : *plus (mieux,* etc.*) que si...* → SI, 5

comparatif → ADJECTIF, 2 ; ADVERBE, 1

comparer *avec/à* → AVEC, 1

compensation : *en compensation* → CONTRE, 1

se complaire *à* + INFIN. → INFINITIF, II, 2

complétive : *subordonnée complétive* → SUBORDINATION, 3

composé : *passé composé* → PASSÉ, 1

comptable : *nom comptable* → NOM, 1

compter *que* (mode) → CROIRE, 6 ; *compter* + infin. → INFINITIF, II, 2

comte, -esse → GENRE, 2

concourir *à* + infin./*à ce que* + subj. → À, 5

concret : *nom concret* → NOM, 1

condescendre *à* + infin./*à ce que* + subj. → À, 5

conduire *à* + infin./*à ce que* + subj. → À, 5

confesser + infin. → INFINITIF, II, 2

confiance : *avoir confiance en/dans* → EN, II, 2

confrère, consœur → GENRE, 3

confronter *avec/à* → AVEC, 1

conjoint → GENRE, 6

conseil : *sur le conseil de* → SUR, 1

consentir *à* + infin. → INFINITIF, II, 2

constater *que* (mode) → CROIRE, 6

se contenter *de* + infin. → INFINITIF, II, 2

contestable : *il n'est pas contestable que (ne)* → NE, II, 3

contester + infin. → INFINITIF, II, 2 ; *ne pas contester que (ne)* → NE, II, 3

contraindre *à/de* + infin. → OBLIGER

contribuer *à* + infin./*à ce que* + subj. → À, 5

convenir v. ce mot ; *convenir que* (mode) → CROIRE, 6 ; *ce qui convient/ce qu'il convient de* + infin., *ce qu'il convient que* + subj. → QUI, 8

copule → VERBE, 4

côté : *du côté santé* → DE, 12

couleur : *adjectifs indiquant une couleur* (place) → ADJECTIF, 4, B

courir + infin. → INFINITIF, II, 2 ; *courir après qqn, qqch* → APRÈS, 1

couru (accord) → PARTICIPE, II, 1

coûté (accord) → PARTICIPE, II, 1

craindre *de* + infin. → INFINITIF, II, 2 ; *craindre que (ne)* → NE, II, 1

crainte, v. ce mot et NE, II, 1 ; *de crainte que* → CONJONCTION, 1 ; subordonnées dépendant de verbes de crainte → SUBJONCTIF, 1

crier : *crier après qqn, qqch* → APRÈS, 3

critiquer *de, pour* → DE, 5

croire v. ce mot ; *je crois* → INCISE

d

daigner + infin. → INFINITIF, II, 2

dans → EN, II ; *dans* (ou *sur*) *le journal* → SUR, 2

de v. ce mot ; *mis pour l'article des* → ARTICLE, 5 ; *pas de pain* → ARTICLE, 6

début : *début janvier* → COURANT, 1 ; *le tout début* → TOUT, 10

se décider *à* + infin./*à ce que* + subj. → À, 5

déclaratif → PHRASE, 2

déclaration : *verbes de déclaration* → CROIRE 6

déclarer + infin. → INFINITIF, II, 2 ; *déclarer que* (mode) → CROIRE, 6

décombres → GENRE, 7

dédaigner *de* + infin. → INFINITIF, II, 2

défendeur, -eresse → GENRE, 2

défendre *que* → NE, II, 2

délibératif : *infinitif délibératif* → INFINITIF, I, 3

délibérer *de* + infin. → INFINITIF, II, 2

délice → GENRE, 8

demandeur, -eresse → GENRE, 2

démêler *d'avec/de* → AVEC, 3

démonstratif → DÉTERMINANT, I, 1 ; PRONOM, 1

dénommé : *un dénommé* → CERTAIN, 1

départements : *noms de départements (en, dans...)* → II, 3

se dépêcher *de* + infin. → INFINITIF, II, 2

dernier → PROCHAIN ; *le dernier qui* + subj. → RELATIVE, 4, b

descendant → GENRE, 6

descendre → DONT, 5 ; *descendre* + infin. → INFINITIF, II, 2

désespérer (impliquant une négation) → JAMAIS, 1 ; *désespérer de* + infin. → INFINITIF, II, 2

désir : *subordonnées dépendant de verbes de désir* → SUBJONCTIF, 1

détachement → (MISE EN) RELIEF

détacher *d'avec/de* → AVEC, 3

déterminative → RELATIVE, 2

se déterminer *à* + infin. → INFINITIF, II, 2

diable, -esse → GENRE, 2

Dieu sait que ..., si ... etc. → SAVOIR, 9

direct : *complément d'objet direct* → VERBE, 2

disconvenir : *ne pas disconvenir que (ne)* → NE, II, 3

disjoindre *d'avec/de* → AVEC, 3

disparate → GENRE, 7

se dispenser *de* + infin. → INFINITIF, II, 2

se disposer *à* + infin. → INFINITIF, II, 2

dissocier *d'avec/de* → AVEC, 3

distinguer *d'avec/de* → AVEC, 3

divorcer *d'avec/de* → AVEC, 3

docteur, -oresse → GENRE, 2
donc : *qui donc ?* → ÇA, CELA, 6
d'où (= donc, en conséquence) → OÙ, 4
doute : *sans doute* (en tête de proposition) → INVERSION DU SUJET, 1, b ; *sans doute (que)* → QUE, 4
drôle, -esse → GENRE, 2
duc, duchesse → GENRE, 2
duquel → LEQUEL ; RELATIF ; DONT, 1
dussé-je, dussiez-vous, dût-il → DEVOIR, 4

e

échappatoire → GENRE, 7
écritoire → GENRE, 7
effet v. ce mot, *en effet* → CAR, 2 et 3 ; *sous l'effet de* → SUR, 1
effluve → GENRE, 7
s'effrayer *de ce que/de* + infin. → DE, 10
s'élancer *après qqn* → APRÈS, 1
élément : *l'élément rapidité* → DE, 12
ellébore → GENRE, 7
(s')éloigner *d'auprès de qqn* → AUPRÈS, 3
élytre → GENRE, 7
s'émerveiller *de ce que/de* + infin. → DE, 10
s'emparer → PRONOMINAL, 2
emphase → MISE EN RELIEF
emphatique : *forme emphatique* → PHRASE, 2
empire : *sous l'empire de* → SUR, 1
s'employer *à* + infin./*à ce que* + subj. → INFINITIF, II, 2 ; À, 5
en v. ce mot ; *en riant, en marchant, etc.* → GÉRONDIF
encaustique → GENRE, 7
enchanteur, -eresse → GENRE, 2
enclume → GENRE, 7
enfance : *la toute enfance* → TOUT, 10
s'engager *à* + infin. → INFINITIF, II, 2
enlever *d'avec/de* → AVEC, 3
s'enorgueillir *de ce que/de* + infin. → DE, 10
enquêteur, -teuse ou **-trice** → GENRE, 2
entendre v. ce mot ; *s'entendre* + infin. → PASSIF, 5, et AUXILIAIRE, 2
en-tête → GENRE, 7
entre-deux-guerres : → GENRE, 7
envie : *avoir aussi* (ou *autant*) *envie* → AUSSI, SI, 10 ; *très envie* → TRÈS, 2
envisager *de* + infin. → INFINITIF, II, 2
enzyme → GENRE, 7
épargner → ÉVITER, 2
éphéméride → GENRE, 7
épiderme → GENRE, 7
épigramme → GENRE, 7
épigraphe → GENRE, 7
épithète → ADJECTIF, 1

épithète → GENRE, 7
épître → GENRE, 7
s'épouvanter *de ce que/de* + infin. → DE, 10
équerre → GENRE, 7
équivoque → GENRE, 7
escarre → GENRE, 7
esclandre → GENRE, 7
espèce v. ce mot ; *en l'espèce* → EN, II, 2
espérer *que* (mode) → CROIRE, 6 ; *j'espère* → INCISE
estafette → GENRE, 5, 7
est-ce que → INTERROGATION, 1
estimer *que* (mode) → CROIRE, 6 ; *estimer* + infin. → INFINITIF, II, 2
et, et/ou → COORDINATION ; *soixante (et) dix* → NUMÉRAUX, 2
s'étonner *(de ce) que/de* + infin. → DE, 10
être v. ce mot ; *être après qqn, qqch* → APRÈS, 3 et 6 ; *n'être pas sans* (+ infin.) → SANS, 4 ; *si ce n'est* → SI, 4 ; *auxiliaire « être »* → AUXILIAIRE, 2
s'évertuer *à* + infin. → INFINITIF, II, 2
exceller *à* + infin. → INFINITIF, II, 2
exclamatif → PHRASE, 2 ; DÉTERMINANT, I, 4 ; *infinitif exclamatif* → INFINITIF, I, 4
explétif : *ne explétif* → NE, II
explicative → RELATIVE, 2
s'exposer *à* + infin./*à ce que* + subj. → À, 5

f

façon v. ce mot ; *de façon que* → CONSÉQUENCE, 1 ; *de façon ou d'autre* → AUTRE, 8
facteur : *le facteur temps* → DE, 12
faim : *aussi (autant) faim* → AUSSI, 9 ; *très faim* → TRÈS, 2 ; *il fait faim* → FAIRE, 11
faire v. ce mot ; *ce faisant* → CE, II, 2
falloir v. ce mot ; *il ne faut pas ...* (portée de la négation) → NÉGATION, 10
fastes → GENRE, 7
se fatiguer *à* + infin. → INFINITIF, II, 2
feindre *de* + infin. → INFINITIF, II, 2
féliciter *de, pour* → DE, 5 ; *se féliciter (de ce) que/de* + infin. → DE, 10
femelle → GENRE, 4
féminin : *formation du féminin* → GENRE
se figurer + infin. → INFINITIF, II, 2
fin : *fin janvier* → COURANT, 5
se flatter *de* + infin. → INFINITIF, II, 2
foi : *de la meilleure foi du monde* → MEILLEUR, 3
forcer *à/de* + infin. → OBLIGER
forficule → GENRE, 7
se formaliser *de ce que/de* + infin. → DE, 10

niable : *il n'est pas niable que (ne)* → NE,
II, 3

nom v. ce mot ; *nom propre* → ARTICLE, 3

nombre : *un grand (petit, certain) nombre
de* → COLLECTIF, 1

nombreux en tête de phrase → INVERSION DU
SUJET, 1, c

nommé : *un nommé* → CERTAIN, 1

non : *non plus* → AUSSI, 2

non-accompli → ASPECT, 1

non-animé : *nom non-animé* → NOM, 1

non-comptable : *nom non-comptable*
→ NOM, 1

nôtre adjectif possessif → MIEN

o

oasis → GENRE, 7

objet : *être* (ou *faire*) *l'objet de* → PASSIF, 5

objet : *complément d'objet direct, indirect*
→ VERBE, 2

obligation : subordonnées dépendant de
verbes d'obligation → SUBJONCTIF, 1

s'obstiner à + infin. → INFINITIF, II, 2

obtenir de + infin. → INFINITIF, II, 2

s'occuper à + infin./à ce que + subj. →
À, 5

occurrence : *en l'occurrence* → EN, II, 2

octave → GENRE, 7

obélisque → GENRE, 7

œuvre → GENRE, 8

s'offenser de ce que/de + infin. → DE, 10

offrir de + infin., *s'offrir à* + infin. → INFINI-
TIF, II, 2

s'offusquer de ce que/de + infin. → DE, 10

ogre, -esse → GENRE, 2

omettre de + infin. → INFINITIF, II, 2

omission : omission des déterminants
→ DÉTERMINANT, II ; de *de* → DE, 12 ; du pro-
nom personnel en coordination → PRONOM
PERSONNEL, 1 ; de *le (la)* devant *lui, leur*
→ LE, I, 4 ; du pronom réfléchi des verbes
pronominaux → PRONOMINAL, 2

on ne sait qui, quoi, etc. → SAVOIR, 8

opinion : *verbes d'opinion* → CROIRE, 6

opposition → CONCESSION

orbe → GENRE, 7

orbite → GENRE, 7

ordinal → NUMÉRAUX, 3

ordonnance → GENRE, 5

orgue → GENRE, 8

oriflamme → GENRE, 7

oser + infin. → INFINITIF, II, 2 ; *je n'ose (pas)
y croire* → NÉGATION, 5

ôter d'avec/de → AVEC, 3

ou → COORDINATION ; *cinq ou six jours, cinq
à six jours* → NUMÉRAUX, 5 ; *ou* reliant
deux sujets → ACCORD, I, 6

oublier de + infin. → INFINITIF, II, 2

p

palabre → GENRE, 7

pamplemousse → GENRE, 7

Pâque(s) → GENRE, 8

par v. ce mot ; *par ailleurs* → AILLEURS ; *par
avance* → AVANCE ; *par contre* → CONTRE,
1 ; *par parenthèse* → PARENTHÈSE ; *par
terre* → TERRE

parce que → CAR, 1

pardon ? → QUOI, 2

parier de + infin. → INFINITIF, II, 2

parler → CAUSER ; *parler de* + infin. → INFI-
NITIF, II, 2

partir + infin. → INFINITIF, II, 2 ; *partir d'auprès de qqn* → AUPRÈS, 3

partitif : *article partitif* → DÉTERMINANT, I, 1 ;
nous, vous compléments partitifs
(d'entre nous ...) → ENTRE, 1

parvenir à + infin./à ce que + subj. →
À, 5

pas : *ne ... pas* → NÉGATION ; *ne ... pas que*
→ NE, III, 3 ; *non pas* → NON, 1.

passant : *une rue passante* → PARTICIPE, I, 2

passé : *la semaine passée* → PROCHAIN,
DERNIER, 1

passé simple → PASSÉ ; IMPARFAIT, 1

passer v. ce mot ; *ce qui se passe/ce qu'il
se passe* → QUI, 8

passif : *voix passive* → VERBE, 3

patenôtre → GENRE, 7

patron, -esse → GENRE, 2

pauvre, -esse → GENRE, 2

pays : *noms de pays (en, dans, à ...)* → EN,
II, 3

pécheur, -eresse → GENRE, 2

pendant → DURANT, 1

penser v. ce mot ; → CROIRE, 7 ; *je pense*
→ INCISE

perce-neige → GENRE, 7

perception : *verbes de perception*
→ CROIRE, 6

perfectif : *verbe perfectif* → VERBE, 5, et
COMMENCER, 2 ; exprimant l'état au passif
→ PASSIF, 2

période → GENRE, 8

se permettre de + infin. → INFINITIF, II, 2

persécuteur, -trice → GENRE, 2

persister à + infin. → INFINITIF, II, 2

personne v. ce mot ; → GENRE, 8

personnel : *pronoms personnels* → PRO-
NOM, 1

pesé (accord) → PARTICIPE, II, 1

pétale → GENRE, 7

peu : *peu de* (accord) → BEAUCOUP, 2 ; *peu
s'en faut que (ne)* → NE, II, 5 ; *un peu
plus, (et) ...* → FAILLIR, 1

peur : *aussi (autant) peur* → AUSSI, 9 ; *très*

peur → TRÈS, 2 ; *avoir peur que (ne)* → NE, II, 1 ; *de peur que* (mode) → CONJONCTION, 1

peut-être (en tête de proposition) → INVERSION DU SUJET, 1, b ; *peut-être que* → QUE, 4 ; *pouvoir + peut-être* → POUVOIR, 8

phalène → GENRE, 7

pire v. ce mot ; *pire que (ne)* → NE, II, 4

place : place de l'adjectif épithète → ADJECTIF, 4, PROPRE, 1, 2, 3 ; de l'adverbe → ADVERBE, 4 ; du pronom personnel complément → PRONOM PERSONNEL, 2 et 3 ; du pronom relatif → RELATIF, 2 ; de *ne pas* avec un infinitif → NÉGATION, 2 ; de *aussi* → AUSSI, 11 ; de *rien* → RIEN, 3 ; de *tout* → TOUT, 5

se plaindre *(de ce) que/de* + infin. → DE, 10

plaisir : *très plaisir* → TRÈS, 2

plaît-il ? → QUOI, 2

plan : *sur le plan ..., au plan ...* → SUR, 3

planisphère → GENRE, 7

plus v. ce mot ; → DAVANTAGE, 1 ; *ne ... plus* → NÉGATION, 3 ; *non plus* → AUSSI, 2 ; *non plus que (ne)* → NON, 4 ; *plus que (ne)* → NE, II, 4 ; *tout au plus* (loc. adv. de liaison) → INVERSION DU SUJET, 1, b ; *on ne peut plus* → POUVOIR, 6

plus-que-parfait → PASSÉ, 4

plût à Dieu (au ciel) → PLAIRE, 2

plutôt : *plutôt que (ne)* → NE, II, 4 ; *aimer mieux..., préférer... plutôt que...* → AIMER, 3, PRÉFÉRER, 3 et 4

poète, poétesse → GENRE, 2

point : *ne ... point* → NÉGATION, 1 ; *être sur le point de* → FAILLIR, 1 ; *au point que* → CONSÉQUENCE, 1

point de vue : *du point de vue qualité* → DE, 12

possessif → DÉTERMINANT, I, 3 ; PRONOM, 1 ; remplacé par l'article défini → ARTICLE, 2 ; *possessif/en* → EN, I, 2

possession → À, 2

possibilité : subordonnées dépendant de verbes exprimant la possibilité → SUBJONCTIF, 1

postposition : *postposition de l'adjectif* → ADJECTIF, 4, B

poulpe → GENRE, 7

pourquoi → INTERROGATION, 5, 6

pourvoir à + infin./*à ce que* + subj. → À, 5

pratique : *ce qu'il est pratique de* + infin./*que* + subj. → QUI, 8

précédent : *l'année précédente* → PROCHAIN, DERNIER, 1

prédicat → QUE, 4

préférable : *ce qu'il est préférable de* + infin./*que* + subj. → QUI, 8

premier : *le premier qui* + subj. → RELATIVE, 4, b

prendre v. ce mot ; *prendre garde* → GARDE ; *ce qui lui prend/ce qu'il lui prend* → QUI, 8

se préparer + infin. → INFINITIF, II, 2

prépositive : *locution prépositive* → PRÉPOSITION, 1

presque : *la presque totalité* → QUASI, QUASIMENT, 1

pression : *sous la pression de* → SUR, 1

prêter à + infin. → INFINITIF, II, 2

prêtre, -esse → GENRE, 2

se prévaloir → PRONOMINAL, 2

se prévaloir *de qqch/de ce que* + indic. → DE, 10

prévoir *de* + infin. → INFINITIF, II, 2

prince, -esse → GENRE, 2

principale → PHRASE, 1, et SUBORDINATION, 1

probablement (en tête de proposition) → INVERSION DU SUJET, 1, b ; *probablement (que)* → QUE, 4

profiter *de qqch/de ce que* + indic. → DE, 10

progressif : *aspect progressif* → GÉRONDIF, 2

projeter *de* + infin. → INFINITIF, II, 2

promettre *de* + infin. → INFINITIF, II, 2

prophète, prophétesse → GENRE, 2

se proposer *de* + infin. → INFINITIF, II, 2

proposition → PHRASE, 1 ; *proposition infinitive* → INFINITIF, II, 3

propre v. ce mot ; *son propre* renvoyant à *on* → ON, 3

propre : *nom propre* → NOM, 1 ; article devant les noms propres → ARTICLE, 3

provenir *de qqch/de ce que* + indic. → DE, 10

provinces : noms de provinces *(en, dans...)* → EN, II, 3

pourvu que (mode) → CONJONCTION, 1

présumer que (mode) → CROIRE, 6

promettre que (mode) → CROIRE, 6

prudent : *ce qu'il est prudent de* + infin./*que* + subj. → QUI, 8

puis : *je puis/je peux* → POUVOIR, 2

puissé-je → POUVOIR, 7

q

quand : *aimer bien, quand* → AIMER, 5 ; *quand (bien) même* → MÊME, 5 ; (interrogatif) → INTERROGATION, 6

que v. ce mot ; (adverbe exclamatif) → COMBIEN, 1

quelque chose : *quelque chose dont* → DONT, 1

qu'est-ce que (exclamatif) → COMBIEN, 1

subordonnée → PHRASE, 1, et SUBORDINATION
Suisse, -esse → GENRE, 2
suivant : *le lundi suivant* → PROCHAIN, DERNIER, 1
suivre en tête de phrase → INVERSION DU SUJET, 1, d
superlatif → ADJECTIF, 3 ; ADVERBE, 1
supporter *de* + infin. → INFINITIF, II, 2
supposer v. ce mot ; *supposer* + infin. → INFINITIF, II, 2 ; *je suppose* → INCISE
sûr : *pour sûr (que)* → POUR, 8
surcomposé : *passé surcomposé* → PASSÉ, 2 ; APRÈS QUE, 1 ; (VERBE) PRONOMINAL, 1
sûrement *(que)* → QUE, 4
le surlendemain → MATIN, SOIR, MIDI, 1

t u

tant : *tant de* (accord) → BEAUCOUP, 2 ; **tant qu'à moi* → QUANT À, 1 ; *tant plus.., tant moins...* → PLUS, 6
te : *il te l'a rembarré...!* → PRONOM PERSONNEL, 4
tel : v. ce mot ; *tel que* → CONSÉQUENCE, 1 ; *tel* en tête de phrase → INVERSION DU SUJET, 1, c
tellement → TANT, 1 ; *tellement que* → CONSÉQUENCE, 1
tendre *à* + infin./*à ce que* + subj. → À, 5
tenir *à* + infin./*à ce que* + subj. → À, 5
tentacule → GENRE, 7
tenter *de* + infin. → INFINITIF, II, 2
terminatif → ASPECT, 3
termite → GENRE, 7
thème de la phrase → QUE, 4
tien adj. possessif → MIEN
tigre, -esse → GENRE, 2
titres (d'œuvres) → ARTICLE, 4
topaze → GENRE, 7
tout v. ce mot ; *tout à coup, tout d'un coup* → COUP ; *tout de bon* → POUR, 7 ; *tout* + gérondif *(tout en étant très riche)* → CONCESSION, OPPOSITION, 5
traître, -esse → GENRE, 2
transitif → VERBE, 2
travailler *à* + infin./*à ce que* + subj. → À, 5
trembler *que (ne)* → NE, II, 1
trop : *trop de* (accord) → ACCORD, A, 2 ; BEAUCOUP, 2 ; *de trop/en trop* → PLUS, MOINS, MIEUX ; *trop ... pour que* → CONSÉQUENCE, 1
tubercule → GENRE, 7
trouver *que* (mode) → CROIRE, 6
type : *type de phrase* → PHRASE, 2 ; COORDINATION, 3
unique : *l'unique ... qui* + subj. → RELATIVE, 4, b

unir *avec/à* → AVEC, 1
un tel, Untel → TEL, 8
urgent : *ce qu'il est urgent de* + infin. /*que* + subj. → QUI, 8

v y

valu (accord) → PARTICIPE, II, 1
se vanter *de ce que/de* + infin. → DE, 10
vas : *je vas* → ALLER, 1
vécu (accord) → PARTICIPE, II, 1
la veille → MATIN, SOIR, MIDI, 1
veiller *à* + infin./*à ce que* + subj. → À, 5
vélo : *en vélo, à vélo* → À, 3
vendeur, -eresse → GENRE, 2
se venger *de qqch/de ce que* + indic. → DE, 10
vengeur, -eresse → GENRE, 2
venir → DONT, 5 ; *voici venir* → VOICI, 5 ; *venir* + infin. → INFINITIF, II, 2 ; *venir de* + infin. → ASPECT, 4 ; *venir de qqch/de ce que* + indic. → DE 10 ; *venir* en tête de phrase → INVERSION DU SUJET, 1, d
vers : *vers (les) huit heures, sur les huit heures* → SUR, 5
vertement → ADVERBE, 2
se vexer *de ce que/de* + infin. → DE, 10
vicomte, -esse → GENRE, 2
vicomté → GENRE, 7
vigie → GENRE, 5
ville : genre des noms de villes → GENRE, 9 ; article devant les noms de villes → ARTICLE, 3 ; préposition devant les noms de villes *(dans, à ...)* → EN, II, 3
vingt : *vingt fois* → NUMÉRAUX, 8
viscère → GENRE, 7
viser *à* + infin./*à ce que* + subj. → À, 5
voir *que* (mode) → CROIRE, 6 ; *voir à* + infin./*à ce que* + subj. → À, 5 ; *se voir* + infin. → PASSIF, 5, et AUXILIAIRE, 2
voix → VERBE, 3
volonté : *avec la meilleure volonté* → MEILLEUR, 3
volonté : subordonnées dépendant de verbes de volonté → SUBJONCTIF, 1
votre adj. possessif → MIEN
vouloir : *je ne veux pas...* (portée de la négation) → NÉGATION, 10 ; *en vouloir à qqn de qqch/de ce que* + indic. → DE, 10
vous : *je vous lui ai dit ...* → PRONOM PERSONNEL, 4
voyant : *une couleur voyante* → PARTICIPE, I, 2
vrai : *pour de vrai* → POUR, 7
y : v. ce mot ; *il y va de/il en va de* → ALLER, 11 ; *fiez-vous-y/*fie-t'y* → PRONOM PERSONNEL, 2

Photocomposition M.C.P. — Fleury-les-Aubrais.

IMPRIMERIE JOMBART. — Évreux - 27000. Dépôt légal Mai 1983. — N° de série Éditeur 12071.
IMPRIMÉ EN FRANCE *(Printed in France).* — 800009-C-Avril 1984.